`A Mario,

Bon divertissement
et
Bonne lecture,

Danny Dufour

Libération

Danny Dufour

Libération

Le samouraï yazi

Éditions au Carré

Les Éditions au Carré inc.
Téléphone : 514-949-7368
editeur@editionsaucarre.com
www.editionsaucarre.com

Maquette de la couverture : Quand le chat est parti… inc.
Photographie de l'auteur :Maxime Girard-Tremblay
Mise en pages :Édiscript enr.

Nous reconnaissons l'appui financier du gouvernement du Canada.
We acknowledge the financial support of the Government of Canada.

Canada

Les Éditions au Carré désirent remercier tout spécialement la Société de
développement des entreprises culturelles (SODEC) et le Fonds du livre
du Canada (FLC) pour leur appui.

Société
de développement
des entreprises
culturelles
Québec

Dépôt légal : 2e trimestre 2015
Bibliothèque et Archives Canada
Bibliothèque et Archives nationales du Québec
ISBN 978-2-923335-59-9 (version papier)
ISBN 978-2-923335-60-5 (version numérique)

DISTRIBUTION
Prologue inc.
1650, boul. Lionel-Bertrand
Boisbriand (Québec) Canada J7H 1N7
Téléphone : 1 800 363-2864
Télécopieur : 1 800 361-8088
prologue@prologue.ca
www.prologue.ca

*À mes parents, Serge et France,
qui ont toujours été là pour moi
et qui m'ont toujours soutenu
dans tout ce que j'ai entrepris.
Merci pour tout.*

Prologue

Dans la mythologie chinoise, Yazi (dont le caractère chinois est 睚眦) est le septième fils du Dragon chinois[1]. Cette bête symbolise l'art de la guerre dans un sens large. Elle est reconnue pour son agressivité et sa violence. Encore aujourd'hui, son emblème se retrouve à l'occasion sur les armes blanches de combat. Ce dragon est souvent considéré comme un être protecteur pour les militaires et les combattants de toutes sortes. Il symbolise la peur instaurée dans le cœur de l'ennemi.

Le samouraï yazi est un combattant qui a été initié aux techniques ultimes des arts martiaux japonais et chinois ; il en résulte chez lui une maîtrise absolue tant du corps que de l'esprit. Le guerrier qui atteint ce niveau de perfection est tout simplement létal, car il perçoit l'âme même de son ennemi.

---

1.   D'après Yang Shen. Selon Li Dongyang, il est le deuxième fils.

Première partie

Bien que le reflet de mes yeux soit froid
comme de la glace, mon cœur brûle comme
le feu.

Ancien proverbe martial japonais

L'homme est un apprenti, la douleur est son
maître, et nul ne se connaît tant qu'il n'a pas
souffert.

Alfred de Musset

Chapitre 1

À l'aube de l'an 2016, Montréal, Canada.

— Merde! Mais qu'est-ce que… s'exclama Andy avant de recevoir un puissant coup à la figure qui le projeta violemment au sol.

Andy Bane avait senti la peur auparavant, mais jamais comme cette fois-ci. En tant qu'agent de renseignements, il avait été confronté à des situations stressantes à un point tel que, quelquefois, il avait presque pu sentir et palper la tension ambiante. Il était habituellement d'un sang-froid hors du commun. Peu importe la situation à laquelle il avait dû faire face depuis le début de sa carrière, il avait été capable de garder une distance face au danger. Habitué à telles situations, il avait pleinement conscience que malgré son intelligence et sa ruse, il restait toujours un facteur de risque qu'il ne pouvait prévoir. Toutefois, il croyait qu'un certain niveau de risque était toujours stimulant. L'adrénaline que cela lui procurait devenait un peu comme une drogue pour lui, mais il n'était pas cinglé. Il savait ce qu'il faisait, quand il devait le faire et comment il devait s'y prendre pour le faire le plus efficacement possible.

Cette fois-ci, par contre, la situation était différente. Il n'avait pas prévu ce qui venait de se passer et il était maintenant pris comme un rat en cage. Il faut dire que sa conduite, pour une fois, était allée à l'encontre de ses habitudes. Généralement, quand il menait des opérations de filature, il ne travaillait jamais seul. Cette pratique était une règle d'or pour Andy. Mais à cette occasion, toutes les règles de sécurité qu'il avait adoptées depuis toutes ces années, son professionnalisme impeccable, eh bien, il les avait enfreintes et cela lui valait de se retrouver désormais dans un merdier sans fond. Il se maudissait pour cela, mais l'erreur était faite. Trop tard.

Le voilà qui se trouvait étendu sur le dos dans le sous-sol crasseux d'un immeuble désaffecté. Son esprit était encore confus en raison du puissant coup qu'il avait reçu, venu tout droit des ténèbres. Le coup avait été suivi d'un fauchage qui lui avait fait lever les pieds du sol, le projetant de tout son poids sur le dos. L'attaquant lui semblait avoir fait partie des ténèbres elles-mêmes. Il n'avait rien senti, rien vu, juste l'impact foudroyant de l'attaque éclair. *J'ai foutrement mal… Je ne vois absolument rien ici… Qu'est-ce que c'était… Bordel… Mais quel imbécile je suis… OK, ressaisis-toi… Je dois foutre le camp d'ici maintenant, sinon je suis un homme mort… Maintenant, allez.* Dans les secondes qui suivirent l'attaque, cinq silhouettes sortirent de nulle part et l'encerclèrent. Il n'y avait plus d'issue possible. Il était cuit.

Elles étaient toutes vêtues de noir et elles portaient une cagoule de même couleur qui ne laissait paraître que leurs yeux sombres. La première silhouette qu'il distingua vraiment — et pour cause — fut celle qui plaça une lame froide sur sa gorge. *Et merrrde… OK, respire… Reste calme… Ne fais rien de stupide… Laisse-les croire que tu n'es pas une menace et tout ira bien… Tout ira bien… Et quel foutu imbécile je suis.*

Andy crut percevoir, à sa longueur, que la lame appartenait à un sabre. Il réalisa aussi que son agresseur était un homme de taille assez modeste et de race blanche, à voir l'infime partie du visage que la cagoule laissait à découvert. Il scrutait Andy avec des yeux pénétrants, sombres, glaciaux. Un regard qui ne laissait paraître aucune émotion humaine pas plus que les quatre autres qui l'entouraient.

睚眦

Andy Bane était né le 4 février 1964 à Montréal, au Canada. D'un père américain et d'une mère canadienne de langue française, il se trouvait donc à la fois un citoyen américain et canadien. Il était un mélange de deux cultures similaires, mais différentes en même temps. Andy avait toujours été très fier de son héritage familial. Dès sa naissance, il se considérait déjà un citoyen du monde de par sa double nationalité. Il parlait tant le français que l'anglais avec ses parents, ce qui le rendit parfaitement bilingue dès son jeune âge. Il grandit dans une banlieue modeste de Montréal. Enfant unique, il vivait dans une famille tissée serrée. Sa mère, Caroline, s'était occupée d'Andy dès sa naissance, décidant de demeurer à la maison pour veiller à son éducation, laissant de côté son métier d'agente de voyage.

C'était d'ailleurs à l'occasion d'un de ses voyages qu'elle avait rencontré le père d'Andy, Scott. Elle et lui s'étaient rencontrés à San Francisco dans un café de quartier. Elle l'avait remarqué tout de suite en entrant. Un homme grand, sérieux, posé. Leurs regards s'étaient croisés et Scott l'avait invitée à se joindre à lui. Dès les premiers instants, elle l'avait trouvé très intéressant. Tout comme elle, il était très curieux intellectuellement et elle aimait sa voix calme, son regard paisible et le petit sourire qu'il affichait souvent en la regardant.

Les deux avaient parlé des heures durant de tout et de rien dans ce café et ils s'étaient ensuite échangé leurs coordonnées. Lorsque Caroline avait demandé à Scott ce qu'il faisait dans la vie, il avait répondu qu'il était un homme d'affaires propriétaire d'une entreprise qui se spécialisait dans les exportations. Très intéressée, elle lui avait posé davantage de questions. Scott lui avait répondu, mais sans entrer dans les détails. En réponse à la question s'il aimait son travail, il avait regardé son verre en faisant un petit sourire, et il lui avait répondu :

— Mon travail a des avantages, mais disons qu'il ne me satisfait pas autant que je le désirerais. C'est un milieu difficile, la compétition est féroce, mais je me débrouille bien malgré tout.

Caroline avait compris qu'il souhaitait demeurer discret et elle avait changé de sujet. Après cette première rencontre, ils s'étaient revus plusieurs fois pour finalement devenir des amoureux. Un soir qu'ils faisaient une promenade au centre-ville, il rompit le silence :

— Caroline, je dois te parler d'une chose importante…

Caroline arrêta de marcher et elle le regarda. Le visage de son amoureux était étonnamment sérieux. De toute évidence, ce qu'il voulait lui dire le préoccupait au plus haut point et lui répondit :

— Qu'est-ce qui se passe, dis-moi, qu'est-ce qu'il y a ?

— Malgré ce que je t'ai dit, ne suis pas un homme d'affaires, Caroline. Je ne travaille pas en import-export.

Plein de choses affluèrent à son esprit. Elle devenait confuse, silencieuse, fixant son interlocuteur, craignant d'entendre ce qu'il allait dire.

— La vérité, je travaille pour le gouvernement. Je suis un agent de renseignements pour le gouvernement des États-Unis.

Le regard de Caroline s'assombrit légèrement.

— Pourquoi ne me l'as-tu pas dit, pourquoi me l'avoir caché ?

— D'abord, cela doit rester secret. En plus, comme je ne savais pas encore si ma rencontre avec toi allait mener à quelque chose, j'ai eu peur de ta réaction. Alors, j'ai préféré attendre avant de t'en parler.

Estomaquée, Caroline ne put s'empêcher de s'asseoir sur un banc sur la rue à côté d'eux. Elle fixait le sol comme pour s'éclaircir les idées, silencieuse. Elle regarda finalement Scott qui, lui, était resté debout sur le trottoir et elle lui dit sur un ton amer :

— Cela m'amène à me demander ce que je sais et ce que je ne sais pas de toi. C'est ton vrai nom, Scott ?

— Oui. Écoute, Caroline, tout ce que je t'ai dit d'autre sur moi est vrai. Mes sentiments pour toi le sont tout autant. J'aurais aimé te le dire dès notre première rencontre. Je n'ai pas honte de mon travail, mais je ne pouvais pas t'en informer, ne sachant pas qui tu étais comme je te connais maintenant.

— Tu as pris des renseignements sur moi ? Tu as enquêté sur moi ?

— Oui. Si tu ne comprends pas, Caroline, je l'accepte.

Cette remarque la fit exploser.

— Oh, c'est merveilleux ! C'était trop beau pour être vrai. L'homme que j'aime est un espion ! Il m'a espionnée ! Je suppose que tu vas me dire que ta vie est constamment en danger et que, pour des raisons de sécurité, tu ne pourras jamais me dire ce que tu fais exactement comme travail, non ? Où serait ma place dans ce monde, Scott ? Je te le demande… Tu crois vraiment qu'il peut y avoir quelque chose entre nous dans ton univers ?

— Oui, je le crois. Cela est possible si tu acceptes qui je suis. Si j'avais cru pour un instant que, nous deux, ça ne serait pas possible, je ne t'aurais jamais dit tout cela. Mais, quelle que soit ta décision, je l'accepterai.

— Je crois que je vais rentrer seule. Je ne sais plus vraiment où j'en suis pour le moment.

— Je comprends.

— Bonne nuit.

Caroline se détourna de Scott et elle partit à pied. Il la regarda s'éloigner. Mais elle devait revenir.

Six mois passèrent et ils se marièrent dans une petite église d'Oakland, en banlieue de San Francisco en présence de seulement quelques témoins. Un mariage simple. Il s'ensuivit une réception avec les amis proches et la famille. Photos, échanges de vœux et de cadeaux, et voilà, ils étaient mariés. Quelques mois plus tard, son service accéda finalement à la demande de Scott. À la suite de sa confession, il avait décidé que, pour le bien de leur relation, travailler sur le terrain n'était plus vraiment une option pour lui. D'ailleurs, il le faisait depuis déjà trop de temps. Surveiller des individus présentant une menace pour le pays, découvrir, gérer et exploiter des indicateurs. Passer de longues heures à écrire des rapports de renseignements et à analyser ces derniers. Sans parler du travail outre-mer durant des semaines, voire des mois, pour traquer, suivre des individus sans scrupules. Bien souvent dans les pires endroits de la planète également. Il en avait assez : temps de céder sa place à d'autres.

Avec les années, il avait accumulé une sorte de désillusion face à son travail. Il en connaissait davantage sur les pires terroristes, mercenaires, voleurs et fraudeurs de cette planète que sur lui-même. Il savait le nom de leurs enfants, de leurs femmes, de leurs maîtresses, de leurs banquiers, les restaurants qu'ils fréquentaient, les tics nerveux qu'ils avaient. Tout cela était dans les dossiers, corroboré *ad nauseam*. Malgré tout cela, il était certain que la plupart d'entre eux ne se feraient jamais prendre. Son agence était au courant de leurs activités criminelles, avec qui et comment ils s'y prenaient pour mener à bien leurs combines criminelles, mais pour diverses raisons, il fallait toujours attendre qu'ils fassent une erreur, que d'autres liens se fassent entre les individus et quoi, encore ! Et si finalement certains finissaient par être traduits en justice après des années d'atermoiements, eh bien, ils étaient acquittés à coups de procédures et lorsque condamnés, relâchés après quelques années pour cause de *bonne conduite*.

Il était littéralement écœuré de tout cela et il voulait maintenant penser davantage à lui-même ainsi qu'à sa vie personnelle. Quitter le terrain était donc la solution et il fit une demande pour être assigné à une autre fonction.

Cela prit un certain temps, mais il finit par obtenir ce qu'il recherchait. Comme sa femme était canadienne, on lui offrit de devenir délégué au Canada pour le compte de son agence. Il agirait comme officier de liaison pour le consulat américain. Il serait désormais la courroie de transmission entre le gouvernement canadien et le gouvernement américain. Une sorte de diplomate pratiquant la poignée de main, les dîners mondains, avec voiture de fonction et chauffeur, s'il vous plaît. Ils déménagèrent à Montréal où Scott assuma son poste. Ils s'achetèrent une jolie petite maison en banlieue. La naissance d'Andy fut la continuation logique d'une vie agréable, calme, enfin stable et heureuse. Caroline prenait soin de bébé Andy à la maison et tout le monde était heureux. Une petite famille unie, une vie simple, le rêve devenu réalité.

Chapitre 2

Été 1970, Montréal, Canada.

Andy était perché sur l'arbre depuis plus d'une heure. Il était fasciné par ce qu'il voyait, tentant de bouger le moins possible même s'il était ankylosé, car la mère cardinale se rendrait compte de sa présence. Elle protégeait son nid qui contenait des œufs prêts à éclore dans les jours à venir. Le nid était bien soudé à une branche. La mère couvait ses œufs tout en scrutant les alentours nerveusement à la recherche d'un ennemi potentiel qui pourrait s'en prendre à sa progéniture. Le mâle, pour sa part, avait bien vu l'intrus et se démenait pour attirer son attention. Admirant son courage, Andy regardait le spectacle silencieusement en tentant de comprendre comment des oiseaux aussi petits avaient réussi à construire un nid aussi perfectionné et solide. À l'aide de leurs becs et de leurs deux pattes, ce couple avait réussi à bâtir un abri pour leurs petits que même lui, avec ses propres mains, n'aurait jamais été capable de façonner d'une manière aussi solide. Quand il vit que le soleil descendait à l'horizon, il réalisa qu'il était temps de rentrer à la maison, car sa mère allait s'inquiéter. Elle ne voulait pas qu'il reste dehors lorsque la nuit tombait. Il avait répliqué à plusieurs reprises qu'il avait maintenant six ans, mais sa mère avait été formelle et, bien que cela le contrariait, il obéissait. Andy n'était pas un enfant rebelle. Un certain caractère oui, mais pas vraiment contestataire comme d'autres enfants l'étaient parfois à son âge.

Il descendit de l'arbre doucement en tentant de ne pas effrayer l'oiseau et il se dirigea à la maison, son sac à dos à la main. Arrivé à la maison, Andy fut accueilli par de bonnes odeurs du repas du soir. Bien qu'il fût incapable de deviner ce qu'elle cuisinait, il trouvait que cela sentait très bon et, en plus, il était affamé. Tous se mirent à table. Rendue au dessert, sa mère lui dit :

— Andy, nous avons une grande nouvelle à t'annoncer. Ton père a eu une offre pour aller travailler au Japon. S'il accepte, nous déménagerions là-bas.

Andy engloutit sa pointe de tarte. Il sentait que son ventre allait éclater, mais il ne pouvait s'empêcher d'en manger davantage. Il adorait la tarte de sa mère. La garniture aux fruits des champs, le chaud coulis, la croûte dorée. *Quel délice.* Scott regardait Andy qui avait la figure tachée de garniture aux fruits et il lui dit :

— Andy, tu penses quoi de cela ? Tu aimerais aller vivre là-bas ?

La bouche pleine, l'enfant répondit :

— Je ne sais pas, je crois. Tu pourras faire de la tarte là-bas aussi ? demanda-t-il en regardant sa mère.

Scott et Caroline se regardèrent avec un demi-sourire.

— Bien sûr que, oui, tu auras de la tarte, dit Caroline en souriant.

Andy répliqua par un grand sourire violacé, la bouche et les dents maculées de garniture sucrée à faire blêmir un diabétique.

睡眦

En fait, on avait demandé à Scott de retourner sur le terrain. On lui confiait une mission spéciale, se joindre à une escouade spécialement créée pour résoudre un problème toujours insoluble. Le crime organisé japonais prenait de plus en plus d'ampleur en Amérique du Nord. Il était actif partout et son champ d'activités illégales se diversifiait : extorsion, drogue, fraude, prostitution, traite de personnes, esclavagisme sexuel, meurtres. Le problème résidait surtout dans le fait que les autorités faisaient face à une impasse qui portait un nom : loyauté à mort. Peu ou pas de renseignements étaient disponibles sur les parrains et leurs organisations, car on n'avait pu identifier de traîtres. Les criminels de ces organisations avaient prêté le serment du silence et ils le respectaient, quelles que soient les menaces ou les récompenses. Cela constituait un grave problème pour les autorités. Ils ne pouvaient infiltrer leurs structures mafieuses pour les démolir, pas d'informateurs crédibles ni de délateurs prêts à marchander des renseignements pour alléger leur sentence. Rien du tout. Du moins, rien d'assez tangible pour mener à des arrestations.

Cette différence de culture et de mentalité comparée avec les habitudes nord-américaines avait occasionné plusieurs échecs dans diverses enquêtes policières échelonnées sur de longs mois. Il y avait pression politique pour régler cette situation qui devenait embarrassante, suscitant une panoplie de questions sans réponses. Les autorités américaines compétentes avaient donc décidé d'offrir de créer une force conjointe avec les services secrets et les corps policiers japonais pour trouver des solutions à un cancer en pleine croissance.

Le gouvernement japonais avait paru souhaiter partager son expertise, car il est évident que le problème était également plus que présent en territoire du Soleil levant. Scott fut donc approché pour superviser une escouade conjointe qui aurait son quartier général à Tokyo. Sa tâche : enquêter sur le yakuza, l'approcher, le comprendre, prédire ses gestes. Connaître l'ennemi pour mieux l'éliminer, voilà le mandat qui l'attendait à Tokyo. Scott était conscient de la situation qui se présenterait à lui : une importante différence entre deux cultures, la réticence japonaise à intégrer des étrangers à leurs façons de faire, la langue, et plus encore. De plus, la loyauté au sein du yakuza était une arme à deux tranchants, les membres étant aussi implacables entre eux qu'envers leurs ennemis. Donc Scott jouerait un jeu dangereux, ce qu'il avait compris très rapidement.

Il n'y avait pas de demi-mesures ni de failles avec ces criminels. Ils ne plaisantaient pas et ils avaient des informateurs dans plusieurs instances gouvernementales. La corruption de hauts dirigeants était aussi une technique très prisée, et finalement, leurs méthodes de représailles et de règlements de comptes étaient radicales, violentes et sans pitié. En d'autres mots, la marge d'erreur était mince pour Scott et il le savait, mais l'offre était trop intéressante pour ne pas tenter l'expérience.

Chapitre 3

À Tokyo, Andy revenait à pied de son école vers la maison après une longue journée de cours. Le temps était doux, un petit vent jouait avec les feuilles des arbres. Il se sentait bien, ce qui n'avait pas été chose courante au cours de sa première année dans son nouvel environnement. L'intégration avait été tout sauf facile pour Andy, mais, maintenant, il commençait à se sentir un peu chez lui. Ses parents avaient loué une jolie petite maison en banlieue. Cette résidence était relativement vaste selon les standards japonais, mais, lui, il la trouvait tout de même de grandeur modeste. Tout semblait en format miniature au Japon. La petite maison se trouvait dans une petite rue tranquille décorée de cerisiers, en fleurs en cette saison. Certains arbres étaient tout blancs, d'autres rouges ou roses. Ils étaient robustes, fournis et cachaient les petites maisons. C'était comme si les arbres protégeaient les maisons et les habitants en étouffant les bruits et en enveloppant tout l'espace environnant, ce qui avait pour effet de créer une atmosphère silencieuse, irréelle, voire même étrange, mais tout à fait paisible.

Les parents d'Andy avaient une domestique à la maison qui s'occupait surtout des tâches ménagères. Sa mère lui avait dit que l'employeur de son père l'avait engagée. Andy aimait bien Fumi. Elle était très réservée, mais toujours souriante avec lui. Tout était à l'ordre à la maison, car Fumi était d'une rigueur exemplaire. Il s'était habitué à sa présence. Souvent au retour de l'école, ses parents n'étaient pas encore rentrés ; Fumi lui tenait alors compagnie. Ils n'avaient pas de grandes conversations, car il ne parlait pas bien le japonais et Fumi ne comprenait pas bien l'anglais, encore moins le français. Toutefois, cela n'était pas important, car les deux réussissaient à s'exprimer par signes ou bien Andy tentait de balbutier quelques mots en japonais. Pas de grandes discussions, mais il appréciait sa présence et il savait que cela était réciproque.

睡眦

Andy marchait tranquillement le long de la rue en regardant bouger les fleurs des arbres. Certaines tombaient et atterrissaient dans la rue, mais la plupart restaient accrochées aux branches. Oui, il marchait cette fois-ci, mais il n'avait pas été rare de le voir au cours des mois précédents faire ce trajet en courant avec, soit le visage tuméfié ou bien avec un chandail sale et déchiré, souvent pourchassé par une meute de gamins. La présence d'Andy n'avait pas été appréciée par certains de ses camarades à son arrivée. Il avait suivi quelques leçons de japonais avec un professeur privé engagé par sa mère avant le départ pour Tokyo, mais son langage était de niveau débutant. Il lui arrivait de comprendre et d'autres fois, non. Il parlait un peu, mais il avait encore beaucoup de difficulté à s'exprimer. Le japonais étant en fait une langue très difficile, ses tuteurs considéraient qu'il avait un fort talent pour les langues. Apprendre une langue est un processus long, et s'intégrer lui permettrait de s'améliorer avec le temps. Il fut bien accueilli par ses professeurs, mais les problèmes survinrent avec certains enfants de son école qui avaient décidé qu'il ne méritait pas d'être laissé en paix. Andy était un étranger de par sa langue et sa race. Au départ, il n'avait aucune notion de la discrimination, un concept qu'il ne connaissait pas, mais il s'apprêtait à en faire la dure expérience. Une bande de jeunes Japonais s'amusa dès le début à persécuter Andy. Le petit caïd du groupe avait persuadé les autres qu'il était un démon blanc et les autres suivaient leur chef comme de bons petits soldats, se portant volontaires pour ces persécutions, histoire d'impressionner leurs pairs. En groupe, ils se sentaient forts et leur sport favori consistait à faire peur au *diable blanc*.

Tout avait commencé dès la première semaine à l'école. À la récréation, le petit caïd que l'on surnommait Jin avait repéré Andy. Il était accompagné de quatre comparses. Andy était assis en retrait sur un banc dans la cour de récréation et il regardait les autres s'amuser. Jin l'avait salué en souriant tout en s'adressant à lui en japonais. Andy l'avait salué en retour. Ce dernier lui avait retourné son sourire, car il était bien content qu'enfin d'autres enfants de son âge lui parlent. Enfin, il pourrait se faire de nouveaux amis. Jin le regardait de la tête aux pieds tout en ricanant et il commença à lui parler assez rapidement sachant qu'Andy ne parlait pas bien japonais. Ce dernier, qui voulait bien faire, essaya de lui répondre en prenant son temps. Il tentait de s'exprimer avec les connaissances qu'il possédait. Il s'exprimait de façon timide en cherchant ses mots et en incorporant beaucoup de silences pour bien réfléchir à ce qu'il voulait dire. Plus il faisait d'efforts et plus Jin ricanait. Les autres, voyant faire leur chef, se mirent à rigoler en chœur même s'ils ne savaient trop pourquoi.

Jin continua ainsi pendant plusieurs minutes et Andy continua de s'efforcer de répondre. Après un certain temps, Jin pointa du doigt le bracelet qu'Andy portait au poignet. Il fit signe de lui montrer. Alors Andy l'enleva et l'offrit tout naïvement à son futur *ami*. Jin le mit à son poignet et regarda ses comparses fièrement. Ces derniers ricanèrent encore plus fort tout en conversant en japonais entre eux. Andy ne comprenait pas ce qu'ils se racontaient, mais il resta debout, immobile, attendant que Jin lui redonne son bracelet. Jin le regarda, indiquant de l'index le bracelet attaché à son poignet. Ensuite, il pointa son index vers sa poitrine en signifiant que le bracelet était le sien dorénavant.

Andy commença à comprendre que quelque chose clochait et il rétorqua en faisant un signe de la tête à la négative, mais Jin fit comme si Andy n'existait plus. Ce dernier s'avança d'un pas en élançant la main pour tenter de prendre le bracelet au poignet de Jin, mais ce dernier lui envoya un coup de pied latéral directement au ventre, lui coupant le souffle. Il s'écroula au sol en position fœtale, perclus de douleurs.

Tout ce qu'il entendait, c'était des rires autour de lui, des cris et des hurlements incompréhensibles en japonais. Se rapprochant encore plus près, Jin cria à Andy :

— Tu crois être de niveau à m'affronter, diable blanc ? Ce n'est que le commencement pour toi !

À son ton, Andy comprit très bien le sens de ce que Jin lui disait cette fois, mais il était incapable de se relever. Puis Jin fit signe aux autres et, clamant leur victoire, les jeunes tortionnaires s'enfuirent à la course. Andy resta au sol, tentant de reprendre ses forces et ses esprits au fur et à mesure que les cris et rires s'atténuaient.

Il se releva finalement en se tenant le ventre à deux mains. Tous les élèves étaient maintenant retournés en classe tout comme ceux qui l'avaient battu. Il retourna sur le banc où il se trouvait avant que Jin ne l'apostrophe. Il resta assis un long moment, se tenant toujours le bas du corps, mais sans pleurer. Il ne retourna pas en classe et il décida plutôt de quitter les lieux. Il erra un peu partout dans le quartier pour ensuite retourner à la maison à l'heure habituelle de la fin des classes. Il n'avait pas voulu retourner à la maison avant ce moment de crainte qu'on ne lui pose plein de questions.

Par la suite, les choses empirèrent pour Andy. Jin et ses copains continuaient à le persécuter. Il avait peur d'eux, car il se faisait tabasser à chaque occasion, ne sachant comment répliquer. Il avait même essayé une fois de régler la situation en tentant de parler à Jin, proposant une trêve, mais cela lui avait valu de se faire voler son argent de poche après avoir reçu un coup de poing au visage. Bien sûr, Andy ne se faisait pas attaquer tous les jours. Il pouvait se passer plusieurs journées sans qu'il ne les voie et soudain, au moment où il n'y pensait plus, ils s'embusquaient derrière un arbre ou bien ils arrivaient à la course dans son dos pour l'attaquer. Souvent aussi, ils le pourchassaient alors qu'il tentait de se rendre chez lui. C'était le jeu de Jin.

Ce qui amusait Jin n'était pas seulement de lui faire mal, mais de savoir qu'il le terrorisait. Cela lui donnait un sentiment de puissance et il adorait cela. Jin, en réalité, se servait d'Andy pour passer sa frustration et sa rage. Le fait d'opprimer Andy devant ses camarades lui donnait un sentiment d'omnipotence. Ce qui avait commencé par un coup de pied se continua en d'autres agressions et ce n'était pas seulement Jin qui le frappait désormais, mais aussi les autres.

Une chose qu'Andy ignorait, car il était trop jeune, c'est que les arts martiaux faisaient partie en quelque sorte de la culture asiatique. Plusieurs Japonais de son âge pratiquaient déjà les arts martiaux, en particulier le karaté. C'était pour eux un mode de vie, mais, comme dans plusieurs domaines, certains utilisaient leurs connaissances de mauvaise façon. En fin de compte, la petite racaille, dès son jeune âge, avait recours à des techniques de combat sophistiquées.

Le problème, c'est qu'Andy n'était pas de cette culture. Il n'avait pas de connaissance martiale ni de capacité à réagir efficacement face à de petits voyous. En plus, il n'était pas un enfant agressif dans l'âme alors que ses jeunes assaillants passaient leurs temps libres à s'entraîner dans des dojos. Cela n'aidait vraiment rien à sa situation. Une chose est certaine, Jin réussissait son plan : Andy était terrorisé, et il n'osait parler de crainte de représailles. Certains élèves voyaient ce qu'Andy vivait, mais ils ne voulaient pas s'en mêler sous peine de devenir eux-mêmes des souffre-douleur. Ils se contentaient de regarder dans une autre direction. Au fil des bagarres, Andy s'était fait voler, déchirer ses vêtements, et terroriser. Comme il avait peur et qu'il ne savait pas comment réagir, il cachait la situation à ses parents. Il ne se souciait plus de ses cours. Il avait perdu sa concentration et sa motivation pour ses études, ce qui avait des conséquences négatives sur ses succès scolaires. Ces choses n'avaient plus pour lui d'importance. Toute sa concentration était maintenant axée sur une seule chose : sa propre survie.

Jin avait réussi — la vie d'Andy était devenue infernale. Elle consistait maintenant en un jeu du chat et de la souris. La souris, c'était lui.

睚眦

Yogi retournait chez lui, sac au dos, quand il vit encore l'étranger blanc qui courait avec une bande à ses trousses. Cela faisait bien rire Yogi de voir ces idiots et leur chef, Jin, tenter de jouer aux durs en se formant en gang et en se donnant des airs de tueurs, fiers de montrer les techniques de karaté qu'ils connaissaient. Yogi savait qu'ils étaient tous de parfaits amateurs. Aucun d'eux n'avait de réelles compétences martiales. Leurs connaissances et leurs habiletés étaient limitées, sans parler de leur vitesse et de leur coordination, qui étaient nulles. Tout ce qu'ils maîtrisaient, c'était pour ainsi dire quelques techniques de base qui consistaient à connaître la mécanique, mais l'aspect intérieur de l'art leur échappait complètement, ce qui faisait d'eux, à ses yeux, des minables. Yogi savait qu'il pouvait les neutraliser sans vraiment d'efforts. Effectivement, car il était le fils de sensei Mick Tanaka, grand maître réputé et respecté dans la région. Le maître en question possédait un dojo depuis plusieurs années et son nom était synonyme de vérité et d'efficacité.

Ses élèves avancés étaient des individus solides qui s'entraînaient de la façon la plus traditionnelle. L'enseignement de sensei Tanaka consistait également à former l'individu, c'est-à-dire qu'il enseignait des valeurs comme le respect, l'entraide, la compassion, l'humilité. Les élèves qui faisaient l'apprentissage de ce sensei devaient suivre la bonne voie, mais ils étaient réputés pour être des guerriers redoutables et sans merci au combat. Ils étaient solides comme du roc et craints par les combattants formés dans les autres dojos.

Yogi s'entraînait depuis son tout jeune âge sous la tutelle aussi rigide que bienveillante de son père. Il avait grandi avec la philosophie du vrai karaté et toutes les valeurs qui le constituent. Son père l'avait formé, mais il lui avait également enseigné qu'avoir des telles habiletés revenait à posséder un grand pouvoir. Et qu'avec un tel pouvoir viennent des grandes responsabilités également. Yogi, même s'il était le fils de sensei Tanaka, se devait de s'entraîner aussi durement que les autres élèves, voire même plus encore afin de gagner le respect de ces derniers qui étaient souvent plus vieux, plus grands et plus expérimentés que lui. À l'âge de sept ans, Yogi Tanaka était déjà un jeune guerrier redoutable et il avait gagné de nombreuses compétitions de karaté dans sa catégorie. Il était en fait un enfant très calme, généreux et compatissant. Tranquille et bon élève, il passait souvent inaperçu dans un groupe. Malgré son jeune âge, déjà sa réputation le précédait.

Il était la fierté de son quartier et tout le monde l'aimait. Une inspiration pour beaucoup de gens du secteur.

Yogi avait constaté dès les premières escarmouches ce que la bande de Jin faisait subir à l'étranger, mais il n'intervenait pas. Il se mêlait de ses affaires et il se disait que la responsabilité revenait à l'étranger de surmonter cette épreuve. Il devait faire face à son destin et affronter ses adversaires. Il croyait que le jeune blanc finirait par affronter Jin, mais non. À plusieurs reprises, Yogi l'avait vu se sauver et finir pourtant quand même par se faire frapper par plusieurs de ces voyous en même temps. Cela finit par l'attrister de voir ce spectacle désolant et de constater que non seulement la victime ne se révoltait pas, mais qu'elle semblait céder de plus en plus à sa peur. Il voyait qu'il était maintenant totalement désemparé et incapable de se défendre d'une bande de crétins. En plus, il se rendait bien compte que l'étranger n'avait aucun instinct ou notion de défense. Il encaissait les attaques. Il n'avait aucune idée de la mentalité de ces adversaires ni de la façon de se comporter. Encore aujourd'hui, il lui fallait assister à ce spectacle désolant alors qu'il marchait vers le dojo de son père.

Aujourd'hui, c'était apparemment le jour des bâtons chez ces jeunes mécréants. Les enfants s'amusaient à frapper Andy. Il voyait l'étranger tenter d'esquiver les coups, mais la bande l'encerclait et elle le maintenait au centre du cercle. Une bastonnade en règle. Cette fois, Yogi en eut assez, et il se dirigea vers la bande. Il s'arrêta un peu en retrait. Il regarda la scène un moment et il lâcha d'une voix calme et ferme :

— Assez ! Laissez-le. Vous ne voyez donc pas qu'il ne peut pas se défendre !

Jin se retourna et il vit Yogi. Il le connaissait très bien et il savait ce qu'il était capable de faire également. Mais pas question de perdre la face devant sa meute. Il lui répliqua d'un ton arrogant :

— Ne te mêle pas de cela, ce ne sont pas tes affaires !

Yogi se mit à dévisager Jin d'un regard perçant. Tout en s'avançant posément, d'un pas assuré, il répliqua :

— Tu ne te sens pas lâche d'attaquer une seule personne avec toute ta bande ?

— Ne viens pas me dire que tu te portes à la défense du démon blanc, toi qui es Japonais comme nous !

— Je te dis de le laisser tranquille, Jin !

Jin se mit à rire d'un rire aigu et méprisant, mais on pouvait percevoir chez lui une certaine nervosité. Le jeune voyou connaissait la réputation de Yogi. L'attitude de ce dernier le plaçait dans un dilemme, coincé entre la crainte et l'orgueil. Il tenta de maquiller sa peur en élevant sa voix au maximum.

— Qui es-tu pour me donner des ordres ? Je suis le chef et c'est moi uniquement qui déciderai du sort du démon ! Voilà !

Yogi s'avança vers Jin d'un pas léger, et rapide, franchit le cercle formé par les voyous. Il saisit le bras d'Andy pour le sortir du cercle. Jin profita de ce geste pour lui envoyer un crochet droit à la figure. Mais Yogi le bloqua d'un coup sec de son avant-bras gauche, lui assénant simultanément un coup de poing direct au ventre de sa main droite. Jin s'écroula au sol se roulant sur le sol de douleur. Ses camarades, pris de panique et craignant d'être les prochaines victimes de Yogi, s'enfuirent en soutenant leur ami hors de combat et incapable de reprendre son souffle. Yogi reprit Andy par le bras et il l'entraîna avec lui loin de cette mascarade.

— Tu ne te défends donc jamais, toi?

Andy, encore sous le choc de ce qui venait d'arriver, se contenta de répondre:

— Merci!

— Aucun problème, je m'appelle Yogi.

— Je sais, moi c'est Andy.

Yogi lui rétorqua avec un sourire:

— Je le savais également!

Les deux jeunes marchèrent ensemble jusqu'à leur demeure respective apprenant à faire connaissance avec comme fond de scène un soleil couchant illuminant des cerisiers en fleurs.

Les choses changèrent pour Andy après cet incident. Les deux jeunes devinrent de bons amis. Il s'intégrait à son nouvel environnement et le Japon commençait à lui plaire.

Chapitre 4

C'était un matin gris comme il y en a souvent. Andy s'était réveillé en regardant par la fenêtre, se disant qu'il allait malheureusement pleuvoir ce jour-là. Comme chaque jour, il prit le petit-déjeuner que sa mère lui avait préparé. Son père, lui, était déjà à table, lisant le journal, vêtu comme à l'habitude pour le travail. Andy se rappela que son père lui avait dit qu'il verrait à réparer sa bicyclette dès son retour du bureau. Andy avait endommagé une des roues lors d'une balade, et son père lui avait dit qu'il la remplacerait.

Andy sortit en même temps que son père pour se rendre à pied à l'école. Il se dirigea vers la rue alors que son père s'apprêtait à monter à bord de son automobile. Au bout de la rue, un puissant crissement de pneus se fit entendre, accompagné d'un bruit de moteur fonctionnant à plein régime. Interloqué, Andy s'arrêta, un peu inquiet, se demandant ce que faisait dans leur rue un véhicule roulant à tombeau ouvert.

Le véhicule freina brusquement, ce qui le fit déraper. Il s'agissait d'une automobile noire, de modèle sport, avec les vitres teintées. Un bruit de rafale assourdi de pistolet automatique se fit entendre. Andy vit la flamme sortir du canon de l'arme. Atteint par ces tirs, le père d'Andy s'écroula sur le trottoir. L'automobile repartit sur les chapeaux de roue aussi soudainement qu'elle était arrivée, laissant derrière elle une odeur de poudre et de caoutchouc brûlé. Andy figea sur place, paralysé, comme si le spectacle d'horreur se passant sous ses yeux ne pouvait être réel. L'automobile de son père était criblée de balles, les vitres fracassées. Mais le pire, une masse sanglante gisait à côté de l'auto, masse qui avait été son père quelques secondes auparavant.

Il ne pouvait détacher ses yeux de l'horrible spectacle du corps de son père, la tête éclatée et la cervelle répandue sur le trottoir. Du sang s'écoulait lentement vers le caniveau. Puis tout devint confus pour Andy, il ne voyait plus que le sang, incapable d'entendre même les cris de sa mère au loin. Le yakuza avait frappé comme un serpent.

睚眦

À la suite de la mort de son père, rien ne fut plus jamais pareil pour Andy. Il avait définitivement perdu son enfance, dans cette rue, ce matin-là. Sa mère et lui étaient rapidement retournés à Montréal après avoir enterré Scott à San Francisco, sa ville natale. Les funérailles avaient été sobres ; de nombreuses personnes y avaient assisté, preuve que Scott avait été un individu respecté et apprécié de son milieu de travail.

睚眦

Avec les années, Andy finit par ne retenir de son père qu'une image floue. Mais c'était toujours celle d'un cadavre déchiqueté étendu sur un trottoir. Cela l'attristait de se rendre compte qu'il l'oubliait tranquillement, mais, en même temps, probablement que ce défaut de mémoire lui avait permis de continuer à vivre. Comme remède, Andy plongea avec acharnement dans les études. Sans aucunement s'en rendre compte, il suivait les traces de son père, et ses résultats étaient brillants. Tout se concrétisa pour Andy lorsqu'il termina son doctorat en sciences politiques. Sa thèse n'était guère passée inaperçue aux yeux d'un certain employeur potentiel qui surveillait son évolution depuis un bon moment. De toute évidence, quelqu'un croyait que son avenir était décidé.

Un inconnu était venu le rencontrer un soir à son travail. Andy travaillait encore dans un restaurant comme serveur, et l'homme avait fini par lui révéler qu'il faisait partie des services secrets canadiens et qu'il désirait recruter Andy au sein de l'organisation. Ce que son interlocuteur ignorait, c'est qu'Andy brûlait d'envie de faire la différence, de protéger son pays, mais par-dessus tout, de suivre les traces de son père pour mettre à l'ombre le genre d'individus qui lui avait volé son enfance en assassinant son père. Andy n'eut pas une longue réflexion, il devint un agent. Même un excellent agent, tout comme l'avaient prédit ceux qui cachés dans l'ombre l'avaient vu évoluer.

睚眦

Les années passèrent pour Andy. À l'aube de ses cinquante et un ans, il en était venu à perdre un peu la flamme qui l'avait animée au tout début pour la justice. Il avait réalisé que les ordures qu'il surveillait, qu'il traquait, et qui avaient tué son père n'étaient que rarement jugées et mises hors d'état de nuire. Il en était venu très vite à la conclusion que les seuls citoyens qui étaient avantagés par les règles de droit du système étaient en réalité les truands sur lesquels il enquêtait. Malgré cela, il faisait toujours son travail de manière impeccable, mais une rage profonde l'animait désormais. Un tournant majeur s'effectua dans la vie d'Andy lorsque son supérieur immédiat le convoqua à son bureau. Il s'y rendit, fermant la porte.

— Qu'est-ce que je peux faire pour toi, James?

James Kanten, chef des opérations clandestines, avait plus d'une trentaine d'années d'expérience dans le domaine du renseignement et il en avait vu d'autres. Ce jour-là, il avait une expression dans le visage qui n'était pas habituelle, ce qu'Andy remarqua.

— OK, dis-moi… C'est du cas Forzatelli que tu veux me parler?

James regarda Andy, mais garda le silence, comme plongé dans une profonde réflexion.

— Merde, tu vas me dire ce qu'il y a ou je reste ici toute la journée?

— Bon, écoute… Je ne sais pas dans quel merdier tu t'es encore mis les pieds, mais il y a des personnes de la CIA qui sont ici à Montréal et qui veulent te rencontrer et s'entretenir avec toi ce soir.

Andy se mit à rire, tout en s'asseyant dans le fauteuil face au bureau de son superviseur.

— Écoute, James, je ne veux pas te désappointer, mais tu oublies que je dois rencontrer un informateur ce soir; la rencontre est arrangée depuis trois jours avec cet abruti et il est directement connecté à Reiki. Ça fait deux fois qu'il nous fait faux bond, mais je sais que s'il nous parle, on peut remonter à plusieurs caches d'armes. C'est bien dommage, mais tes charmants copains de la CIA n'avaient qu'à nous informer à l'avance; qu'ils aillent se faire foutre!

— Le problème n'est pas là: je n'ai pas le choix, tu vois! Je ne sais pas ce qu'ils veulent et ils n'ont rien voulu me dire! Les ordres viennent d'en haut. Le Boss lui-même m'a dit que tu devais y aller et tu vas y aller. Qu'est-ce que j'en ai à foutre après tout, c'est avec toi qu'ils veulent discuter!

— Écoute, bordel, je ne peux pas remettre ce coup-là! Tu exiges des résultats et quand je suis sur le point de réussir, tu…

— Tu y vas, c'est tout! C'est un ordre! Tiens, note cette adresse et sois là à 20 h, ne les fais pas attendre. Tu oublies ton foutu informateur!

Andy se leva en grommelant et quitta le bureau de James Kanten, faisant claquer la porte de toutes ses forces.

Le lieu correspondant à l'adresse fournie par Kanten était en fait un ancien entrepôt frigorifique situé dans un secteur industriel de l'est de la ville de Montréal. Le bâtiment ressemblait à un gros cube de couleur brune avec quelques petites fenêtres barricadées à l'aide de barreaux de fer. L'édifice était situé près d'une voie ferrée, abandonnée elle aussi de toute évidence. De hautes herbes poussaient partout autour du bâtiment et des détritus jonchaient l'endroit. Sur la bâtisse, on pouvait lire qu'elle était à vendre. Andy se gara devant l'endroit tout en cherchant s'il ne verrait pas d'automobiles garées tout près qui auraient pu appartenir aux nouveaux *amis* qu'il s'apprêtait à rencontrer. Il n'en vit aucun. Le voisinage était désert. *Seulement un imbécile pourrait souhaiter acheter un édifice semblable.* Cette construction ne valait que la démolition.

Il tenta d'ouvrir la porte principale de l'entrée, mais elle était barrée. Il se dirigea vers l'arrière dans l'obscurité, contournant broussaille et détritus où il trouva finalement une porte d'acier. Il la tira et elle s'ouvrit pour ne laisser paraître qu'un gouffre noir. Sans se poser de questions, il entra.

Tout était obscur à l'intérieur, à l'exception de quelques minces filets de lumière provenant des rares ouvertures de l'immeuble. Il régnait une odeur de moisissure dans l'air. L'endroit était vaste et Andy crut apercevoir un bureau vitré qui avait probablement dû servir de bureau aux services de réception de l'entreprise. Il longea un mur en béton jusqu'à ce qui semblait être une immense porte en bois, comme une porte de réfrigérateur. Il tira sur cette dernière pour se rendre compte que la pièce était éclairée. Définitivement, il s'agissait d'un ancien frigo qui avait dû contenir des périssables de toutes sortes. À l'intérieur, il aperçut cinq à six silhouettes au fond de la pièce. Tous étaient assis derrière une table, le seul meuble dans cet immense espace. Sur la table était posée une petite lampe, source de la mince lumière de la pièce. Une voix grave et posée brisa le silence :

— Bonsoir, monsieur Bane, nous vous attendions.

— Bonsoir, messieurs, je dois dire que c'est original comme lieu de rencontre. J'espère qu'on ne sera pas dérangé !

L'homme qui s'adressait à Andy se leva et il s'approcha de lui en arborant un sourire pincé. C'était un homme grand, mince et grisonnant. Il affichait une légère moustache de la même couleur que ses cheveux. Quand Andy s'approcha de l'homme pour lui serrer la main, il put apercevoir de plus près ses acolytes. Tous semblaient être des hommes matures et tous observaient Andy sans rien dire.

— Je m'appelle Oscar Schwartz. Veuillez vous asseoir s'il vous plaît, mettez-vous à l'aise. Nous sommes très heureux de vous rencontrer.

— Tout le plaisir est pour vous, ne put s'empêcher de lancer Andy.

Impassible, Schwartz lui montra une chaise en bois de l'autre côté de la table. Il y prit place comme s'il se trouvait devant un jury et Schwartz retourna où il se trouvait à l'arrivée d'Andy, se gardant bien de présenter ses collègues.

— Je suppose que ça fait partie de vos méthodes, vous, messieurs de la CIA, de me demander s'il me convenait de vous rencontrer. Cela doit être vraiment important pour que vous vous déplaciez aussi nombreux afin de rencontrer un agent de notre service. La dernière fois que j'ai eu besoin de vous, vous m'avez envoyé...

— Monsieur Bane... En effet, nous sommes ici, car ce que nous devons vous dire est d'une importance capitale, sinon nous ne serions pas là...

— Ouais, j'imagine ! grommela Andy.

— Et premièrement, qu'est-ce qui vous laisse croire que nous sommes de la CIA ?

— Et bien, c'est ce que mon patron m'a dit et, by the way, il était d'ailleurs furieux que vous ne vouliez pas l'informer de la nature de cette rencontre. Vous aimez foutrement laisser planer le mystère ! Et je dois avouer que je n'ai pas également beaucoup de patience pour jouer à ces petits jeux. Je n'ai pas dormi convenablement depuis deux jours et s'il faut qu'en plus de...

— La CIA n'était que l'instance par laquelle nous sommes passés pour prendre contact avec vous, nous ne sommes pas de la CIA. Notre organisation est bien plus que cela. Le monde est complexe, mais, cela, vous devez déjà le savoir.

Andy se mit à ricaner en regardant Schwartz comme s'il était sorti tout droit d'une bande dessinée.

— Quoi ? Vous allez me dire, je suppose, que c'est votre président lui-même qui vous envoie me rencontrer ?

Schwartz continua de le fixer dans la pénombre.

— En quelque sorte, peut-être, mais également beaucoup d'autres personnes qui dirigent le monde comme nous le connaissons et qui partagent une vision, mon ami.

— Je vois ! Une organisation mondiale. Bon ! J'ai assez entendu de conneries. Si vous voulez bien m'excuser, je crois que vous ne vous êtes pas adressés à la bonne personne !

Andy se leva de sa chaise et il se dirigeait vers la sortie en tournant le dos à son audience lorsque Schwartz rétorqua d'une voix cinglante :

— Votre père, monsieur Bane... Vous vous en souvenez ? L'agent Scott Bane assassiné froidement devant son domicile par le yakuza ! Là, devant vous, debout sur le trottoir ?

Andy se retourna brusquement et revint vers Schwartz. La moutarde lui montait au nez. *Comment cet enfoiré s'était-il permis de fouiller dans son dossier personnel et d'utiliser le nom de son père pour l'inciter à écouter ses conneries ?*

— De quel droit avez-vous fouillé dans mon dossier personnel ? Comment osez-vous utiliser le nom de mon père pour me faire embarquer dans votre arnaque ! Je me demande ce qui me retient de ne pas vous casser la gueule !

— Du calme, du calme. Mon but n'est pas de vous manipuler, mais de vous expliquer la raison de notre présence ce soir.

Andy rageait encore. Il sentait que le visage lui brûlait, mais les phrases de Schwartz l'avaient un peu modéré.

— D'accord, très bien, Schwartz ! Qu'est-ce que vous voulez de moi ?

— Que vous écoutiez ce que nous avons à vous dire.

— Je vous ai écouté !

— Non, vous ne m'avez pas écouté. Je souhaite que vous écoutiez calmement ce que j'essaie de vous expliquer. Ensuite, vous jugerez vous-même de la légitimité de notre demande.

Andy se rassit sur sa chaise et il regarda Schwartz droit dans les yeux.

— Parfait, d'accord… Je vous écoute !

— Merci beaucoup. Vous avez été choisi parmi plusieurs pour une tâche, disons… particulière.

— De quel genre de tâche parle-t-on exactement ? De quoi il est question ?

— Le sort de l'humanité, monsieur Bane, rien de moins.

— Ah oui, j'avoue que l'humanité fait peine à voir quelques fois, j'en conviens, mais je ne crois pas être l'homme qui pourra sauver l'humanité ! Vous y allez un peu fort !

— Je ne devrais pas dire sauver… Peut-être qu'améliorer serait le terme plus adéquat. Vous avez été choisi pour une tâche très complexe… En fait, celle de votre vie, Andy. Ceux que vous recruterez, si vous acceptez notre offre, auront une mission encore plus grande que vous et que nous également.

— Vous voulez que je forme un groupe ? De quel genre de groupe parlons-nous et dans quel but ?

— Nous ne pouvons pas vous dire le genre de groupe… Cette décision vous reviendra. Toutefois, leur mission sera de sauver de nombreuses vies humaines en traquant et en débarrassant le monde de la vermine qui est en train littéralement de nous gruger vivants !

— Je crois comprendre… Vous me demandez de former un groupe de mercenaires qui vont effectuer des opérations d'élimination, c'est bien cela ? Le genre qui va abattre froidement des individus nuisibles à vos yeux, c'est bien cela ? Tout cela dans un but patriotique et, pour le bien de la patrie américaine, je me trompe ? Vous n'avez pas appris de vos erreurs passées ? Nous savons très bien que les opérations noires menées par les renseignements dans le passé ont toutes fini par être percées, et elles se sont toutes terminées en superscandale médiatique.

Je ne tiens pas, mais vraiment pas, à être l'imbécile qui va exécuter des gens sous prétexte qu'ils ne pensent pas de la même façon que moi, je suis désolé. Néanmoins, si c'est le type d'individu que vous cherchez, vous en trouverez, j'en suis certain. S'agit juste de payer suffisamment. Ce ne sont pas les mercenaires qui manquent de nos jours et plusieurs seront prêts à tuer qui vous plaira pour quelques malheureux dollars.

Schwartz sourit légèrement en regardant Andy.

— Je ne vous blâme pas, monsieur Bane, je suis même entièrement d'accord avec vous. Toutefois, vous n'y êtes pas. Notre but n'est pas politique, comme je vous l'ai expliqué. Notre but est d'améliorer notre monde afin qu'il puisse survivre, vous comprenez?

— Foutaise, nous savons tous ce qui mène le monde : l'argent et le pouvoir. Ce n'est pas la grandeur d'âme des hommes. Vous allez me faire avaler que votre but en créant un tel groupe serait de faire le nettoyage de notre charmante planète… à rendre plus blanc que blanc… ricana Andy.

— Très amusant, mais si c'est votre façon de l'expliquer, cela me va… Oui, c'est la vérité. Vous savez, vous êtes parmi ceux qui connaissent les grands secrets de notre système comparativement à la plupart des gens vivant une vie normale. Mais que croyez-vous savoir exactement sur les vrais dirigeants de notre monde? Même, peut-être que ce que vous croyez savoir n'est qu'un masque sur la vraie vérité. Rien n'est ce qu'il semble.

— Si rien n'est ce qu'il semble, alors peut-être accepteriez-vous de m'expliquer la vérité?

— Depuis la nuit des temps, des individus règnent sur notre monde comme des gardiens silencieux et invisibles, si je peux m'exprimer ainsi. De là tout le problème, c'est-à-dire du silence. Ces individus sont de tous les pays et partout. Deux choses nous unissent, le secret, et le fait que nous sommes des hommes de bien, tout comme vous, monsieur Bane. Nous voulons le meilleur pour notre monde, mais nous avons toujours évité d'intervenir directement dans l'ordre normal de l'évolution du monde. Notre aide a toujours été indirecte et en appui à gens et des courants qui permettaient de l'améliorer.

Nous avons toujours cru que le bien vaincrait le mal par lui-même. Aujourd'hui, nous n'en sommes plus certains. La plupart des pays sont maintenant des sociétés dites de droit où les criminels ont appris à manipuler les lois et les frontières pour survivre. Les pires criminels, si je peux m'exprimer ainsi, eh bien, ils s'en tirent indemnes de plus en plus souvent. La société est devenue incapable d'intervenir à temps pour arrêter ces menaces et nous avons réalisé que si de tels bandits sont devenus si puissants, c'est peut-être que les hommes comme nous se sont tus trop longtemps.

Notre passivité a été la cause de millions de morts et de terribles souffrances au cours des décennies passées et nous avons décidé que cette situation devait changer. Combien de vies auraient pu être sauvées par exemple si nous étions intervenus pour arrêter Adolf Hitler avant qu'il ne tue des millions de personnes ou bien si nous avions neutralisé ceux qui sont à l'origine des génocides en Bosnie? Imaginez tous les dictateurs dans notre histoire que nous avons vu s'établir tranquillement et que nous n'avons pas osé neutraliser avant que l'innommable ne survienne, sous prétexte qu'il n'est pas acceptable d'éliminer un individu avant qu'il n'ait fait des atrocités.

Eh oui, nous avons échoué. Toutefois, il n'est jamais trop tard pour admettre nos erreurs et notre confrérie a pris la décision de jouer un rôle en ce qui concerne le futur. Nous ne pouvons changer le passé, mais nous pouvons faire une différence pour le futur. N'est-ce pas raisonnable?

— Peut-être. Mais pourquoi moi?

— La réponse est simple. Tout a commencé avec la mort de votre père qui a été assassiné, ce qui vous a conduit à votre destin, c'est-à-dire à traquer le genre d'individus destructeurs et sans scrupules. Bref, le genre de personnes qui ont tué votre père. Vous avez toujours eu ce profond désir de justice, mais vous avez vite réalisé la véracité de ce que je vous ai expliqué plus tôt. Dans un système comme le nôtre, espérer que ce genre de criminel finisse par payer est une utopie. Vous avez accepté cette réalité en apparence, mais au fond de vous… Vous en êtes incapable.

— Et si vous vous trompiez sur moi? Et si, au contraire, je considérais que notre système est convenable, et que je n'étais pas ce que vous croyez?

— Mais convenable en quoi, cher ami, je vous le demande? Un système contrôlé par des avocats corrompus? Un système qui a été érigé par des faibles et qui est aujourd'hui dirigé par ces derniers, leur permettant de mieux se dissimuler derrière le désastre qu'ils ont créé? N'avez-vous jamais songé qui tire réellement avantage d'un tel système? Je vous en prie… Monsieur Bane… Ne me faites pas rire! N'êtes-vous pas fatigué de vous mentir à vous-même? Depuis des années, vous attendez que cette occasion se produise. Cette occasion est arrivée, la voici… Je suis en face de vous présentement! Le choix des armes vous appartient. Le choix de retourner à votre travail, à vos illusions et votre lassitude ou bien de lancer les dés… La décision vous appartient et il s'agit de votre vie. À vous de décider qui vous désirez être !

Andy réfléchissait aux propos de son interlocuteur et au fond de lui, il savait que les propos de Schwartz étaient fondés. Depuis des années, il s'acharnait à mettre à l'ombre des criminels qui ne recevaient que des peines minimes ou bien, la plupart du temps, il se retrouvait dans une impasse lors de ses enquêtes. Cela l'enrageait au plus profond de lui-même lorsqu'il se rendait compte qu'après avoir consacré toutes ses meilleures années à cette cause, il n'avait abouti à pratiquement rien en fin de compte. Toujours célibataire, pas d'enfant. Aucune attache. *Qu'ai-je à perdre au fond ?* Il devait tenter le coup même si cela devait lui coûter le peu qui lui restait.

— Si j'accepte et que votre projet tourne mal, je suppose que vous nierez tout sur son existence, non ?

— Malheureusement, je dois vous dire oui. Il y a des risques pour nous, pour vous et pour votre future équipe. De là l'importance de garder le plus grand secret, vous comprendrez. Vous saurez le minimum que vous devez savoir pour votre sécurité et la nôtre, c'est tout.

— Je n'ai aucune idée du genre d'individus qui pourraient être à la hauteur d'une telle tâche, je ne sais…

— Monsieur Bane, nous vous faisons confiance… Je suis certain que vous trouverez les bons individus et votre choix sera le nôtre.

— Bon, d'accord, admettons que je dise oui et que je trouve le genre d'individus capables d'effectuer de telles interventions. Qu'en est-il de l'argent ?

— Ah oui, l'argent bien sûr… Pour être honnête avec vous, l'argent est la partie facile dans toute cette histoire. Bref, pour répondre à votre question, vous n'aurez aucun souci à vous faire à ce niveau. Vous aurez tout ce dont vous avez besoin.

— Bon, ce que je comprends, c'est que vous êtes une confrérie qui désire garder l'anonymat, mais j'aimerais quand même savoir quels pays sont derrière ce projet, car il doit bien y en avoir !

— Comme je vous l'expliquais, ce n'est pas une question de pays. Cela va au-delà des concepts de nation, politique ou de religion. Mais si cela vous permet de mieux saisir, je vous dirais que nous avons des *gardiens* dans la majorité des pays. Notre cause est juste et vous serez appuyé par de nombreux alliés même si des fois vous aurez l'impression d'être seul. Sachez que vous ne le serez jamais. Peut-on compter sur vous, monsieur Bane ?

— Cela vaut le coup d'essayer, je crois.

— Vous m'en voyez ravi. C'est la première fois que nous nous rencontrons et, en toute probabilité, nous ne nous verrons plus. Je suis certain que vous et votre groupe ferez un travail magistral, nous avons foi en vous. Oscar Schwartz se leva de sa chaise, imité par tous les autres. Les deux hommes se serrèrent la main en signe d'alliance. Andy remarqua une bague massive en or à un doigt de Schwartz. Les autres individus présents lui serrèrent également la main. Tous avaient la même bague au doigt. Schwartz lui donna une enveloppe contenant des renseignements sur la prochaine étape à suivre.

Andy ressortit par le même chemin qu'il avait emprunté, plus songeur qu'à son arrivée. Il savait qu'à partir du moment où il avait serré la main de tous ces hommes, sa vie ne serait plus jamais pareille, mais il se dit qu'il n'avait rien à perdre.

Chapitre 5

Victor Leung était ponctuel comme à l'habitude. Chaque semaine, il se présentait au deuxième étage d'un bâtiment situé dans une petite ruelle en plein cœur du Quartier chinois de Montréal pour sa séance hebdomadaire d'acupuncture. Il était préoccupé par sa santé et sa forme physique. Il fréquentait cette petite clinique privée où cette forme de médecine chinoise y était pratiquée. Bien que discrète, elle regroupait cinq acupuncteurs ainsi qu'une dizaine d'assistantes pour servir une clientèle asiatique en majorité. Si le bien-être de Leung lui était primordial, celui des autres lui importait peu, pour ne pas dire pas du tout.

Victor était en fait un être imbu de lui-même, inatteignable et cruel. En tant que chef de triade, c'est-à-dire de la mafia chinoise locale, il s'était fait toute une réputation avec les années dans le monde interlope. Sa cruauté et, surtout, sa violence effrénée lui avaient valu le respect qu'on lui réservait présentement. Victor Leung contrôlait de nombreux bars de danseuses érotiques et de salons de massage dans la région de Montréal. Il était impliqué également dans les paris illégaux, les maisons de jeu, l'extorsion et la prostitution. Il contrôlait plusieurs femmes et on racontait qu'il faisait la traite de personnes. Tous les moyens étaient bons pour Victor afin de se hisser au sommet du monde criminel. Il se faisait un plaisir sadique à utiliser la violence pour susciter la terreur auprès de concurrents qui auraient pu être tentés de lui voler ce qui lui « appartenait ».

Il y a quelques années, un restaurateur du quartier avait refusé de payer une quote-part de ses profits à Victor. Ce dernier contrôlait tout le Quartier chinois et constatant la réticence de ce restaurateur, il n'avait pas hésité, en une belle journée ensoleillée, à lui rendre visite accompagné de quelques hommes de main, coincer le restaurateur et lui couper la main avec une hachette en guise de représailles et d'avertissement. Tout cela s'était fait, bien entendu, au moment où le restaurant était bondé et sous les yeux horrifiés des clients. Évidemment, personne n'avait rien vu et le malheureux décida de ne pas porter plainte, s'étant officiellement lui-même blessé ! Non, personne ne pouvait lui tenir tête, il était le maître du secteur. Toute la communauté chinoise le connaissait, mais personne n'y offrait de collaboration avec la police par peur de représailles. On racontait que de nombreuses femmes travaillant pour Victor disparaissaient régulièrement dans des circonstances étranges et qu'on ne les retrouvait jamais. Ce malfrat était au sommet de sa gloire et son non verbal l'exprimait. Il était constamment accompagné de deux à trois gardes du corps, toujours vêtu de vêtements de marque. Sa particularité était de toujours se déplacer avec une canne noire non pas parce qu'il en avait besoin, mais plutôt pour donner du style au personnage qu'il s'était créé.

Ce personnage était connu d'Andy. En réalité, il était connu de la police également. Cela faisait quelques années qu'il était le chef de la principale triade chinoise. De nombreuses enquêtes le concernant avaient été lancées, mais personne n'avait réussi à le faire chuter jusqu'à maintenant. Andy, qui était sur la piste d'un trafiquant d'armes tchèque nommé Reiki, était remonté jusqu'à Victor au fil de son enquête. Tout lui laissait croire que Victor traitait avec Reiki pour se procurer des armes. Si Andy pouvait surveiller Victor, peut-être ce dernier finirait-il par le mener à Reiki qui était élusif comme un fantôme. Il savait que Victor se rendait à cette clinique chaque semaine et il avait décidé de le suivre avec d'autres agents pour voir ce que cela pourrait donner comme résultat.

C'est dans ce but qu'il était assis dans son automobile stationnée tout près de la clinique en question avec vue sur l'entrée. Il attendait que sa cible ressorte. D'autres agents étaient également postés à différents endroits au cas où le Chinois sortirait par une autre sortie que la principale. Dans la pénombre de son véhicule, Andy réfléchissait toujours à la rencontre qu'il avait eue et il se demandait sincèrement comment il ferait pour trouver le genre d'individus capables de mener à bien le genre d'opération que Schwartz lui avait proposé. Honnêtement, il était dans un cul-de-sac et cela l'emmerdait : il avait accepté l'offre de Schwartz, mais en réalité il n'avait aucun plan ni même une idée sur sa façon de créer un tel groupe.

— Enfoiré de Chinois ! La moitié des truands souhaitent sa mort pour prendre sa place et il n'en a rien à foutre. Tout ce qui lui importe, c'est sa santé ! Et moi, je suis là à attendre dans ce véhicule de merde pendant qu'il se fait planter des aiguilles dans le cul ! ragea Andy.

La soirée s'annonçait longue. Au même moment, il vit sortir une Asiatique aux cheveux longs par l'accès principal de la clinique. Il l'avait remarquée au premier coup d'œil, car elle semblait flotter littéralement lorsqu'elle marchait. Sa démarche semblait d'une légèreté comme si elle était en état d'apesanteur. La femme n'avait rien fait de particulier sauf sortir de l'endroit pour disparaître vite comme l'éclair dans une ruelle sombre à proximité du bâtiment. S'il avait été distrait ne serait-ce qu'une seconde ou bien s'il s'était penché pour changer de poste à la radio, il ne l'aurait jamais aperçue. Toutefois, il l'avait bien vue, vêtue d'un long manteau noir, laissant transparaître des pantalons blancs. En une fraction de seconde, il se demanda si sa présence ne pouvait pas avoir un lien important avec Victor. Le fait qu'une femme seule s'aventure sans aucune hésitation dans semblable ruelle, dans ce quartier, à ce moment-là, fut suffisant pour qu'Andy sorte de son véhicule. Tout cela s'était passé si vite, qu'il se demandait presque s'il avait été victime d'une vision. Instinctivement, il se mit à suivre cette femme. Ce faisant, il enfreignait une règle fondamentale qui est d'informer l'équipe déjà en position et de ne pas s'aventurer seul.

— Mais qu'est-ce qui me prend de suivre cette femme? Je dois retourner à mon poste! se dit Andy.

Son instinct lui dictait de suivre cette femme de loin dans cette petite ruelle comme si une force l'y poussait. Rendue au bout du passage, la femme emprunta la rue transversale. Elle y continua sur quelques mètres pour ensuite changer brusquement de direction. Elle avait toujours Andy à ses trousses, mais ce dernier était certain qu'elle ne l'avait pas repéré. La mystérieuse femme s'arrêta soudain pour ouvrir une porte métallique rouge du genre porte d'entrepôt. Andy attendit quelques minutes et il s'y aventura également. Il ouvrit la porte doucement et il la referma avec la même précaution. Elle donnait sur un escalier en métal vers l'étage inférieur. Il maudit le métal qui accentuait tout bruit. Il s'engagea dans l'escalier sur la pointe des pieds en tentant de faire le moins d'écho possible. Au bas de l'escalier s'ouvrait un immense sous-sol vaste et sombre. Il vit une petite lueur au fond, mais le reste de la pièce était dans l'obscurité complète. Il s'avança vers la lumière quand il reçut un coup violent qui le projeta au sol.

— Arggghhh! cria Andy de douleur.

Voilà le merdier dans lequel il s'était placé. Un sabre sur la gorge, entouré de cinq individus cagoulés.

— Tu bouges et je te tranche la gorge! lança le propriétaire cagoulé du sabre.

— Je promets… Je ne bougerai pas! dit-il, le souffle à moitié coupé.

— Qui es-tu? demanda l'homme au sabre d'un ton menaçant.

— Je m'appelle Patrick! mentit Andy. Je faisais une promenade dans la rue et j'ai cru entendre des cris provenant d'ici. Je suis venu voir! Je vous le jure!

— Mensonge! rétorqua un autre cagoulé à côté de l'homme au sabre.

— Je suis certain qu'il travaille pour Victor et il l'a repérée à la clinique ! Nous devons nous débarrasser de lui avant que tous les gars de Victor nous repèrent ! ajouta une voix féminine en arrière-plan.

— Pas si vite ! dit l'homme au sabre.

Ce dernier se mit à fouiller Andy et il exhiba un portefeuille de la poche de son manteau. Il en sortit une carte d'identité et… un insigne d'agent de renseignements !

Merde. Andy avait un émetteur portatif sur lui comportant un bouton de détresse qui, une fois actionné, émettait un signal aux autres agents indiquant qu'il était en difficulté. De plus, une fois la fonction déclenchée, le radio devenait un GPS permettant de repérer l'agent en danger. Il lui fallait l'actionner, car, sinon, il risquait d'être mort dans les prochaines minutes. Par contre, s'il tentait de le faire, on lui coupait la gorge d'une oreille à l'autre.

— Andy Bane des services de renseignements ! Voilà qui est intéressant… Et qui complique les choses, dit l'homme au sabre.

— Ce n'est pas croyable, ça ! cria une autre femme en retrait. Il faut le liquider au plus vite et foutre le camp. Nous allons avoir toute la police et les renseignements à nos trousses d'un instant à l'autre si ce n'est pas déjà fait !

— Du calme ! rétorqua l'homme au sabre. Nous ne tuerons pas un agent de renseignements. Il n'y a personne qui va venir. Je crois que notre invité a fait une erreur et c'est pourquoi il est ici, je me trompe ?

— Non ! marmonna Andy en grimaçant de douleur en raison du coup qu'il avait reçu. Vous travaillez pour Victor Leung et la femme… c'était un piège pour m'attirer, non ? demanda Andy.

— Faux ! Jamais nous ne travaillerions pour cette ordure ! Non, en réalité, nous sommes venus pour nous occuper de lui plus exactement. Une histoire personnelle à régler pour ainsi dire, dit l'homme au sabre. Et vous, monsieur Bane… comment êtes-vous arrivé ici ?

— Nous surveillons Victor depuis un moment et j'ai vu une femme sortir de la clinique. J'ai cru que cela me mènerait à un individu que nous traquons.

L'homme au sabre ricana.

— Ahhhh, je vois. Je dois vous féliciter Andy ! Réussir à la suivre, c'est un tour de force. Vous devez avoir un bon instinct, n'est-ce pas ?

— Dans la situation où je me trouve, je ne pourrais pas dire que « bon » est le terme approprié ! grogna-t-il.

— Ne soyez pas trop dur avec vous.

— Nous perdons du temps, tu devrais en finir avec lui tout de suite, ordonna la voix de la femme.

— Écoutez! dit l'homme au sabre. Laissez-moi m'occuper de lui, d'accord?

— Toi et ton sixième sens de merde! dit l'homme à ses côtés.

Tous les autres individus gardèrent le silence en signe d'accord.

— Parfait. Andy, je sais que vous avez une radio sur vous et que vous pouvez déclencher un signal d'urgence. Je vous offre la possibilité de le faire maintenant ou même de quitter ce local sur-le-champ si vous le désirez.

Andy réfléchissait à l'offre de l'homme. Il se demanda si c'était en fait un piège et quelle était la bonne décision qu'il devait prendre. D'un autre côté, sa peur s'était changée en curiosité sur l'identité de ces individus qu'il venait de rencontrer.

— Non, sans façon, dit-il.

— Très bien! Dans ce cas…

L'homme au sabre et l'acolyte enlevèrent leurs cagoules.

— Bonjour, Andy, dit l'homme au sabre. Je me nomme Danny. Mon collègue, ici, c'est James.

— Bonjour, rétorqua-t-il avec une certaine hésitation en voyant qu'ils le saluaient d'un signe de la tête.

— Vous avez vieilli depuis la dernière fois que nous nous sommes vus, ajouta Danny Namara.

— Je… désolé, je ne suis pas certain de me rappeler qui vous…, balbutia Andy d'un air songeur.

— La Colombie… la force opérationnelle antidrogue… Nous nous sommes croisés, car vous faisiez enquête sur des trafiquants de cocaïne qui transportaient la drogue de la Colombie jusqu'à Montréal par paquebots.

Andy se rappelait maintenant. Il avait rencontré Danny Namara en Colombie, car ce dernier faisait partie de la force opérationnelle antidrogue. On l'avait référé à eux pour des renseignements en lui expliquant que c'était l'unité la plus informée et la plus impitoyable pour la lutte contre la drogue dans ce pays. Andy n'avait pas su exactement quels étaient leurs plans, mais il s'en douta bien en rencontrant quelques membres de ce groupe. De toute évidence, il s'agissait de membres des forces spéciales, des commandos endurcis qui avaient comme tâche de nettoyer en allant de la destruction de laboratoires clandestins pour la fabrication de cocaïne jusqu'à l'assassinat pur et simple des membres de cartels, s'il le fallait. Ces installations étaient bien souvent situées au plus profond de la jungle et bien dissimulées, mais l'unité était passée maître dans la façon de s'infiltrer en pleine jungle dans les territoires ennemis et pour tout détruire sur leur passage.

Tout ce qu'il avait réussi à savoir sur cette unité, c'était qu'ils étaient de vraies machines à tuer et qu'ils étaient prêts à tout pour détruire le commerce de la drogue et ses trafiquants. Plusieurs pays participaient au financement de cette unité, principalement ceux qui étaient touchés par la drogue qui rentrait par leurs frontières, un véritable fléau. Aucun pays ne niait l'existence de cette unité interalliée, mais personne ne révélait leur véritable mission en Colombie. On rapportait que l'unité travaillait en collaboration avec les autorités colombiennes. Leur mission aurait été d'enquêter sur les cartels, de fournir de l'information et leur soutien à l'armée ainsi qu'à la police colombienne pour que la justice soit appliquée selon les règles de l'art et que les criminels soient traduits devant les tribunaux.

Toutefois, en réalité, les pays qui avaient suscité la création de cette force opérationnelle n'avaient aucun rapport avec les autorités colombiennes, bien au fait qu'elles étaient corrompues de la base jusqu'au sommet. Pas question de collaborer avec elles. Leur but réel en Colombie était de trouver les caïds, les membres de cartels, la drogue, les installations et de tout détruire sans laisser de trace. La force opérationnelle antidrogue était passée experte dans ce rôle et tout cela dans la clandestinité la plus parfaite.

Andy avait été bien reçu, notamment par Danny Namara et l'autre homme également présent, James Guerra. Cela s'était passé il y avait plusieurs années, mais Andy se rappelait avoir été reçu d'abord avec une certaine froideur par ses hôtes. Il s'était vite rendu compte de la nature de leur mission et il n'était pas d'accord avec une telle vision. Il croyait — à cette époque — en la démocratie et en un système de justice.

Arrêter ces trafiquants et les traduire devant la justice, telle était la solution correspondant aux valeurs démocratiques que les sociétés de droit avaient proposées. Mais pour ces hommes, il n'en était rien. Ils ne respectaient aucune règle. Andy, qui était idéaliste à cette époque, trouva qu'il n'y avait aucune différence entre ces hommes et les trafiquants eux-mêmes. Toutefois, on l'avait finalement bien reçu, en l'assurant que s'ils obtenaient des renseignements pertinents concernant son enquête, ils lui feraient savoir. Andy se doutait qu'il n'en aurait jamais et, effectivement, il n'en eut jamais non plus.

— Avez-vous mis la main sur votre individu recherché à l'époque? lança Guerra.

— Non. Mais, étrangement, l'individu a fini la gorge tranchée. Nous avons eu cette information des autorités colombiennes quelques semaines après mon départ.

— C'est dommage pour vous, mais, dans ce métier, ils vivent rarement de nombreuses années, dit Guerra avec le sourire.

— De toute évidence! rétorqua Andy d'un ton sarcastique.

— Vous n'appréciez pas vraiment nos méthodes, n'est-ce pas? demanda Danny.

— Vrai. Je trouvais que vous étiez en tous points semblables à ceux que vous traquiez et que vos techniques étaient immorales.

— C'est dommage que vous pensiez de la sorte. Personnellement, je crois qu'il faut combattre le feu par le feu. Cela prend des hommes convaincus, vous savez, pour aller vous mettre volontairement dans des situations où vous savez pertinemment que vous avez plus de chances de revenir mort — ou blessé gravement —, que de revenir sain et sauf. Mais peut-être qu'il faut avoir vu la mort en face à quelques reprises pour pouvoir comprendre le vrai sens de ce que nous faisions. Pour vous, nous sommes simplement des tueurs, mais je peux vous affirmer que ce n'est pas le cas. Il n'y a aucune ressemblance entre les trafiquants que nous pourchassions et nous. Mais de toute évidence, nous sommes, vous et moi, de deux mondes différents. Votre définition de la justice n'est pas identique à la mienne, car, tout simplement, vous n'avez pas vu ce que j'ai vu, vous n'avez pas eu à prendre les décisions que j'ai eu à prendre, vous n'avez pas connu les hommes avec qui j'ai travaillé. Allez affronter à vous seul dix hommes armés jusqu'aux dents et prêts à tout pour vous tuer. Peut-être que si vous revenez vivant, alors pourrez-vous comprendre ce que je vous explique! lança calmement Namara.

— Il y a quelques années, je vous aurais envoyé vous faire foutre, mais vous me parlez dans une très étrange période de ma vie en ce moment, alors...

Andy regardait attentivement Danny Namara. À l'époque, il l'avait rencontré lorsqu'il était dans le début de la vingtaine. Maintenant, il devait lui donner dans les trente ans. Tout comme lui, il avait vieilli. Danny était de stature athlétique et de taille assez petite. Il avait un visage carré, laissant paraître une barbe brune taillée. Cette dernière partait des favoris et descendait jusqu'à la base de la mâchoire pour se prolonger en un trait le long des mâchoires jusqu'au menton où il portait une barbichette et une moustache. Il en résultait une barbe taillée, coupée carrée, donnant une allure particulière à Namara. Ses cheveux coupés en brosse, dressés, plus courts sur les côtés et légèrement plus longs sur le dessus, complétaient le portrait.

Une coupe militaire, mais avec les cheveux plus longs. Sa peau bronzée laissait ressortir des yeux bruns et perçants. Son expression faciale était sérieuse, ses traits durs. Il ne dégageait pas l'image d'un plaisantin, bien au contraire. Ses traits symétriques lui donnaient un certain charisme néanmoins.

— Votre réponse me surprend, Andy, dit Namara. Que vaut ce changement de mentalité ?

— Eh bien… Peut-être ai-je vu trop de criminels s'en sortir durant toutes ces années ou bien c'est moi qui ai ramolli de la tête !

— Je ne crois pas que vous avez ramolli de la tête. Je crois que vous vous êtes réveillé… Éveil lent peut-être, mais éveil tout de même. Quand la force opérationnelle a été démantelée, chacun s'est dispersé. Moi et James avons continué à exécuter, pour de l'argent, des contrats que nous considérions comme intéressants et valables. Je dois dire que nous n'avons jamais eu autant d'argent que maintenant. D'autres collègues se sont joints à nous comme vous pouvez le constater, mais la morale de cette histoire, Andy, c'est que nous avons décidé d'être nos propres maîtres. Nous avons choisi un camp — le nôtre. Nous en avons tous suffisamment bavé pour maintenant profiter de notre future vie. Quand un client paie bien et que cela n'entre pas en contradiction avec notre code et bien… Je crois que vous connaissez la suite, dit Namara.

— En tant que tueur à gages… Vous dormez bien la nuit, Danny ? demanda Andy.

— Et comment ! Nos affaires roulent sur l'or en plus de débarrasser le monde d'ordures. Que voulez-vous de plus ? rétorqua doucement Namara.

— Oui… Peut-être, lança-t-il sur le même ton. Il se leva du plancher péniblement pour faire face à Namara.

— Je suppose que Victor sera un autre de vos cibles ?

— À vrai dire, Victor est plutôt une affaire personnelle, mais de toute manière je crois qu'il serait plus adéquat de parler de lui au passé à l'heure qu'il est.

— Ce connard n'a eu que ce qu'il méritait pour avoir tué ma sœur. Quand ses gardes vont s'en rendre compte, ce vieux débile sera mort depuis déjà quelque temps, lança une voix de femme.

— Amen, rétorqua une autre voix de femme en rigolant.

— Il doit être aussi dur et inerte qu'une arachide au moment où nous nous parlons, ajouta un autre avec un sourire.

— Comme vous le remarquerez, nous sommes maintenant un petit groupe. Ne soyez pas surpris si mes autres collègues gardent leurs cagoules pour le moment… Ne le prenez pas mal, mais vous ne les connaissez pas, et il est mieux qu'ils restent anonymes pour le moment, lança Guerra de sa voix grave en faisant référence aux autres.

James Guerra n'avait pas vraiment changé selon Andy. De grandeur moyenne, il avait une carrure musclée et forte. Ses cheveux bruns étaient toujours peignés et lissés vers l'arrière. Sa barbe de quelques jours laissait paraître un visage dur. Guerra avait l'allure typique d'un soldat endurci. Avec son léger accent britannique, sa démarche solide et sa voix rauque, il ressemblait à un gladiateur des temps modernes. Il ne pouvait pas cacher ce qu'il était, son visage et ses traits trahissaient ce qu'il avait certainement vu et enduré depuis toutes ces années. Non, il ne pouvait pas cacher ce qu'il était : ancien soldat d'élite des Forces spéciales britanniques (SAS).

Andy comprit, mais seulement après coup, l'exemple de l'arachide. En réalité, Victor Leung avait un talon d'Achille. Dans le passé, une enquête des services de renseignements avait révélé qu'il était mortellement allergique aux arachides. Bref, Andy comprit qu'il était probablement mort d'une obstruction des voies respiratoires causée par un contact avec cette légumineuse. Et probablement en quantité industrielle ! Victor Leung était en fait l'homme qui avait tué Yanling, la sœur de Ming Mei, plusieurs années auparavant. Les deux étaient des stripteaseuses qui avaient travaillé dans un établissement appartenant à Victor. Ming Mei était la plus jeune des deux et sa sœur la protégeait. Chinoise d'origine et petite, elle avait une silhouette mince et sexy. Ses longs cheveux noirs descendaient à mi-dos et un toupet coupé carré laissait voir des yeux verts. Ming Mei s'était juré de tuer un jour Victor. Entre-temps, la seule paix que Ming Mei avait pu trouver avait été dans la pratique du taï-chi. Lorsqu'elle pratiquait cet art martial, elle connaissait la paix et cela lui permettait de ne pas sombrer dans la dépression. Elle pratiqua pendant des milliers d'heures la fluidité de ses mouvements. Lorsqu'elle pratiquait, elle perdait la notion du temps et elle avait l'impression de ne former qu'un avec l'univers. Elle devint non seulement très agile et souple, mais létale au combat.

Elle était comme un nuage, c'est-à-dire insaisissable. Un maître de taï-chi. Quand une personne l'attaquait, elle suivait les mouvements de son adversaire et ce dernier était incapable de se sortir de son emprise. Elle semblait flotter lorsqu'elle se déplaçait. Ses mouvements semblaient d'une douceur et d'une fluidité qui cachaient parfaitement la véritable puissance qu'elle possédait grâce à son art complexe. Ce dernier semblait farfelu pour les non-initiés qui ne voyaient là que des techniques de relaxation. En réalité se cachait sous cette douceur satinée une arme impitoyable de combat.

Plusieurs années s'étaient écoulées depuis la mort de sa sœur, mais le jour fatidique tant attendu par Ming Mei était arrivé. Elle avait pris le temps d'observer étroitement le meurtrier de sa sœur et elle avait longuement planifié son exécution. Tout s'était déroulé comme elle l'avait prévu. Elle s'était présentée à l'accueil de la clinique quand Victor était présent, prétextant qu'elle désirait une séance. On lui avait dit poliment de prendre place dans la salle d'attente, ce qu'elle fit. Par la suite, elle s'était dirigée aux salles de bain dans un couloir connexe. Elle avait attendu quelques minutes qu'une assistante passe et, en une fraction de seconde, elle l'avait attirée dans la salle de bain pour lui faire perdre connaissance le plus silencieusement possible. Ming Mei avait alors enfilé l'uniforme de l'assistante pour se diriger vers Victor. Elle l'avait trouvé facilement, car deux taupins étaient postés devant la porte de la salle de traitement où il devait se trouver. Elle s'était dirigée d'un pas assuré vers la salle, et les gardes du corps l'avaient laissée entrer sans autres formes de procès. À l'intérieur, une autre technicienne tournait le dos au « patient », visiblement en train de préparer ses aiguilles pour le traitement. Victor était étendu à plat ventre sur une civière, torse nu. Vite comme l'éclair, Ming Mei recouvrit de la main la bouche de l'assistante tout en lui appliquant de l'autre main une pression à un point précis du cou, rendant l'assistante inconsciente quasi instantanément.

Ming Mei la retint avec douceur pour ne pas qu'elle tombe. Elle la déposa sur le plancher. L'homme n'avait toujours pas bougé, ne se rendant compte de rien. Elle pouvait alors se concentrer entièrement sur sa cible.

Ming Mei sortit de sa poche un petit flacon contenant de l'huile d'arachide concentrée qu'elle déposa sur la table. Puis elle inséra successivement quatre aiguilles le long de la colonne vertébrale de Victor. Ce dernier se raidit d'un coup, incapable de bouger le reste du corps ni de crier. Il était maintenant paralysé de la tête aux pieds, mais bien lucide, en vie et respirant parfaitement. En fait, il était prisonnier de son propre corps. Experte en acupuncture, elle connaissait le fonctionnement des méridiens d'énergie du corps humain. Quelques années auparavant, elle avait mis au point la touche mortelle des cinq aiguilles en observant comment les poissons à sushi étaient tués avec des aiguilles d'acupuncture pour améliorer la tendreté de leur chair. En insérant cinq aiguilles dans des endroits spécifiques du corps humain, la mort était immédiate. En se limitant à quatre aiguilles, c'était la paralysie complète du corps à l'exception du cerveau et du système respiratoire.

Maintenant, elle pouvait commencer la séance. Tout cela s'était fait en quelques secondes dans un silence quasi absolu. Elle s'assit près de Victor, ses aiguilles en main. Elle trempa la première aiguille dans l'huile d'arachide pour ensuite la piquer sur son dos. Après une dizaine d'aiguilles, il commença à réagir et à avoir des convulsions. Ming Mei brisa le silence en lui chuchotant à l'oreille :

— J'espère que tu vas crever lentement, tout comme ma sœur s'est sentie quand tu l'as étranglée ! Tu te souviens de Yanling, non ? Sache que tu vas mourir ce soir à cause de ta stupidité et de ta lâcheté, assassin ! J'étais sa sœur.

Les spasmes de Victor s'amplifièrent et sa respiration se transforma en légers sifflements, signe qu'il commençait à manquer d'air. Ming Mei ignorait s'il pouvait l'entendre ni même s'il se souvenait de Yanling. Tout ce qui l'importait, c'était qu'il éprouve ce qu'il avait fait endurer à sa sœur avant de la tuer et qu'il paie pour toute la souffrance qu'elle portait en elle depuis ce jour.

Elle n'avait qu'un souhait, que cette ordure meure et lentement. Ainsi, il ne ferait plus jamais de mal à personne comme à elle et à sa sœur. Elle continua à lui insérer d'autres aiguilles et les convulsions devinrent plus intenses. Au bout de quelques minutes, elle se rendit compte que le chef de triade se mourait. Avant son dernier souffle, elle lui susurra :

— Bon voyage, mon écœurant !

Elle sortit de la pièce aussi doucement qu'elle était entrée, prenant soin d'ouvrir le moins possible la porte, juste assez pour se faufiler, afin que les gardes ne voient pas son œuvre à l'intérieur. Elle se dirigea jusqu'à la salle de bain qu'elle avait pris soin de fermer à clef pour empêcher une personne de découvrir la technicienne inconsciente. Elle débarra la porte, se changea et sortit du bâtiment en un éclair. Elle se rendit compte qu'on la suivait une fois rendue dans la ruelle, mais elle jugea bon de continuer et d'attirer son « admirateur » dans un lieu clos où elle pourrait s'occuper de lui sans que des témoins gênants voient la scène.

— Je suis désolé, Andy, que notre rencontre soit encore une fois dans ce genre de contexte et que votre cible vous soit enlevée de cette façon, dit Namara.

— Victor était un sadique et un criminel sans scrupules qui a déjà fait trop de victimes. Je ne pleurerai pas, rétorqua Andy.

— Je crois que nous sommes d'accord sur ce point dans ce cas. Vous avez changé…

— Oui, nous changeons tous. C'est dans l'ordre normal des choses sans doute, dit Andy.

— Oui, c'est vrai. Et je ne crois pas au hasard également. Nous nous rencontrons à nouveau après toutes ces années, il doit y avoir une signification derrière cela, vous ne croyez pas ? lança Namara avec un regard fixe.

Andy fit le lien rapidement avec l'offre de Schwartz. *Namara ne pouvait pas être au courant de ce qu'il préparait.* En même temps, il croyait aussi que ce ne pouvait guère être un hasard qu'il rencontre Danny Namara quelques jours après avoir eu une pareille proposition. Tout semblait indiquer une mise en scène bien planifiée, que Namara était au courant de ce qu'on lui avait demandé de faire et qu'il avait peut-être même été envoyé par Schwartz lui-même. Car il était évident que Namara avait le profil parfait du genre d'individu qui pourrait cadrer avec l'emploi.

— Et bien… peut-être… Je ne sais pas. Si je te disais que je recherche, disons… des professionnels… pour faire un travail, disons, complexe?

— Vous voyez? Je vous l'avais bien dit… Quel genre de travail exactement? demanda Namara d'un ton intéressé.

— On peut se tutoyer; le même genre que tu as toujours effectué, Danny. Le même genre que ce que vous avez fait avec Victor ce soir!

— Et qui seraient nos employeurs?

— Des gens influents, c'est tout ce que je peux te dire pour le moment.

— Cela me va comme réponse, rétorqua Danny. Je peux vivre avec le fait de ne pas connaître mes employeurs. Ce qui m'importe par contre, c'est leur solvabilité, car peu importe la tâche qu'ils désirent voir accomplie, cela va leur coûter cher, nous nous comprenons?

— Il n'y a pas de crainte à ce niveau, l'argent n'est pas un problème pour eux. Ce qui est important, c'est de savoir si vous êtes les bonnes personnes qui seront à la hauteur de certaines tâches, disons, plutôt complexes.

Danny Namara se mit à marcher tranquillement dans la pièce, en souriant, l'air pensif. Il arrêta soudainement pour regarder Andy de nouveau.

— Si je comprends bien, tu n'es pas convaincu de notre efficacité, même si tu sais d'où je viens, ce dont je suis capable, c'est bien cela?

— Eh, espèce de fonctionnaire… Crois-tu vraiment que nous nous préoccupons de ce que tu penses? lança Kamilia d'un ton sec en s'approchant d'Andy.

Shinsaku et Ming Mei, qui restaient en arrière-plan, n'avaient fait aucun commentaire. Le premier fixait Andy, tenant le manche de son katana avec sa main droite.

— Les interrogations d'Andy sont légitimes, dit Namara. Je ferais de même. Ne jamais se fier à des dires et ne rien tenir pour acquis. Très bien, quel genre de preuves te convaincrait de notre efficacité?

— Je… Je ne sais pas…

— Je vois, alors ouvre grands les yeux.

Danny se tourna vers la chandelle qui brûlait au fond de la pièce à environ trois mètres de lui. Il tendit la main en direction de la chandelle, paume ouverte, en se penchant légèrement. D'un coup sec, la chandelle s'éteignit comme si un immense coup de vent l'avait soufflée. L'obscurité fut totale. Quelques secondes plus tard, la chandelle prenait à nouveau vie.

Andy vit Shinsaku en train d'y approcher une allumette. Danny revint vers Andy avec un sourire narquois. Il avait peine à croire ce qu'il venait de voir. C'était impossible.

— Bon d'accord, tu m'as eu! Premièrement, à cette distance, ça ne peut être le foutu vent! Deuxièmement, je ne comprends pas ce qui s'est passé, il faut donc que cela soit de la magie. Mais je ne crois pas à une saloperie de magie! Alors, c'est quoi, le tour? Qu'est-ce que c'était? répéta Andy un peu secoué.

— Vous avez raison sur un point, il ne s'agit pas de magie, mais vous avez également tort sur un point… Il ne s'agit pas d'un tour non plus. Nous aurons amplement le temps d'en discuter plus tard. Je suis content de vous revoir, Andy… vraiment. Cela faisait bien longtemps.

Les deux hommes se serrèrent la main en signe tacite d'entente dans la lueur faible de la bougie dont la flamme s'agitait doucement au loin.

Chapitre 6

Juin 1986, ville de Québec, Canada.

— Merci, monsieur l'agent, je vais lui annoncer la nouvelle…

— Encore une fois, mes condoléances, madame. Je sais que vous les connaissiez depuis quelques années.

— Merci. Oui, nous étions bons amis et voisins depuis quelques années. C'est horrible de mourir de cette façon, dit Lucie.

— Ils n'ont eu aucune chance de s'en sortir. Le chauffeur du camion qui arrivait en sens inverse s'est endormi. Le camion a changé de voie et percuté l'auto de monsieur et madame Namara de face. Leur véhicule est une perte totale. Nous les avons identifiés par… leur fiche dentaire, dit le policier sur le ton le plus officiel possible.

— Mon Dieu, comment vais-je annoncer cela à Danny? Ces gens étaient sa seule famille.

— Vous voulez dire qu'il n'y a aucun autre membre de sa famille?

— Non, aucun. Ses parents étaient sa seule famille et maintenant il n'a plus personne. Comment annoncer à un enfant de six ans qu'il n'a plus personne sur qui compter dans la vie?

— Je… je ne sais pas, madame. En effet, c'est horrible pour ce jeune. Mais vous savez certainement que s'il n'a plus de famille, il devra être pris en charge par la Protection de la jeunesse pour qu'on lui trouve une famille d'accueil.

— Je sais, oui, je comprends. Je vais l'héberger le temps qu'on lui trouve une famille.

Lucie avait peine à croire la nouvelle que le policier lui avait transmise. Elle avait vu les Namara le matin même partir, et ils s'étaient salués de la main. Le couple disparu faisait partie de son quotidien depuis tellement d'années. Et, soudain… ils n'étaient plus. C'était un cauchemar. En plus, Danny était toujours à l'école. Il ne devait rentrer à la maison que dans deux heures environ. Comment ferait-elle pour lui annoncer cette tragédie? Elle n'en avait pas la force.

En plus, elle se rendait bien compte que cette nouvelle serait gravée dans la mémoire de Danny jusqu'à la fin de ses jours et que le seul souvenir qu'il garderait d'elle serait d'une personne qui lui avait annoncé cette affreuse nouvelle. Elle se rendit lentement attendre Danny en face de sa maison. Elle lui annoncerait la nouvelle lorsqu'il arriverait de l'école. Quand elle vit, au loin, Danny arriver à pied, le sac au dos, le cœur de Lucie commença à s'accélérer. Il arriva au pied de l'escalier menant au porche de la maison tout en fixant Lucie qui s'y était assise. Il lui sourit.

— Bonjour, Lucie, maman n'est pas encore arrivée ? Elle ne devrait pas tarder !

— Bonjour, Danny, nous devons parler. Tes parents ont eu un accident aujourd'hui…

Le jeune enfant figea sur place et blêmit.

— Quel genre d'accident ?

— Un accident d'auto. Un chauffeur s'est endormi au volant et il a frappé tes parents.

Danny restait immobile, ses yeux étaient maintenant exorbités. Il la regarda droit dans les yeux.

— Ils… L'enfant hésita.

— Sont blessés ?

— Ils sont morts sur le coup, Danny, je suis désolée. Ils n'ont eu aucune chance. Je viens de l'apprendre.

Danny ne dit plus rien. Il resta là, sans dire un mot, sans aucune expression, les yeux vides. Puis ses yeux se remplirent de larmes. Ce fut trop pour la femme, jamais elle ne pourrait oublier ce visage. Elle se mit à pleurer aussi.

— Non, non ! Je ne te crois pas ! Je les ai vus ce matin, ils ne sont pas morts, ils vont bien !

— Je suis désolée, dit Lucie en pleurant.

— Nooonnnnn ! cria-t-il les yeux pleins de larmes.

— Viens ici, Danny…

— Non ! Laisse-moi tranquille, laisse-moi tranquille ! hurla-t-il.

Il se mit à courir, comme pour se sauver d'elle, le visage rempli de larmes. Elle ne le retint pas, elle n'en avait pas la force.

睚眦

Elle s'occupa des funérailles des Namara, organisant un enterrement sobre comme l'avait demandé son voisin dans son testament. Tout ce qu'ils avaient, et ils n'avaient pas grand-chose, revenait à Danny. Peu de gens assistèrent aux funérailles. Principalement des collègues de travail des Namara. Vêtu correctement de noir, Danny avait regardé les tombes de ses parents descendre jusqu'au fond de la fosse. Il avait lancé une rose sur chaque cercueil.

Lucie, qui avait toujours vu Danny souriant et de bonne humeur, ne devait jamais plus le voir rire désormais. Quelque chose en lui était brisé à tout jamais. Pour sa part, Lucie était d'autant plus attristée que les Namara étaient des gens bien. Ils avaient eu beaucoup de difficultés, ils avaient travaillé dur toute leur vie pour obtenir leur petit confort modeste et ils avaient adoré Danny. Ces gens ne méritaient pas le sort qui les avait frappés. *La vie était injuste.* Elle resta un moment à regarder le petit Danny tout de noir vêtu fixant l'immense trou qu'on remplissait.

睚眦

Danny venait encore une fois de changer de famille d'accueil. C'était la quatrième en l'espace d'une année. Encore cette fois-ci, il avait dû ramasser ses effets personnels et les déménager. Il n'était pas malheureux de s'en aller. Les gens qui l'avaient hébergé étaient gentils, mais il ne se sentait pas chez lui. Ses parents lui manquaient et il traînait une tristesse en lui de façon constante.

En plus, une bande de voyous de son âge avait commencé à s'intéresser à lui. À la sortie des classes, on l'attendait pour le bousculer. Les quatre jeunes riaient de lui et l'insultaient, car ils voyaient bien qu'il était seul la plupart du temps. Pour eux, il était différent et ça, c'était un crime à leurs yeux. Danny était un élève studieux et, pour eux, cela aussi justifiait une bonne correction. Quand on riait de lui, Danny ne réagissait pas. Il se disait qu'ils étaient des imbéciles et qu'ils finiraient par se fatiguer et arrêter de le persécuter. Mais cela ne devait pas arriver, bien au contraire. Les plaisanteries devinrent haineuses et les menaces firent place aux coups. Un jour, le quatuor suivit Danny à la sortie des cours pour lui donner une bonne raclée.

— Tiens, Namara ! lança un jeune en lui envoyant un crochet droit à la mâchoire.

— Allez, ti-cul, montre-nous ce que tu sais faire ! dit un autre en lui donnant une forte poussée.

— Laissez-moi tranquille, dit Danny, en tentant de se sauver.

Les quatre jeunes le retenaient pour l'empêcher de fuir. Un autre jeune lui envoya un coup de poing directement sur le nez, ce qui fit tomber Danny à genoux au sol. Tous se mirent à rire.

— Ouuuuu… pauvre petit. Appelle ta maman pour qu'elle vienne te défendre !

— Regarde, il va se mettre à pleurer, le bébé !

Tous riaient, fiers du résultat. Ils quittèrent les lieux, laissant Danny au sol, le nez ensanglanté et une ecchymose à la figure. Toutefois, il ne pleurait pas. Il se releva, ramassa son sac à dos et il se dirigea chez lui, du sang sur son chandail. Il se changea à la maison, et tenta bien de cacher les traces de coups sans rien dire. Mais on lui demanda ce qui s'était passé. Il se contenta de répondre qu'il s'était cogné en vélo. Personne ne chercha à en savoir davantage.

睚眦

Danny ne savait pas vraiment comment régler cette situation sans issue jusqu'au jour où il passa devant une école de kung-fu à quelques rues de chez lui. La façade vitrée indiquait «Wing Chun Kung-Fu». Ne connaissant rien aux arts martiaux, il décida d'y entrer par curiosité. À l'intérieur régnait une atmosphère de tranquillité avec des odeurs d'encens parfumé. Il remarqua beaucoup d'écriteaux chinois accrochés aux murs, des messages qu'il ne comprenait pas. Sur les murs, il remarqua des armes de toutes sortes, surtout des bâtons et des couteaux chinois. L'endroit était vaste et assorti de plusieurs miroirs.

Ce qui attira le plus son attention fut un genre de mannequin de bois au fond de la salle. On aurait dit un tronc d'arbre fixé au plancher. Toutefois, la pièce de bois à hauteur d'homme comprenait quatre morceaux de bois insérés dans le tronc, trois simulant grossièrement des bras et un autre plus bas, simulant les jambes. Danny trouvait cet instrument fort bizarre. *Cela devait être un appareil d'entraînement.* Personne d'autre ne se trouvait dans la pièce qu'un petit Asiatique, debout, les yeux fermés comme s'il dormait. Il doit être en train de méditer, pensa Danny. L'homme portait un pantalon noir avec une chemise chinoise à col mao. Danny crut qu'il ne l'avait pas entendu entrer, mais l'homme ouvrit subitement les yeux et lui sourit. Il savait depuis le début qu'il était là.

— Bonjour, mon nom est sifu Kwan, maître Kwan, bienvenue au kwoon. Que puis-je pour toi?

— Euhhh… au quoi?

Maître Kwan sourit.

— Au kwoon. Cela veut dire en chinois un lieu d'entraînement pour les arts martiaux.

— D'accord. Je… je veux apprendre à me défendre.

Maître Kwan se rapprocha de Danny et il vit l'ecchymose qu'il avait sur la joue. Il comprit de quoi il s'agissait.

— Je vois. Eh bien, tu as frappé à la bonne porte, mon bon ami. Comment t'appelles-tu?

— Danny.

— Enchanté.

— Sifu, c'est votre prénom ?

— Non, cela veut dire en chinois maître ou instructeur, tout simplement. Le kung-fu est un art martial chinois. Il existe différents types de kung-fu, mais le Wing Chun en est une sorte et c'est ce qui est enseigné ici. Tu as déjà pratiqué des arts martiaux ?

— Non, jamais.

— Eh bien, peut-être est-ce l'occasion pour toi de voir si cela te convient. Cela t'intéresse ?

— Oui.

— Très bien.

— Quand pourrais-je essayer ?

— Pourquoi pas maintenant ?

— Je… euhhh… d'accord.

— Parfait !

Maître Kwan affichait toujours le même sourire. Il se dégageait de lui une sérénité et une tranquillité qui plaisait au jeune garçon. Il invita Danny à se placer face à lui au centre de la salle.

— Wing Chun est en fait le nom d'une femme. La légende dit que ce style de combat a été mis au point par une nonne bouddhiste du temple shaolin nommée Ng Mui. L'histoire dit que Wing Chun et son père étaient poursuivis par les Mandchous qui accusaient son père d'un crime. Les fuyards se seraient réfugiés sur le mont Tai Leung où la jeune femme fit la connaissance de Ng Mui qui lui enseigna son art. Wing Chun enseigna ce style de combat à son mari qui, lui, à son tour, transmit cet art martial à d'autres disciples, le baptisant Wing Chun en son honneur. Mais ceci est une légende. Il est difficile de savoir si c'est la vérité comme cette histoire remonte à très longtemps. Mais en tout cas, c'est ce qui est raconté.

Ce qui particularise notre style, c'est que nous utilisons la force de l'adversaire contre lui-même. Plus de force il utilisera contre toi, plus fort sera ta riposte. La meilleure attaque est toujours celle qui part du point, de l'endroit le plus proche de la cible que tu veux atteindre. Bref, celle qui est la plus directe. Tu vas apprendre à pressentir, à sentir ce que ton adversaire va faire plutôt que de le deviner, car la main est plus vite que l'œil. Le secret réside dans la relaxation ; tu vas laisser entrer en toi les mouvements de ton adversaire, comme si tu adhérais à lui, pour sentir ce que sera son attaque. Quand la force de son coup sera trop grande, tu vas céder dans le sens de son mouvement pour reprendre ta position et l'attaquer. Nos coups sont explosifs comme un coup de feu, pas comme un coup de masse qui frappe un objet. Prends un roseau, par exemple, versus un chêne. Selon toi, lequel serait le plus solide?

— Le chêne.

— D'accord. En raison de sa robustesse, sa grosseur, ses racines ancrées profondément dans le sol n'est-ce pas?

— Oui.

— Et si je te dis qu'il survient un ouragan, lequel pourrait fort bien tomber le premier?

— Je ne sais pas.

— Le chêne est fixe, enraciné. Contre une force beaucoup plus puissante que lui, s'il ne plie pas, il se cassera ou bien il sera déraciné malgré son imposante stature. Le roseau, quant à lui, plie au moindre coup de vent. Il s'adapte à la moindre force qui le touche, petite ou grande. Certes, il va pencher, peut-être même jusqu'à terre, peut-être sera-t-il un peu endommagé. Toutefois, il résistera au déracinement, car il s'est adapté aux forces de son adversaire, l'ouragan, même si cette dernière était beaucoup plus forte. Sois comme le roseau, Danny, et tu gagneras.

Il était fasciné par ce que sifu Kwan lui expliquait. Il n'était pas certain de tout saisir ses explications, mais il voulait définitivement commencer son apprentissage.

— Un art martial n'est pas uniquement une question de frapper avec le poing. C'est bien plus. Tu dois être calme et te vider l'esprit pour bien réagir face à une agression. Le Wing Chun t'apprend à te concentrer sur toi-même également, bref à te connaître mieux comme personne.

— Je veux apprendre.

— Très bien, alors commençons. Je vais t'apprendre la première forme de base qui se nomme Sil Lum Tao qui veut dire «la petite idée». Tu as tous les mouvements de base du Wing Chun dans cette forme. Tu vas apprendre à solidifier ta position et à te relaxer.

Maître Kwan commença la forme en plaçant ses jambes en position, les pieds tournés vers l'intérieur, abaissant son centre de gravité. À côté de lui, Danny imita tous ses gestes. Il trouva cette façon de se placer étrange et douloureuse: après cinq minutes, déjà les muscles des jambes semblaient brûler. Mais la leçon le fascinait.

Sans s'en rendre compte, Danny finalement passa plusieurs heures à imiter le maître. Pour la première fois depuis longtemps, il s'était senti bien.

Chapitre 7

Il passa dans le boisé tout près de son école, comme il le faisait régulièrement pour raccourcir son trajet. En passant par ce raccourci, il se sauvait de quelques minutes de marche, car le sentier aboutissait à quelques rues de chez lui. Soudain, il sentit qu'on tirait sur son sac à dos. Avant de perdre son équilibre et basculer vers l'arrière, Danny abaissa son centre de gravité, se tourna et d'un coup de paume balaya la main qui l'agrippait. C'est à ce moment qu'il vit le quatuor qui était encore une fois à ses trousses pour le harceler. Encore cette fois, il resta silencieux.

Il vit le chef du groupe s'avancer, déterminé à le frapper au visage. Au moment où il entama son geste, Danny avança d'un pas dans sa direction, déviant le poing d'un coup de paume sec de sa main gauche sur l'avant-bras de son assaillant. Il profita de cette ouverture pour enchaîner un coup de poing direct au visage de son agresseur avec son poing droit. Un bruit sourd d'os qui se cognaient se fit entendre. L'impact fut foudroyant et direct. Le chef tomba sur le dos et perdit connaissance instantanément. Les trois autres comparses qui avaient assisté à la scène étaient restés immobiles, encore hébétés de ce qui venait de se produire.

Un des trois, plus courageux que les deux autres, tenta de frapper Danny d'un coup de poing. Ce dernier bloqua le coup du bras le faisant dévier, pivotant légèrement sur place pour atténuer l'impact du coup dirigé vers lui. Simultanément, Danny attrapa le bras de son agresseur, le tira vers lui en lui balançant un coup de pied dans les jambes. Déséquilibré, son adversaire tenta de reculer, mais Danny se lança vers lui, lui envoyant un coup de poing en plein visage, suivi de trois autres en une fraction de seconde. Les quatre coups de poing le frappèrent comme une rafale de mitraillette et le jeune voyou s'écroula sur le sol. Les deux autres jeunes restaient figés sur place, horrifiés par ce qui venait de se passer. En l'espace de quelques secondes, leurs deux copains avaient été mis hors de combat. Terrifiés, aucun d'eux ne voulait subir le même sort. Un des deux dit à Danny:

— D'accord… on… relaxe. Ce n'était pas notre idée… euh… désolé vr… vraiment.

— Vous avez dix secondes pour les ramasser et déguerpir. Si jamais je revois un de vous, la prochaine fois, je vous brise les os, compris ?

— Oui… oui…

Ils se dépêchèrent de relever leurs deux amis qui commençaient à reprendre connaissance. Les deux saignaient du visage et ils étaient confus. Danny les regarda partir, satisfait. Il était étonné comment cela avait été facile de les neutraliser en l'espace de quelques secondes. Il revoyait la figure d'étonnement des deux voyous quand il avait décidé de lancer son attaque et il était ravi d'avoir, lui, suscité la crainte chez ceux qui avaient pris plaisir à le terroriser. Il trouvait que l'humiliation qu'ils venaient de vivre était une bonne chose et il était fier de lui. Par-dessus tout, Danny Namara avait appris une grande leçon cette journée-là, qu'il fallait affronter ses peurs et les surmonter.

Aujourd'hui, il s'était découvert une habileté au combat. Il avait mis hors d'attaque deux jeunes plus grands que lui en quelques secondes sans même que ses battements cardiaques n'aient eu le temps de s'accélérer. Il était resté calme en faisant face à son ennemi et il en était fier. Il continua sa route jusque chez lui. Encore une fois, il rentrerait à la maison avec des ecchymoses, mais sur les poings cette fois-ci et en raison de l'impact des coups de poing donnés à ses agresseurs. Il était fier cette fois-ci de ces ecchymoses, car ce n'était pas celles d'une victime, mais plutôt les blessures d'un guerrier. Il savait que quelque chose au fond de lui avait changé à partir de ce moment. Il avait gagné une confiance en lui. Il continua sa marche avec un sourire en se massant les mains.

睚眦

— Danny, je te présente mook jong. Il sera ton nouveau partenaire d'entraînement quand je ne serai pas là, dit sifu Kwan en lui montrant le mannequin de bois.

— Je commence à pratiquer sur le mannequin ?

— Oui, ton entraînement va bien et il est temps que tu apprennes les techniques du mannequin. Le mook jong va t'aider à découper tes mouvements, corriger tes positions, durcir tes avant-bras. Quand tu t'entraînes avec lui, c'est comme si tu combattais avec un adversaire réel.

— D'accord, sifu.

Danny commença à s'entraîner avec le mannequin. On entendait le bruit du bois qui claquait sous l'impact des coups de Danny. Parfois il y mettait tellement de volonté qu'il le frappait trop fort et il se faisait mal.

— Aïe! cria Danny en se tenant le poing. Il avait passé tout droit dans sa charge et il avait frappé d'un coup sec le mannequin en bois franc. Il sentit l'onde de choc lui traverser les os.

— Mook jong a gagné cette fois! lui dit sifu sur un ton ironique. Tu dois apprendre à contrôler tes frappes. Continue!

Au fil des mois, sifu Kwan remarqua un progrès impressionnant chez Danny; après trois ans à son école, malgré son jeune âge, il avait déjà surpassé plusieurs élèves beaucoup plus anciens que lui. Sifu Kwan avait remarqué dès le début le talent de Danny, mais il en prit réellement conscience quand ce dernier atteignit l'âge de douze ans. Sifu arrivait un après-midi à l'école quand il le vit s'entraîner en combat avec un élève avancé de l'école. Les deux étaient seuls dans le kwoon. La radio jouait dans l'école et les deux ne remarquèrent pas sifu Kwan entrer. Il resta là à observer les deux combattre de façon amicale et il vit que Danny avait nettement l'avantage sur son adversaire. Ses mouvements étaient secs, rapides, découpés et précis. Il enchaînait des séquences de frappes à une vitesse trop rapide pour l'œil tout en restant calme et détendu. Il dominait son adversaire qui avait pourtant presque le double de son âge et de sa taille. Il continua de surveiller avec admiration Danny performer l'art auquel il avait consacré sa vie, se demandant à chacun de ses mouvements comment il aurait pu, lui, contrer ses attaques. Il avait plaisir à voir Danny évoluer et entendre l'impact de ses gestes. Il irait loin.

Chapitre 8

Septembre 2001, ville de Québec, Canada.

— Viens-tu me voir ce soir ? demanda Chandra au téléphone.

— Je travaille au restaurant ce soir. Je viendrai te voir après, répondit Danny.

— Je me lève tôt demain, dit-elle d'un petit air contrarié.

— Je sais, mais nous aurons le temps de nous voir tout de même.

— Oui, d'accord. Tu penses à moi ?

— Absolument. D'ailleurs, j'étais en train de t'imaginer dans ton ensemble noir sexy.

Il l'entendit rigoler au téléphone. Il adorait entendre ce rire. Chandra et lui s'étaient rencontrés depuis peu de temps lors d'un cours à l'université. Chandra était brune et de petite taille. Il l'avait remarquée dès les premiers instants. Elle aussi, probablement, car elle était venue dès la pause s'asseoir à côté de lui et elle lui avait souri. Ils ne s'étaient pas vraiment quittés depuis. Esthéticienne de profession, elle était étudiante à temps partiel. Danny était tombé amoureux d'elle dès le début. Elle s'était révélée une véritable délivrance, donnant un véritable sens à sa vie. Les jours qui se suivaient étaient meilleurs les uns que les autres.

— Hum ! Comme c'est intéressant. Peut-être que tu auras une surprise quand tu viendras me voir ce soir, si tu es sage, dit-elle sur un ton sensuel.

— Quelle sera la surprise ?

— Tu verras ce soir, dit-elle pour l'émoustiller.

— Je ne peux attendre.

— Tu m'aimes ?

— Bien sûr, quelle question ! Et toi ?

— Oui. À ce soir, donc, pour ta surprise !

Elle raccrocha le combiné et il se demanda comment il ferait pour tenir le coup jusqu'au soir. Elle le rendait heureux, même si bizarrement elle était plutôt discrète sur son passé, très discrète de fait. Il savait peu d'elle et la réticence de ses réponses avait fait qu'il ne lui posait pas de questions non plus. Il comprenait qu'elle ne veuille peut-être pas mentionner certains détails de sa vie passée. Il se disait qu'elle lui en ferait probablement part éventuellement. Le temps arrangeait les choses pour lui, alors cela devait être valable pour elle également.

睚眦

— Tu peux t'en aller, Danny, bonne soirée, dit Sammy en lui faisant signe de la main.

— Tu es certain que tu ne veux pas que je t'aide pour les tables ? demanda Danny.

— Non, non. Je vais m'en occuper demain.

— D'accord, bonne nuit, Sammy.

Danny travaillait comme serveur au restaurant chinois Le Lotus rouge depuis quelques mois déjà à temps partiel. Cela lui permettait de payer ses études universitaires en traduction. Sammy, le propriétaire du resto, était chinois. Même si tout le reste du personnel était asiatique, il avait été embauché tout de même. Les autres employés étaient aimables avec lui et tous travaillaient dur lorsque le restaurant était bondé, ce qui était presque toujours le cas. Sammy l'avait mis à l'essai au début pour vite constater son ardeur et son soin au travail. Il était très satisfait de lui.

Peut-être en guise d'appréciation de son travail, on laissait Danny toujours quitter les lieux le premier au moment de la fermeture. Sammy lui disait qu'il pouvait partir et lui, fatigué — et heureux d'aller retrouver Chandra —, ne se posait pas davantage de questions. Pourtant, quelque chose l'avait fort intrigué dans ce restaurant, une trappe dans le plancher des cuisines. Un jour, il avait essayé de la soulever pour voir où cela pouvait mener, mais Sammy était arrivé et l'avait empêché en disant sur un ton brusque :

— Non, non ! Il ne faut pas aller là. Il y a plein de rats dans le sous-sol. N'ouvre jamais cette trappe, ils vont sortir et se propager. Ne va jamais en bas !

— D'accord, d'accord… J'ai compris ! Comment se fait-il qu'il y ait autant de rats ?

— C'est un vieux bâtiment, nous avons un problème récurrent. Je vais tenter de régler la situation prochainement. Ne t'inquiète pas.

Cette trappe avait pourtant continué d'intriguer Danny, mais ce qui l'avait troublé le plus était la réaction de Sammy. Des rats dans ce bâtiment, cela n'avait pas de sens. Le restaurant était impeccable et reluisant de propreté et jamais il n'avait vu de vermine depuis qu'il travaillait ici. De toute façon, Sammy n'aurait absolument pas toléré que des rats vivent sous sa cuisine. Non, il devait s'y trouver autre chose, mais il n'avait pas tenté de recommencer. Puis, à bien y penser, il commença à trouver un peu curieux également qu'il soit toujours celui qui quittait l'établissement le premier. Pourquoi Sammy et les autres restaient-ils après la fermeture du restaurant?

Un soir, il décida de trouver des réponses. Il quitta l'établissement comme à l'habitude et Sammy ferma la porte de l'entrée principale à clef derrière lui. Toutefois, il y avait une autre porte à l'arrière qui était toujours fermée et qui menait dans les cuisines du restaurant. Danny avait pris soin, cette fois-ci, de la laisser discrètement entrouverte avant d'y passer.

Il attendit à l'extérieur près d'une vingtaine de minutes, caché dans un recoin du bâtiment. Tout semblait calme et il se décida de foncer. Il entra dans les cuisines: personne ne s'y trouvait. Il fit le tour de tout le restaurant, personne non plus. De toute évidence, les autres membres du personnel n'avaient pas quitté le restaurant, car Danny avait surveillé les lieux tout ce temps et personne n'était sorti du restaurant. Il se dirigea vers la trappe et la tira. Elle donnait sur un escalier d'une dizaine de marches. Il pouvait entendre des voix plus bas. Ses collègues étaient bel et bien là. Danny songea à refermer la trappe et s'en aller comme s'il n'avait rien constaté, mais sa curiosité fut plus forte. Il commença à descendre l'escalier doucement. Rendu au bas, il vit un sous-sol relativement vaste en béton. Plusieurs néons bleuâtres étaient accrochés au mur et des bougies éclairaient un peu partout.

Il put distinguer une photo au mur au-dessus d'un petit autel sur lequel était placé un genre d'encensoir. Tous ses collègues de travail étaient là… en train de pratiquer le kung-fu. Ils n'avaient plus rien en commun avec les individus qu'il côtoyait au travail. La plupart étaient torse nu. Certains parmi eux avaient le corps couvert de tatouages. Le premier à l'apercevoir fut un cuisinier.

— Danny! Mais qu'est-ce que tu fais ici?

Sammy se retourna à son tour, surpris de le voir dans l'escalier.

— Danny! Comment as-tu fait pour entrer! Tu ne peux pas rester ici, c'est une assemblée privée. Tu dois quitter! dit-il, vivement contrarié.

— Pourquoi dois-je partir? Je fais partie du personnel de ce restaurant comme vous tous.

— Écoute, nous pratiquons, disons, quelque chose de familial et nous nous entraînons entre Chinois pour garder notre tradition… Et tu n'es pas Chinois!

— S'il te plaît, Sammy, laisse-moi essayer.

— Non, je suis désolé, Danny.

— Allez, Sammy, intervint un des combattants. Après tout, il est pratiquement plus Chinois que beaucoup parmi nous. Il s'est donné du mal pour arriver jusqu'ici.

— D'accord, d'accord! grommela Sammy. Allez, descends et viens me rejoindre!

Danny était ravi. De toute évidence, il venait de tomber sur une école secrète. Après tous ces mois, jamais il ne s'était douté qu'un employé du restaurant puisse pratiquer le kung-fu. C'était du grand art, il devait l'admettre. Ces gens l'avaient mystifié et ils avaient gardé le secret le plus absolu durant tout ce temps, à lui qui pratiquait le kung-fu depuis plusieurs années.

— Je sais que tu pratiques les arts martiaux depuis des années, mais ne t'y trompes pas… Cette école-ci n'a rien de traditionnel ni d'orthodoxe. J'y enseigne le Pak Mei, aussi appelé la boxe du sourcil blanc. Notre style est secret… Tout comme notre école. Tu es dans une école de l'ombre en quelque sorte, le côté noir des arts martiaux chinois! Ce n'est pas une philosophie pour tous et notre style est complexe. Quelques individus seulement ont la capacité de maîtriser cet art. Notre style a une mauvaise réputation, je pourrais dire. Il a longtemps été interdit et banni en Chine. Il est aujourd'hui transmis surtout en secret par des adeptes comme nous. Il a la réputation d'être un art efficace et impitoyable. Celui qui a la possibilité d'apprendre ce système et de le maîtriser deviendra des plus redoutables.

— Qui est-ce? demanda Danny en pointant l'image accrochée au mur.

— Le moine Pak Mei lui-même. On dit qu'il était considéré un traître du temple shaolin pour avoir tué plusieurs autres moines en perfectionnant son style. Peut-être est-ce la raison de la mauvaise réputation…

— En quoi votre style est-il unique? demanda-t-il un peu perplexe.

— Très simple comme réponse… Il attaque les points vitaux. Premièrement, tu dois apprendre à frapper avec le poing *phénix*.

Sammy lui fit une démonstration. Il ferma son poing, ne laissant ressortir que la jointure principale de son index.

— Intéressant, dit Danny.

— Tu frappes avec la jointure. L'impact de ton coup doit être concentré dans la grosseur de ta jointure. Cela aura pour effet de percer littéralement ton ennemi et de lui causer des dommages internes au niveau des organes vitaux. Les attaques peuvent se faire en griffant comme un tigre, avec un poing normal, ou le poing de la panthère. Les assauts sont aussi féroces et violents que ceux d'un tigre. Les mouvements, aussi agiles et souples que ceux d'un léopard.

Sammy lui montra des sacs de riz installés pour la frappe.

— Nous nous entraînons pour avoir une paume de fer. En frappant le sac avec tes jointures, tes doigts et tes paumes, tes mains deviendront aussi dures que de l'acier après un certain temps. L'impact d'un seul coup sur ton ennemi sera dévastateur. Nous saluons avec le point gauche fermé, la paume droite sur le poing. Le plus grand secret de notre style est ce que nous appelons le ging ou bien la force effrayante. Elle se définit comme une force explosive générée par une contraction rapide des muscles, le même type de contraction que quand une personne a soudainement peur. Et c'est ce même impact que ton ennemi va subir. Fais en toi-même la constatation! Les adeptes recommencèrent leurs *formes*. Danny les regarda évoluer et il réalisa la férocité et la puissance de ce style. Les mouvements étaient rapides, puissants, agressifs. Ils se faisaient en simultané et il sentit les murs et le plancher en vibrer. Il ne put faire autrement qu'être d'accord avec les propos de Sammy. Son expérience en arts martiaux lui permettait d'évaluer à leur juste mesure la force des coups que les adversaires se portaient. Effectivement, un seul était suffisant pour causer la mort.

— Comment dire, il y a quelque chose de… magique, dit Danny.

Sammy lui fit un clin d'œil, suivi d'un salut en expirant fortement en guise de bienvenue et Danny le lui rendit. C'est ainsi qu'il commença son entraînement dans le monde obscur, secret et mystique du Pak Mei.

睚眦

Le jet d'eau chaude de la douche agissait comme un massage sur la peau de Danny. Il resta sous la gerbe avec Chandra enlacée contre lui. Il respirait à fond l'air humide et chaud qui était emprisonné dans la salle de bain. Il sentait le corps chaud de Chandra, ses seins appuyés contre lui. *Il resterait comme cela éternellement s'il le pouvait.* Elle le regarda de ses yeux bruns et elle lui dit avec un sourire :

— J'ai oublié d'apporter des serviettes.

Il l'embrassa lentement pendant que l'eau continuait de couler sur eux en milliers de gouttelettes.

— D'accord, j'ai compris… Je vais en chercher, reste ici !

Elle sourit en lui donnant un claque sur les fesses quand il sortit de la douche. Il se leva sur le bout des pieds pour prendre les serviettes et sembla s'accrocher le bout du doigt sur une écharde de l'étagère. Irrité, il se secoua le doigt : un mince filet de sang perlait. Il ouvrit la pharmacie à la recherche d'un genre de pansement. En fouillant dans le cabinet, un sachet contenant de la poudre blanche tomba dans l'évier. Curieux, il l'ouvrit pour en examiner la texture. La substance était beige et granuleuse. Une légère odeur d'éther se fit sentir. Il sut tout de suite qu'il s'agissait de cocaïne. Incrédule, il remit le sachet à l'endroit à sa place. Comment se faisait-il qu'il y ait de la drogue chez Chandra ? Il était incapable de se faire à l'idée qu'elle puisse se droguer. *Cela aurait paru.* Il retourna dans la douche et elle se pendit à son cou.

— Tu as été long.

— Je me suis coupé sur une écharde, dit-il.

— Oups.

— J'adore ta douche. Elle est grande.

— Alors il va falloir que tu viennes en prendre plus souvent chez moi, dit-elle en l'embrassant.

Il l'enlaça autour des hanches. Il ne pouvait s'enlever de la tête cette image de poudre blanche. Il lui fallait vider la question.

睡眦

— Tu peux m'expliquer ceci ? demanda Danny en pointant le petit sac de poudre blanche qu'il avait pris soin de placer sur la table de salon pour qu'elle l'aperçoive dès qu'elle entrerait dans la pièce.

— Que veux-tu dire, je ne comprends pas ! rétorqua Chandra.

— Eh bien… Cette drogue… Pourquoi as-tu cela dans ton cabinet ?

— Tu fouilles dans mes affaires maintenant ? Et de plus, ce n'est pas de la drogue, c'est un médicament que j'ai, car…

— Arrête s'il te plaît, j'ai ouvert le sachet, car il est tombé du cabinet… C'est de la cocaïne ! Pourquoi prends-tu cette saloperie ?

— Je… Je n'en prends qu'à l'occasion. Quand je ne vais pas bien, cela m'aide à… oublier.

— Te mettre cette saloperie dans le nez… Tu crois que cela va t'aider ? Tu ne règles rien, Chandra, tu ne fais qu'empirer tes problèmes !

— Tu ne peux pas comprendre ! rétorqua-t-elle en colère et les yeux pleins de larmes.

— Alors, tu dois m'expliquer… Tu as raison, je ne comprends pas, dit-il en se rapprochant d'elle, assise sur le sofa. Elle pleurait et elle regardait le plancher. Elle fuyait son regard.

— Tu crois que je suis fière de prendre cela ? Je… J'ai honte, mais je ne suis pas capable d'oublier mon passé, Danny. J'ai fait beaucoup de progrès, mais il y a des moments où l'on dirait que mon cœur va exploser. Je prends cette drogue quand je ne peux plus endurer cette douleur… Je n'en ai pas pris depuis des semaines. Tu m'as beaucoup aidé, tu sais… Je vais régler tout cela, ne t'en fais pas.

— Qu'est-ce qui t'est arrivé exactement ? Tu sais que tu peux tout me dire, nous allons trouver une solution ensemble, dit-il en lui prenant la main.

— Écoute, je sais… Mais je veux régler tout cela par moi-même. T'énerve pas, tout ira bien. Je vais aller chercher de l'aide. Je ne veux pas te mêler à cela. Je dois seulement apprendre à oublier ce passé et vivre le présent.

— D'accord, je peux comprendre cela. Je t'aime et tu verras, les choses iront mieux, mais tu ne dois plus prendre cette merde.

— Oui, tu as raison. Elle prit le sachet et, d'un coup, alla en jeter le contenu dans les toilettes.

— Je suis fier de toi, dit-il en l'embrassant.

— Je t'aime, si tu savais. Excuse-moi, je suis désolée pour tout cela, en essuyant les larmes de ses yeux.

— Tout ira bien, tu verras.

Chapitre 9

L'hiver rigoureux tirait à sa fin. Il y avait eu beaucoup de neige cet hiver-là. D'immenses bancs de neige longeaient toujours les rues embourbées de la capitale. Danny continuait ses cours, son travail au Lotus et son entraînement de Pak Mei. Il avait commencé à apprendre les formes principales de Pak Mei, dont Jik Bo Kuen, Sub Gee et Gau Bo Tui. Les chorégraphies de mouvement qui se pratiquaient en solitaire cachaient la structure des mouvements du Pak Mei. On pratiquait aussi des séances de combat entre élèves, histoire de tester leur habileté. Les combats étaient féroces et se faisaient avec contacts, mais toujours contrôlés pour les besoins de l'entraînement. Danny avait maintenant les doigts et les jointures dures comme l'acier après quelques mois d'entraînement sur les sacs de riz.

Sammy était impressionné par la performance littéralement explosive de Danny. Sa capacité d'infuser de l'énergie dans ses frappes était impressionnante. Sammy trouvait que ses mouvements étaient secs et puissants, mais qu'ils manquaient un peu de fluidité. Il avait profité du moment où Danny s'était blessé au ventre lors d'un entraînement pour lui réitérer certains concepts. Il avait trop expiré lors d'une frappe et la force de l'impact lui avait causé une douleur au ventre. Il avait voulu continuer à s'entraîner, mais Sammy lui avait donné l'ordre d'arrêter pour une période, le temps qu'il guérisse.

— Tu dois laisser du temps à tes organes internes pour te renforcer.

— Ne t'inquiète pas, Sammy, j'ai juste fait un mauvais mouvement. J'ai peut-être trop forcé, mais je vais bien.

— Non, tu ne vas pas bien ! Si tu ne laisses pas le temps à ton corps de se remettre, tu peux te blesser gravement, te déchirer l'intérieur et en mourir. Cet art est d'une grande puissance, mais il faut savoir l'utiliser adéquatement. La puissance générée peut être plus grande que celle que ton corps est capable d'endurer.

— Tu veux dire que je risque de quoi… Mourir ?

— Oui, si tu n'écoutes pas ton corps comme c'est le cas en ce moment. Tu sais, certains styles pourraient se comparer à un couteau que l'on mettrait dans les mains d'un individu. S'il ne fait pas attention, il risque de se couper. Certes, cela lui fera mal, mais il n'en mourra pas. Enseigner le Pak Mei, c'est comme poser une grenade dans les mains d'un élève. La marge d'erreur est mince et les erreurs de manipulation par celui qui la tient peuvent lui coûter la vie.

— Bordel, ça va, Sammy… J'ai compris ! dit-il en s'assoyant sur le sol pendant que d'autres élèves continuaient à pratiquer avec férocité, les entendant expirer fortement lors des frappes. Une ambiance austère régnait dans le local. Les pratiquants prenaient une attitude des plus sérieuses. Leur seule motivation était de survivre et de dominer l'ennemi. Ajoutaient à l'ambiance les bougies et les reflets bleus des néons tamisant l'endroit où aucune lumière naturelle n'entrait. *On se serait cru dans un univers parallèle.*

— Tiens, bois cette mixture. Cela va t'aider à guérir et à renforcer ton intérieur. Ta blessure se produit pour deux raisons. La première, la faiblesse de ton corps, mais aussi le manque de fluidité dans tes mouvements. Certes, tes attaques sont féroces, directes, explosives et rapides, mais tu dois y ajouter de la douceur et de la fluidité. Le Pak Mei est comme une vague qui engloutit tout sur son passage. Tu dois avoir sa violence, mais sa fluidité également.

— Sammy, c'est contradictoire, ce que tu me dis. Comment peut-on être rapide et puissant… En même temps doux et fluide, dit-il, perplexe.

— La vie est une contradiction Danny, mais tu vas finir par comprendre, j'en suis certain. Tes attaques doivent comporter tous ces éléments en même temps. La sensation réelle de la puissance du Pak Mei, tu l'apprendras avec le temps et la pratique. Apprendre cet art ne consiste pas seulement à maîtriser des techniques et des mouvements, c'est apprendre une sensation. On dit qu'un instructeur de Pak Mei va t'apprendre les techniques, mais que ce sont les morts qui t'apprendront l'essence même et la puissance de ce style. Tu as assez pratiqué pour ce soir, va te reposer.

— D'accord.

Danny sortit du restaurant dans l'hiver qui faisait rage. Le vent et la neige rageaient dans la nuit. Il se tint le ventre d'une main tout en réfléchissant aux propos de Sammy. Il revit la photo du moine obscur Pak Mei qui semblait le surveiller à travers des volutes d'encens qui virevoltaient autour de lui. Il constatait que sa façon de combattre avait changé. Il était plus solide dans ses positions, ses coups étaient plus puissants et destructeurs. Son but était déterminé et il le recherchait avec la férocité d'un tigre. Un changement était survenu en lui, une puissance dont il ignorait l'existence depuis à peine quelques mois l'avait pénétré maintenant. Il savait qu'il était bon, mais pas encore suffisamment.

睚眦

— Elle n'est pas venue travailler ce matin au salon et elle ne répond pas au téléphone depuis hier, dit Katie.

— Comment cela depuis hier… Je lui ai parlé hier matin avant ma classe et elle m'a dit qu'elle allait bien, lança-t-il avec une note d'inquiétude dans la voix.

Rien n'allait plus depuis quelques mois en vérité. Danny voyait dépérir Chandra à vue d'œil depuis des semaines. Il lui semblait qu'elle maigrissait. Elle était irritable et elle prenait ses distances de lui. Il craignait qu'elle n'ait recommencé à prendre de la drogue. Elle avait nié les faits, le repoussant à chaque fois qu'il tentait d'aborder la question, prétextant qu'elle voyait déjà un psychologue et que Danny s'imaginait des choses. Elle était seulement fatiguée.

Ses craintes s'étaient révélées fondées quand Katie, la meilleure amie de Chandra, sa collègue au salon, l'avait appelé pour lui dire que Chandra avait perdu connaissance au travail et que les ambulanciers l'avaient transportée d'urgence à l'hôpital. Katie disait qu'elle était arrivée au travail tout pâle ce matin-là et qu'il s'agissait probablement de surmenage, une réaction liée à de l'épuisement et du stress. Danny s'était précipité à l'hôpital rencontrer le médecin traitant et ce dernier lui avait dit :

— Cela fait longtemps que votre petite amie consomme de la cocaïne ?

— Je… Je croyais qu'elle avait cessé. Elle suit présentement une thérapie. J'ai appris qu'elle en prenait il y a quelques mois. D'ailleurs, nous avions eu une querelle à ce propos. Donc, ce n'est pas lié à un épuisement cette crise, docteur ?

— Votre copine vient de faire une surdose de cocaïne. Je crains que son problème soit beaucoup plus grave : elle est en vie cette fois, mais elle a eu de la chance. La prochaine fois, cela pourrait bien lui coûter la vie.

— Mon Dieu ! dit-il en se couvrant la figure de ses mains. Je… Je ne sais plus quoi faire pour la sauver. Elle me repousse… Je… Je ne veux pas la perdre, docteur.

— Ce n'est pas votre faute. Vous ne pouvez pas régler son problème à sa place. Vous ne pouvez faire que votre possible. Les proches des gens qui ont des problèmes de toxicomanie ont souvent les mêmes sentiments que vous, c'est-à-dire de se sentir impuissants. Elle doit se prendre en main et vous ne pouvez le faire à sa place, malheureusement. Une chose est certaine, elle a besoin de soins spécialisés.

— Merci, docteur, pour les conseils, murmura-t-il en regardant le mur.

— Pas de problème et gardez confiance, il existe toujours une solution. Ne perdez pas espoir, elle a besoin de votre soutien.

— Je sais, docteur.

Il entra dans sa chambre et la vit étendue dans le lit. Elle avait les yeux fermés, le teint pâle avec ses cheveux bruns qui tombaient le long de son visage. Il la trouvait tellement belle, malgré sa pâleur. Elle avait pourtant bien changé, il ne la reconnaissait plus depuis quelques mois. Il avait tenté d'être davantage auprès d'elle en diminuant son emploi du temps. Il avait pris du temps pour prendre soin d'elle. Elle avait pris du mieux croyait-il. Elle consultait un psychologue, mais elle refusait toujours de discuter de son problème avec lui. Elle lui avait dit que la meilleure façon de l'aider était d'être avec elle comme il le faisait. Elle ouvrit les yeux quand il s'assit près du lit.

— Bonjour, comment vas-tu?

Elle le regarda et ses yeux s'emplirent de larmes.

— Je suis désolée de t'avoir menti. Je suis épuisée, dit-elle en tournant la tête pour éviter son regard.

— Ne t'en fais pas, répondit-il en lui touchant le visage de sa main. Nous allons trouver une solution.

— Non, ça ne va pas! Je t'ai menti. Je te fais souffrir à cause de cela aussi. Je ne voulais pas te parler de mes problèmes pour ne pas abîmer ce que je vivais avec toi. Je voulais nous protéger. J'ai été violée par mon oncle quand j'étais jeune à plusieurs reprises et… et… voilà. Tu voulais savoir, maintenant tu sais. Quoi dire de plus… Cela me hante. Il n'y a rien d'autre à ajouter, dit-elle en larmes.

— Je suis désolé…

— Tu n'as pas à être désolé, tu ne pouvais pas savoir… Personne ne peut se douter de ces choses.

— As-tu déjà porté plainte, demanda-t-il?

— Non, j'en étais incapable. Longtemps, je me suis senti responsable de ce qui était arrivé et j'avais honte. Je n'en ai jamais parlé.

— Ce n'est pas ta faute, ce qui est arrivé. Il doit payer pour ses gestes! dit-il en colère.

— Il est mort depuis plusieurs années déjà. Et moi, il m'est impossible de prendre ma vie en main. Il m'a détruite…

— Rien n'est perdu. Tu iras mieux. Je ne te laisserai pas tomber.

— Danny… Je crois que tu serais mieux loin de moi. Je te fais du mal, je le sais. Ce n'est pas mon intention. Je veux que tu sois heureux et à cause de moi, tu ne l'es pas.

— C'est avec toi que je veux être, quoi qu'il arrive.

Elle ferma les yeux. Les larmes coulaient et un mince sourire éclaira son visage.

— Merci pour tout. Tu es la seule personne qui ne m'a jamais abandonnée, tu sais.

睡眦

À sa sortie de l'hôpital, Danny était resté avec elle pour s'en occuper. Elle avait commencé à voir un thérapeute, mais la situation empira dans les semaines qui suivirent.

— J'ai tenté de l'appeler hier dans la soirée, mais pas de réponse, dit Katie. Ce matin, elle ne s'est pas présentée au travail. Cela n'est pas normal. Jamais elle ne s'absente sans aviser. J'ai cru qu'elle pourrait être avec toi, mais il semble que ce n'est pas le cas.

— J'étais en classe et je ne l'ai pas vue. Elle n'a pas dormi chez moi non plus, dit Danny. Elle disait qu'elle était un peu fatiguée et qu'elle préférait rester seule chez elle. Je vais à son appartement sur-le-champ, dit-il, et je t'appelle dès que j'ai de ses nouvelles.

— Merci, je suis certaine qu'il y a quelque chose qui ne va pas.

Arrivé à son appartement, Danny frappa à la porte de plusieurs coups secs.

— Ouvre, Chandra, c'est moi !

Aucune réponse, aucun bruit dans l'appartement. Il colla son oreille contre la porte et il crut entendre le bruit du téléviseur. Il sortit la clef de sa poche et il l'inséra dans la serrure. La porte s'ouvrit. Il constata effectivement que le téléviseur était en marche. Un vidéoclip jouait.

— Où es-tu ? demanda-t-il.

Il vit la porte de la salle de bain à demi fermée avec de la vapeur qui en sortait. Son cœur se mit à battre fort. Il poussa la porte et c'est à ce moment que le spectacle d'horreur le frappa. Chandra était couchée dans la baignoire remplie d'eau chaude. Elle s'était tranchée les deux poignets avec un rasoir. La baignoire était rouge de sang et il y avait plusieurs flaques sur le plancher également. Tout avait été éclaboussé lorsqu'elle s'était taillé les poignets. Il y avait du sang partout.

— NOOONNNNN, mais qu'as-tu fait ! hurla-t-il en se précipitant vers elle et en s'agenouillant près de la baignoire.

Elle n'était pas encore morte. Elle ouvrit les yeux et le regarda. Il prit deux serviettes et les serra contre ses poignets pour diminuer l'hémorragie. Le sang gicla sur sa chemise blanche lorsqu'il fit un garrot à chaque poignet.

— Oh mon Dieu… Tiens bon! dit-il en empoignant son cellulaire.

— 911, quelle est votre urgence? dit une voix de femme à l'autre bout du fil.

— Envoyez immédiatement une ambulance au 1845, rue Powell, appartement 6410 pour une femme qui s'est ouvert les poignets. Elle a perdu beaucoup de sang! dit-il avec un ton de panique.

— Les ambulanciers sont en route immédiatement, monsieur.

Danny raccrocha et il la prit par les épaules pour la relever, mais elle ne bougeait plus.

— Je suis désolée… Pardonne-moi s'il te plaît mon amour, murmura-t-elle d'une voix à peine audible aux oreilles de Danny.

— Non, tu ne mourras pas ici! Tu n'as pas le droit de me laisser comme cela! hurla-t-il en pleurs en la retenant dans ses bras.

— Oh mon Dieu! cria-t-il en pleurant et en collant son visage contre celui de Chandra qui avait le teint pâle comme un cadavre.

Le sang s'écoulait toujours malgré les garrots aux poignets.

— Pardonne-moi, mon amour, pardonne-moi s'il te plaît, dit-elle à bout de souffle les yeux à moitié fermés.

— Tu n'as pas le droit de me faire cela! Ne meure pas, j'ai besoin de toi! dit-il en pleurant tout en regardant au plafond pour ne plus voir tout ce sang. C'est à ce moment qu'il sentit la vie partir d'elle. Le peu de résistance qu'elle avait semblait disparaître, il la sentit s'assoupir complètement et rendre son dernier souffle.

— NOOONNNNN! hurla-t-il en regardant vers le ciel.

Deuxième partie

Je crains la mort que j'ai en aversion ; mais je crains quelque chose de plus redoutable encore que la mort. C'est pourquoi la mort serait là en face de moi que je ne la fuirais pas.

Mencius

On ne peut répondre de son courage quand on n'a jamais été dans le péril.

La Rochefoucauld

Chapitre 10

Mai 2004, Manhattan, New York, États-Unis.

— On ne me paie pas suffisamment pour ce que je fais, grommela Namara en s'assoyant derrière son bureau du quarante-quatrième étage situé sur Park Avenue.

Le cabinet de traduction pour lequel il travaillait était parmi les plus prestigieux de New York. Il se trouvait à quelques coins de rue des plus importantes icônes de la ville comme l'Empire State Building, à quelques mètres de lui, le Times Square qui s'illuminait de ses mille feux, le Grand Central au bout de sa rue, l'immense espace vert du Central Park entouré de ses penthouses pour milliardaires et de ses musées. Danny Namara travaillait dans cet univers depuis presque trois années et chaque jour, il côtoyait des gens parmi les plus riches d'Amérique soit pour les conseiller en matière linguistique, soit pour des traductions de textes ou bien pour leur servir d'interprète. Ses nombreux clients allaient des plus grandes institutions bancaires aux agences de mode en passant par les cabinets internationaux d'avocats, les firmes de valeurs mobilières, les commerces de renom, les agences gouvernementales ou tout simplement des particuliers pouvant se permettre ses cachets de linguiste. Il partageait son temps entre le travail au cabinet et ses rencontres avec les clients d'un bout à l'autre de la ville, que ce soit pour remettre un travail ou bien serrer une poignée de main dans un restaurant en vue d'un nouveau projet. La routine de Namara était digne de celle d'un bon New-Yorkais, c'est-à-dire d'un tempo effréné. Il commençait généralement sa journée vers 5 h 30 de son minuscule appartement situé à Astoria dans le Queens. Peu de temps plus tard, il se dirigeait vers Ditmars Station pour prendre son train habituel l'amenant à son travail. Il adorait prendre le métro et ne possédait pas d'auto. En route vers son travail, il se prenait soit un muffin ou un bagel style new-yorkais accompagné d'un café qu'il dégustait sur le pouce. À son arrivée dans cette jungle, il avait été sidéré de voir comment les gens se comportaient. Tous semblaient pressés. On voyait des hommes et des femmes d'affaires manger à toute vitesse dans le train ou dans la rue tout en lisant le journal, l'iPod aux oreilles. Il y avait tant de gens en si peu d'espace. Au début, chaque coin de rue pour Danny était un spectacle. Il y avait tellement de choses à voir, d'événements cocasses à observer qu'il manquait d'yeux pour tout voir. Il ne comprenait pas le rythme de vie new-yorkais. Il était un étranger dans une immense jungle de gens, de béton et d'automobiles qui bougeaient à un rythme fou sans arrêt de nuit comme de jour.

Maintenant, il était un vrai *native*. Il faisait lui aussi tout ce qu'il trouvait curieux au début. Il mangeait en se dirigeant vers le N Train qui le mènerait à la 34e Rue. De là, il marchait jusqu'au bureau. Désormais, prendre le train jusqu'au travail était pour lui souvent le seul répit qu'il avait de la journée. Il y prenait place pour regarder la ville quand le train roulait sur les rails surélevés du Queens avec sa vue imprenable de la Grosse Pomme. Au travail, lors de rencontres, il utilisait la salle de conférence vitrée. Encore une fois, le panorama était spectaculaire. Lorsqu'on s'approchait des grandes fenêtres, on pouvait voir les milliers d'automobiles, de taxis jaunes et de piétons qui circulaient comme des fourmis dans les rues. Il pouvait observer ce spectacle du haut de quarante-quatre étages. À l'horizon, il avait une vue du Manhattan Bridge et du Brooklyn Bridge. Il adorait se trouver dans cette pièce, car son bureau personnel n'avait aucune fenêtre.

— Tu viens manger ce midi avec nous ? lança un de ses collègues en se passant la tête dans l'embrasure de la porte de son bureau.

— Non, je ne peux pas. Je dois rencontrer un nouveau client qui est sur Lexington Avenue. Il importe des objets antiques ou je ne sais pas trop quoi. J'ai certains textes en espagnol à lui remettre. Ce n'est pas loin d'ici, j'irai à pied, dit-il en se levant pour mettre son veston et ajuster sa cravate.

— Héhé, encore un jour sans répit, Namara ?

— Tu parles ! Tu sais, Max… Quand je suis arrivé ici, je ne comprenais pas pourquoi les fenêtres de cet immeuble ne s'ouvraient pas… Maintenant, je sais… C'est pour que les locataires ne se jettent pas en bas !

Max poussa un rire fort qui retentit partout sur l'étage, déconcentrant certains linguistes qui levèrent la tête par curiosité pour voir ce qui se passait avant de se remettre au travail.

— Tu as sans doute raison, mais il y en a quelques-uns qui trouvent quand même le moyen de plonger chaque année. Pas toi, par contre, tu es bien trop en demande. Tu es l'avenir de cette entreprise, cela serait un scandale de détruire tout ce potentiel, dit-il avec un air amusé.

Les deux se mirent à rire, ce qui déconcentra encore une fois certains collègues. Une, en particulier, leur jeta un regard contrarié.

— Dis-toi que si tu es aussi occupé, c'est qu'on t'aime, Danny, lança Max.

— S'ils m'aiment tant, alors qu'ils me paient mieux, dit-il, accompagnant sa répartie d'un clin d'œil et d'une claque à l'épaule de son collègue, lorsqu'il sortit de son bureau avec un sac en bandoulière.

— C'est sûrement qu'ils n'y ont pas songé, c'est tout. Si tu leur en fais part, sûrement qu'ils accepteront ta proposition? dit Max souriant à son propre sarcasme.

— C'est cela, le psychiatre a dit de ne pas te contrarier, alors je ne dirai rien… Bonne journée, Max! dit-il avant de s'engouffrer dans l'ascenseur.

Max continua à rigoler en retournant à son bureau qui, lui non plus, n'avait pas de fenêtre.

睚眦

Lexington Avenue était une artère bordée de bâtiments riches en architecture. Namara s'arrêta devant un immeuble à bureaux de grand style, même si ancien, qui respirait la discrétion. L'adresse était bien celle qu'on lui avait mentionnée au téléphone. Il monta deux étages et il franchit la porte. Une secrétaire l'accueillit et il lui dit qu'il avait rendez-vous avec un certain Igor Truofudsk. La femme lui demanda de s'asseoir et de patienter. Ce qu'il fit. Tous les meubles de la réception étaient en acajou et les fauteuils, en cuir. Plusieurs toiles décoraient les murs. *Ces toiles devaient coûter des dizaines de milliers de dollars.*

— Bonjour, monsieur Namara, dit un homme grisonnant qui était entré sans bruit dans la pièce.

— Bonjour, vous êtes bien monsieur Truofudsk? demanda-t-il en se levant du fauteuil pour lui serrer la main.

— Oui, en personne. Je peux vous appeler Danny? Appelez-moi Igor.

— Bien sûr.

— Parfait, veuillez passer dans mon bureau, nous serons plus à l'aise pour discuter.

Igor regardait Namara. Il remarqua sa stature athlétique, son regard, sa posture, sa façon de parler. Il lui sembla qu'il n'avait rien d'un linguiste, car l'arrivant dégageait une assurance, une intensité dans son regard qui lui plut dès le début, en ne sachant pas pourquoi. *L'instinct sûrement.* Cet instinct lui permettait habituellement de détecter de bons éléments, mais la plupart du temps, à débusquer l'ennemi. Après toutes ces années comme ancien tueur à gages pour le service de renseignements de l'Union soviétique (KGB) et recruté par la CIA plus tard, il en avait vu d'autres. Il s'était trouvé une place au soleil auprès du gouvernement américain en échange de certains renseignements pertinents sur ses anciens employeurs, information jugée fort utile. Ses réflexes et son instinct l'avaient bien servi au cours de sa carrière et il avait appris à se fier aux premières impressions, à son instinct. Concernant Namara, il trouvait qu'il avait l'apparence et le regard d'un guerrier, d'une personne qui en avait vu malgré son jeune âge. Certainement pas un bureaucrate. Toutefois, peut-être se trompait-il. Il lui fallait le découvrir.

— Assieds-toi, dit-il.

— Merci.

Danny sortit le texte espagnol qu'on lui avait demandé et il le déposa sur le bureau.

— Un scotch, un cigare? demanda Igor en se versant lui-même un verre.

— Oui, pourquoi pas, dit-il avec un sourire.

Igor lui rendit son sourire en lui apportant un verre et un cigare cubain.

— J'adore les gens qui savent apprécier les bonnes choses. Les cigares cubains sont les meilleurs qui soient, pas vrai?

— J'imagine. Dieu bénisse l'Amérique. Pourrais-je avoir du feu? demanda-t-il d'un air amusé en examinant le cigare, illégal en territoire américain.

Igor prit le briquet sur la table près du bar et il voulut tester les réflexes de Namara pour savoir s'il faisait fausse route. Il attendit qu'il prenne une gorgée de son verre pour lui lancer le briquet. Danny l'attrapa de la main gauche sans hésiter et sans même ralentir sa gorgée. Igor aimait bien avoir raison.

— Tu as d'excellents réflexes. Les linguistes chez vous ont tous cette rapidité? demanda-t-il avec un sourire.

— Je crains que non. Je me tiens en forme dans mes temps libres, dit-il en allumant son cigare.

Igor prit place dans son fauteuil et il commença à lire le document que Danny avait traduit.

— Je suis conscient que la plupart des linguistes préfèrent interagir uniquement par courriel, mais j'aime bien connaître les gens avec qui je travaille. Du bon travail, sincèrement, comme toujours. Cela fait deux fois que tu me fais des traductions, mais c'est la première fois que nous nous rencontrons. Je tenais à ce que nous nous connaissions mieux, car j'ai plusieurs autres contrats pour toi.

— Pas de problème. Puis-je savoir exactement en quoi votre entreprise consiste?

— Dex Importations est en fait une entreprise qui importe des objets d'art en majorité de l'Amérique du Sud pour ensuite les revendre à de riches particuliers américains. Nous servons d'intermédiaires en quelque sorte pour trouver ce que nos clients désirent en matière d'objets antiques. Igor regarda brièvement les mains de Danny et il remarqua, surpris, que ses jointures étaient proéminentes, en particulier celle de l'index.

— D'accord, c'est bien. Ce ne sont pas les clients qui doivent manquer dans cette ville, non?

— En effet, Dex Importations se porte très bien. Tu sembles avoir les mains de quelqu'un qui s'entraîne… Tu pratiques beaucoup?

Namara regarda Igor; il se rendait compte par ses questions que ce dernier avait une bonne connaissance en arts martiaux, plus poussée que ce qu'un simple directeur de firme d'import d'objets d'art pour riches clients devrait savoir. Il n'était pas naïf. Il savait qu'Igor l'examinait attentivement, mais cela l'amusait plus qu'autre chose.

— Oui, on peut dire cela en effet. Vous avez un bon sens de l'observation.

— J'essaie, oui. Je peux te demander le style que tu pratiques si ce n'est pas trop indiscret?

— Je fais du Wing Chun dans mes temps libres, quand j'ai le temps, à vrai dire, mais rien de sérieux, dit Namara avec un ton d'amusement pour qu'Igor change de sujet.

— Ah oui, je connais un peu les arts martiaux chinois, mais… superficiellement. Je ne les pratique pas, mais j'aime bien écouter des films d'arts martiaux. Je trouve cela très divertissant. Danny lui fit un sourire en prenant une gorgée de son *single malt* de vingt ans.

— Tu accepterais d'autres traductions si je te les envoie?

— Bien sûr, c'est pour cela qu'on me paie. Vous pouvez m'appeler et m'envoyer les textes par courriel.

— Je te contacte et peut-être aurons-nous la chance de nous revoir en personne un autre moment.

— Bien sûr, ce fut un plaisir.

Les deux se serrèrent la main et Namara quitta le bureau.

Chapitre 11

De sa fenêtre du sixième étage, Tim ne pouvait s'empêcher de regarder l'homme frapper un mannequin de bois. Il l'avait remarqué plus tôt sur le toit d'un édifice de trois étages, de biais par rapport au sien. Le toit était vaste et plat. Rien d'autre ne se trouvait là à part ce mannequin de bois fixé à la toiture. Tim regardait depuis un bon moment cet homme qui s'entraînait chaque jour de façon assidue. Il était impressionné de voir ses coups, sa vitesse et sa coordination. Il ne croyait pas qu'il se soit aperçu qu'on l'espionnait depuis un bout de temps.

Il l'observait attentivement pour mémoriser les mouvements de combat qu'il faisait pour les reproduire lui-même par la suite. Il l'enviait de connaître toutes ces techniques. S'il était comme lui, plus aucun gamin de son âge ne s'amuserait à le frapper à la sortie des classes. Il pratiquait dans sa chambre en s'imaginant être l'homme à la barbe frappant un mannequin de bois.

睚眦

Danny finit son pad thaï assis devant la vitrine d'un petit restaurant en plein cœur du Quartier chinois. Il venait souvent manger son plat préféré dans ce restaurant situé dans une petite rue bondée où marchands de poissons et passants se côtoyaient. Le propriétaire le connaissait bien et, chaque fois qu'il entrait, il ne lui demandait pas ce qu'il désirait. Il se contentait de faire signe à son cuisinier pour qu'il lui apporte quelques minutes plus tard ce plat thaïlandais que Danny appréciait tant. Il y avait de nombreux restaurants qui servaient du pad thaï, mais il n'en avait pas goûté ailleurs d'aussi bon que celui-là. Il terminait toujours son repas avec une tasse de thé vert. Ce moment était pour lui une détente, mais, aujourd'hui, il était tendu et n'arrivait pas à relaxer. Il réfléchissait au combat qu'il livrerait ce soir dans le Quartier chinois. Plusieurs personnes lui avaient suggéré de ne pas y aller. Ces combats n'étaient qu'un ticket pour la morgue, disaient-ils. La nuit était maintenant tombée dans le Quartier chinois et il se remémorait les circonstances l'ayant mené à participer à des combats — illégaux — organisés par les triades chinoises.

Danny avait l'habitude de fréquenter le Quartier le week-end. Il se rendait dans un parc où de nombreuses tables étaient installées pour jouer aux dames chinoises. De nombreux vieillards asiatiques ainsi que des gens de tous âges y jouaient également. Il adorait jouer avec eux. Souvent, il était le seul blanc dans toute cette cohue d'Asiatiques riant et criant autour de ces tables. Lors de beaux après-midi ensoleillés avec comme bruit de fond le chant des oiseaux et les klaxons d'automobiles, il pouvait s'installer à une table et jouer pendant plusieurs heures.

L'endroit n'était pas seulement un lieu de loisirs pour les vieillards, mais aussi un lieu de rencontre pour toute la communauté chinoise. On profitait de cette occasion pour discuter des rumeurs et des nouvelles qui circulaient dans le secteur. Si on désirait savoir qui contrôlait le secteur ou bien quels étaient les principaux commerçants, il suffisait de prêter l'oreille aux discussions qui avaient lieu autour de ces tables de jeu. Danny avait compris cela depuis un bon moment. Lors d'une joute, son attention fut attirée par une conversation qui semblait fort animée entre un Chinois coiffé d'un chapeau bizarre et un autre Asiatique. Danny décida d'en savoir plus et il posa une question à son vis-à-vis assis en face de lui qui réfléchissait au pion qu'il bougerait pour gagner la partie.

— De quoi discutent-ils exactement?

— Oh, pas important. Ce ne sont que des histoires de vieillards.

— Non, allez, dis-moi… De quoi s'agit-il?

— Les triades chinoises, c'est-à-dire la mafia… Ils organisent des combats illégaux où on parie fort. Ces combats sont secrets et pour cause: il n'y a aucune règle et les adversaires qui y participent luttent généralement jusqu'à ce qu'un des deux soit tué ou bien blessé gravement. C'est mal, ces combats. Il faut être complètement stupide pour y participer.

— Où ont-ils lieu, ces combats?

— Je ne sais pas vraiment, je n'y suis jamais allé. On dit que les triades ont encore des souterrains en dessous du Quartier chinois et que ces combats auraient lieu dans ces endroits. Cachés de la sorte, ils ne sont pas dérangés par la police ou les curieux.

— On dit que ces souterrains du Quartier sont une légende urbaine, que ceux qui auraient existé dans le passé sont maintenant ensevelis ou détruits, dit Namara.

— Eh bien, il semblerait que non, mais peut-être qu'en effet il s'agit d'un mythe. Allez, joue, jeune homme! dit le vieillard qui était resté concentré sur le jeu.

— À qui doit-on s'adresser si on désire combattre?

— Ce n'est pas une bonne idée, c'est dangereux ces combats, je te dis! On te tue et ton corps disparaît. Non, non... Mauvaise idée. Joue aux dames plutôt, tu vivras plus longtemps! dit le vieillard d'un ton exaspéré.

Le vieillard au chapeau bizarroïde semblait avoir entendu la conversation entre les deux joueurs de dames, tout comme certains autres curieux. Il fixait intensément les mains de Danny.

— Tu désires combattre? dit en anglais l'homme au chapeau avec un sourire en coin.

— C'est possible, oui, répliqua Namara en fixant le vieil homme.

— Ce sont des combats sans aucune règle, jeune homme... Principalement des artistes martiaux ou des durs à cuire. Tu crois pouvoir survivre à cela?

— Peut-être, dit Namara en bougeant un pion.

— Alors peut-être que cela pourrait être une option pour toi si tu désires gagner de l'argent.

— Où dois-je aller et à qui dois-je m'adresser?

L'homme au chapeau écrit le lieu et l'heure sur un bout de papier et il le tendit à Danny.

— Tu te rends à cette adresse, à cette heure précise.

— Merci. À qui dois-je m'adresser pour m'inscrire?

— Je vais m'en occuper, sois là c'est tout. Ton nom?

— Danny Namara.

— Eh bien, Danny, bonne chance. Nous nous verrons là-bas dans ce cas. J'espère que tu seras un bon combattant, car je crois bien que je vais miser sur toi.

— Je tâcherai d'être à la hauteur.

Le vieillard leva légèrement son chapeau en guise de salut avant de quitter le parc. Danny retourna à son jeu et il vit son vieil adversaire lui faire un signe de négation de la tête avec un air de résignation en le regardant.

— Stupide, stupide... jeunesse stupide. Tu étais pourtant un bon joueur de dames, dit-il.

— Je suis d'accord avec la seconde partie de ta phrase, car je viens de gagner la partie, il semble bien, dit Namara avec un sourire en prenant une gorgée de café.

Le vieil homme se pencha en avant pour regarder attentivement le damier, refusant de croire qu'il avait perdu. De toute évidence, cela n'était pas son jour de chance.

Chapitre 12

— Vous ne pouvez pas entrer! dit le grand Asiatique tatoué qui se tenait près de la porte métallique.

— Mon nom est Danny Namara.

L'autre reconnut le nom.

— D'accord, entrez! dit l'Asiatique en ouvrant la porte métallique.

L'adresse que Danny avait eue donnait sur une petite rue du Quartier chinois interdite aux automobilistes et qui regorgeait de restaurants et de salons de coiffure. La rue était une artère secondaire en retrait de la foule. Peu de gens y circulaient, comme si elle était coupée du monde. Il n'y avait aucune affiche au-dessus du numéro d'immeuble en question, seulement une porte en fer forgé sans fenêtre et grillagée. Elle était surveillée par un gardien qui ne laissait transparaître aucune émotion dans son visage. Dès qu'il eut franchi la porte, il fit face à trois autres Asiatiques qui semblaient l'attendre au fond d'une sorte d'entrepôt de meubles rempli de poussière. L'endroit était sombre et désuet comme si le temps s'était arrêté depuis longtemps à cet endroit. Un des hommes portait des lunettes fumées et il était habillé avec veston et chemise comme s'il se préparait pour une soirée mondaine. Danny saisit vite qu'il s'agissait de membres d'une triade ou de quelque groupe criminalisé. Aucun ne semblait sympathique. *Les vestons ne devaient servir qu'à camoufler une arme à feu.* Quant à Danny, il était tout habillé de noir. Il portait une chemise chinoise à col mao. Le seul contraste dans son habillement était le contour du bas de ses manches qui était blanc.

— Vous êtes, monsieur? dit l'homme aux lunettes soleil.

— Namara… Danny Namara.

— Veuillez me suivre, je vous prie!

Namara vit l'homme ouvrir les portes d'une immense armoire orientale en bois au fond de l'entrepôt. L'homme aux lunettes le regarda et il lui dit :

— Avez-vous des armes sur vous?

— Non, aucune.

Il fit signe à un de ses acolytes de le fouiller.

— Levez les bras, mon collègue va vérifier, dit l'homme.

Namara obtempéra. Comme il l'avait mentionné, il n'avait aucune arme sur lui. Mais il était armé. *L'arme, c'était lui-même.* À son grand étonnement, le fond du meuble donnait à son tour sur un couloir secret d'une dizaine de mètres menant à un petit escalier métallique s'engouffrant dans un trou noir à même le sol. L'homme aux lunettes fit signe à Namara de descendre. La cavité ne permettait qu'à un seul homme de passer et Namara compta une trentaine de marches dans la descente. Un long corridor en pierres l'attendait au pied de l'escalier avec un peu de lumière. Une odeur de moisissure envahissait le couloir et de nombreux fils électriques couraient sur le plafond. Le couloir était étroit et de nombreux filets d'eau coulaient le long des murs. Namara marcha un moment. Le trajet lui sembla être de quelques dizaines de mètres pour arriver dans une sorte de salle murée en pierre entourée d'estrades.

Des statues de dragon ornaient la salle. Au centre se trouvait l'arène faite en ciment. Les sièges en gradin entouraient l'arène complètement comme le Colisée de Rome. L'endroit était vétuste. Une odeur d'encens y régnait et l'endroit était déjà rempli de spectateurs à l'arrivée de Namara. Les gradins étaient bondés et la cacophonie y régnait. Il remarqua que de nombreux spectateurs étaient en tenue de ville ou en tenue de soirée. Certains semblaient être de classe sociale élevée, venus assister à un divertissement sans pareil. *Tous ces gens n'étaient sûrement pas entrés par le passage d'où il arrivait. Il devait y avoir d'autres accès à ce souterrain.* Une fébrilité régnait dans l'air et la foule s'agita quand Namara entra. Un petit Asiatique lui fit signe de monter dans un coin de l'arène. De l'autre côté de cette dernière, il vit son opposant qui était déjà prêt au combat et qui scrutait Namara de la tête aux pieds. Son adversaire devait mesurer et peser deux fois plus que lui. Il avait le crâne rasé et la musculature d'un gladiateur. Danny se dit qu'il devait être de base un lutteur de par sa façon de bouger et de par sa physionomie. Le petit Asiatique lui dit :

— Échauffez-vous le temps que les paris soient pris et ensuite le combat commence !

— Le gagnant remporte combien ? demanda Namara.

— Cinq mille dollars.

Namara commença à s'étirer les bras et les jambes superficiellement pendant que la foule scrutait les combattants intensément pour savoir sur lequel parier. Ils étaient là pour le spectacle et tous trépignaient d'impatience.

— Prenez place, messieurs ! dit le petit Chinois en leur indiquant deux lignes dessinées sur le sol.

Les deux hommes se placèrent un en face de l'autre. L'homme rasé fixait Namara d'un regard féroce. Namara savait que s'il ne prenait pas le contrôle de son opposant dès le début, ce dernier n'hésiterait pas à le tuer en une fraction de seconde.

— Mesdames et messieurs, ce soir s'affrontent deux nouveaux combattants. À gauche, Danny Namara et, à droite, C.J. Johnson ! hurla le petit Chinois à la foule.

— En garde, Messieurs !

Johnson leva les mains en l'air en baissant son centre de gravité. Namara se mit les bras en garde, mains ouvertes, paumes vers le ciel. Il restait impassible et calme, sans bouger de sa position. Il transféra légèrement son poids sur sa jambe arrière et il se vida l'esprit de toute pensée. Un immense coup de gong se fit entendre, marquant le début du combat. Johnson se précipita immédiatement sur Namara, décochant une avalanche de coups de poing et crochets que Namara bloqua tous avec des gestes secs tout en reculant. Voyant qu'aucun coup n'avait atteint sa cible, Johnson tenta par une feinte d'agripper les jambes de Namara pour le faire tomber au sol et l'achever. Au moment où Johnson s'apprêta à baisser sa position pour lui saisir les jambes, Namara avança comme l'éclair dans sa direction et lui envoya un puissant coup de paume directement au thorax. L'impact du coup força Johnson à se relever de sa position initiale. Avant même que Johnson n'ait eu le temps de retrouver son équilibre, Namara lui avait décoché un piqué direct de la main à la gorge. Son adversaire ne put qu'émettre un petit sifflement se prenant la gorge à deux mains. Son visage passa au rouge cramoisi en une fraction de seconde et il s'écroula au sol. Le combat était terminé. Le petit Chinois prit la main de Namara et il la leva dans les airs.

— Le vainqueur est Namara ! hurla-t-il à la foule.

La foule hurlait et criait des choses incompréhensibles. Vraisemblablement, elle en redemandait. Il resta impassible face à l'assistance en délire. Il se pencha et murmura à l'oreille du petit Chinois :

— Donne-moi mon argent que je fiche le camp !

Il fit signe à un de ses collègues et ce dernier arriva avec une pile de billets qu'il donna à Namara avec un morceau de papier comportant un numéro de téléphone s'il désirait participer à d'autres combats. Ce dernier compta les billets, fit demi-tour et il quitta le stade rapidement par le même chemin d'où il était arrivé, ignorant si d'autres combats auraient lieu par la suite dans l'aréna de fortune. Il s'en fichait.

La rapidité de Namara à mettre un terme au combat en avait impressionné plusieurs. Certes, le spectacle avait été court, mais tous avaient remarqué l'homme vêtu de noir et ils le réclamaient à nouveau. Son opposant était beaucoup plus imposant que lui et il n'en avait fait qu'une bouchée en quelques secondes. Il était une surprise pour tous ce soir et, en particulier, pour Igor qui avait assisté au spectacle assis dans les estrades.

Chapitre 13

Tim était désespéré. Il avait la lèvre fendue, résultat d'un coup de poing au visage d'un jeune qui l'avait pourchassé à la sortie des classes encore une fois. À la maison, il s'était réfugié dans la salle de bain pour se nettoyer et il pleurait maintenant en silence dans sa chambre. Il sécha ses larmes et se rendit à la fenêtre : l'homme au mannequin pratiquait encore. Sans réfléchir et sans trop comprendre pourquoi, il sortit de chez lui pour se rendre dans l'immeuble voisin afin d'accéder au toit et voir de plus près ce qui s'y passait. Il gravit trois étages de cet immeuble avant de voir une porte qui semblait donner sur le toit du bâtiment. Il l'ouvrit et déboucha sur le toit. Personne. Il marcha silencieusement à la recherche du mannequin qu'il trouva finalement. Ce dernier était bien fixé au sol. Il le regarda quelques minutes ne sachant trop quoi faire. Il se décida à le toucher. Puis il se mit à le frapper, mais avec hésitation.

— Tu n'as pas le droit d'être ici, toi ! dit Namara.

Tim aperçut l'homme à la barbe à côté de lui, l'air contrarié et les bras croisés. Tim fit un saut en arrière, le cœur lui battant la chamade.

— Excusez-moi, monsieur... Je suis désolé, je voulais seulement voir l'homme de bois, dit Tim en baissant les yeux.

— C'est un mook jong. Et comment savais-tu qu'il y en avait un sur ce toit ?

Tim pointa la fenêtre de sa chambre qui était plus élevée de quelques étages.

— Je vous regarde souvent vous entraîner et je veux apprendre ce que vous faites. Je veux apprendre à me défendre.

Danny comprit ce qu'il voulait dire en lui voyant le visage, et il se douta bien pourquoi ce jeune garçon avait pris tout son courage pour venir sur ce toit.

— Je vois. Comment t'appelles-tu, gamin ?

— Tim.

— OK, Tim ! Moi, je m'appelle Danny. Si tu t'es donné tout ce mal pour être là, alors peut-être que tu mérites en effet d'apprendre.

— Super ! dit Tim.

Namara lui fit un sourire. Il comprenait ce que Tim vivait probablement pour l'avoir vécu lui-même et il se dit qu'il avait une responsabilité, car ce jeune était non pas venu pour voir le mannequin, mais pour lui demander de l'aide. Il ne pouvait pas la lui refuser ; il lui fallait l'aider.

— Très bien, Tim. Ce que tu me vois pratiquer est en fait un art martial chinois qu'on nomme le Wing Chun. Danny se rappela le jour où il avait été voir sifu Kwan pour apprendre à se défendre et il fit comme ce dernier. Il lui expliqua en quoi consistait le style et il lui montra à faire la base des coups et des mouvements. Par la suite, il pratiqua avec Tim sur le toit quasiment tous les jours, combattant avec lui et le corrigeant sur ses mouvements et ses coups. Il savait que le but recherché dans l'immédiat par Tim était de vaincre celui qui s'en prenait à lui et non de faire de lui un expert en Wing Chun. Il orienta son entraînement en ce sens. Il devait être efficace le plus rapidement possible.

睡眦

— Si tu veux vaincre ton adversaire Tim, tu dois avoir confiance en toi premièrement. Tu dois surmonter tes peurs. Plus tu as peur et plus ton ennemi le sent. Si tu veux vivre en paix, tu dois faire face à ton ennemi et utiliser la même violence envers lui que celle qu'il déploie envers toi pour te dominer.

Tim écoutait tout ce qu'il racontait avec attention. Il trouvait que Danny comprenait parfaitement ce qu'il vivait.

— Il y a une vieille enseignante à mon école qui a déjà dit qu'on ne règle rien par la violence, qu'il faut privilégier la discussion.

— Oui, et bien… C'est la preuve qu'elle ne s'est jamais fait pourchasser et battre, cette vieille chipie, car je ne crois pas qu'elle aurait le même discours !

Tim se mit à rire aux éclats en voyant l'image de la vieille madame Clark courant avec sa jupe à carreaux avec des voyous déchaînés à ses trousses.

— Tu sais, Tim, je comprends très bien ce que tu vis. Ton enseignante n'a pas tout à fait tort dans son discours, mais elle n'est pas à ta place, elle ne subit pas cette violence. Tu ne peux pas savoir ce qu'est la douleur réelle d'une brûlure tant que tu ne t'es pas brûlé toi-même, n'est-ce pas ? C'est vrai qu'il est toujours préférable de résoudre un problème par la discussion plutôt que par la violence. Le problème, c'est que, dans la réalité, cela n'est pas toujours chose faisable. Dans certaines situations, tu n'as pas d'autres choix que de te défendre pour te protéger ou pour protéger des gens qui te sont chers, tu comprends ? Tu dois développer ton esprit guerrier. C'est cet esprit, cet instinct qui te permettra de rester en vie dans des situations difficiles. Toutefois, si ton esprit est prêt, entraîné et éveillé, tout le reste tournera en ta faveur.

— Oui, je comprends, rétorqua Tim.

— D'accord, du sérieux maintenant. Continuons l'entraînement...

睚眦

Quand il ne réussissait pas à dormir, Danny marchait la nuit dans les rues. Il adorait partir en métro pour ensuite se perdre dans les rues de New York la nuit. Pour lui, cette ville était un spectacle en soi, ces gens tout partout, ces lumières clignotant dans la nuit autour de lui. Il errait et il visitait différents secteurs de la ville sans trop se demander où il allait. Le Times Square le fascinait par ses immenses affiches lumineuses hautes de plusieurs étages. Il y avait tant de lumières dans ce petit quadrilatère que les oiseaux se croyaient en plein jour même la nuit. Quand on levait la tête, on pouvait apercevoir quelques oiseaux confus volant dans cet univers hétéroclite.

Les odeurs étaient indescriptibles, c'est-à-dire propres à New York. On sentait une odeur de monoxyde de carbone et, soudain, une odeur de souvlakis surpassait la première. Le mélange d'odeurs, de sons, de lumières, de vapeur sortant des bouches d'égout de la ville, constitue toutes ces petites choses qui rendaient New York unique aux yeux de Namara. Une fois, il s'était assis sur un banc dans un parc face à l'Opéra de New York et il était resté là des heures à regarder la façade à cinq arches vitrées de l'Opéra. Il avait observé les gens qui arrivaient ou quittaient le magistral édifice en tenue de soirée. À une autre occasion, il pouvait se retrouver en train de marcher à Union Square dans les rues universitaires bordées de petits cafés et de bars. Il y avait des milliers de bars et de cafés à New York ; alors quand il voyait un endroit intéressant, il entrait pour s'asseoir et commander quelque chose.

Les promenades nocturnes de Namara lui avaient valu de voir des situations pénibles. Une fois, entre autres, il était descendu dans une station de métro complètement déserte à Brooklyn vers trois heures du matin. Sur la rampe, il vit un jeune policier en uniforme aux prises avec deux voyous, vraisemblablement des membres de gangs de rue à en juger de leur accoutrement. Ils cherchaient probablement à compléter un rite d'initiation en s'attaquant à un policier. Danny s'était approché. Il ne comprenait pas pourquoi ce policier était seul à cette heure à cet endroit, mais une chose était certaine, le policier ne devait pas avoir beaucoup d'expérience à en juger par son apparence et le fait que ses bottes étaient toutes neuves. Peut-être ses agresseurs avaient-ils fait cette même observation avant de s'attaquer à lui. Le policier s'était fait agripper et les deux malfrats le frappaient copieusement. Le policier tentait manifestement d'activer le bouton panique de sa radio pour demander de l'aide, mais il en était incapable. Danny songea à rester à l'écart, mais clairement le policier était en train de recevoir toute une raclée. Il saignait déjà du nez et de la bouche. Sa chemise était déchirée et elle sortait de son pantalon. Il tentait de se protéger du mieux qu'il pouvait, mais les deux voyous continuaient à le rouer de coups. Soudainement, Danny vit qu'un des individus tentait de saisir l'arme du policier à sa ceinture. C'est à ce moment que Namara passa à l'action.

Il arriva comme un coup de vent à l'arrière des deux truands, saisit la main de celui qui tentait de s'emparer de l'arme du policier et la brisa d'un coup sec. Danny entendit le son d'un os qui casse et un hurlement se fit entendre dans toute la station. Le blessé eut le malheur de lui tourner le dos ; une fraction de seconde plus tard, ce sont ses deux clavicules qui se brisèrent net sous l'impact d'un double coup de Namara. En quelques secondes, le premier agresseur se retrouvait à terre, hors de combat, braillant de douleur. Namara fit un demi-tour pour bondir sur le deuxième. Avant même de toucher le sol dans son saut, il lui avait cassé le genou gauche d'un coup de pied d'une vigueur inouïe. L'angle de sa jambe était inversé ! Le nouvel unijambiste allait s'effondrer, mais Namara l'attrapa par un poignet, car il n'en avait pas terminé encore avec lui. Il lui cassa le coude en tournant l'articulation à l'envers d'un seul coup de poing. Puis il le laissa tomber au sol définitivement. Le deuxième agresseur tomba sur le parquet face la première et le sang lui gicla du visage. Le nez, la bouche, les deux probablement ! Son comparse était maintenant inconscient. Namara s'approcha du policier ensanglanté qui était assis sur le sol.

— Êtes-vous blessé ? lui demanda Namara.

— Comment... Euh... Je... Non, je ne crois pas, dit le policier encore confus et ne croyant pas trop ce qui venait de se passer sous ses yeux.

— Vous devriez enclencher votre bouton panique pour que du renfort arrive.

— Oui... Vous avez raison, dit le policier en déclenchant le bouton.

Le jeune policier commençait à reprendre ses esprits et il réalisa qu'il avait vraiment failli y laisser sa peau. Il regarda ses deux agresseurs couchés au sol. La jambe d'un des deux avait, sembla-t-il au policier, un angle non naturel. Il se frotta les yeux. Toute cette scène s'était passée en une fraction de seconde. Il avait vu cet homme arriver de nulle part et terrasser les deux agresseurs avec une rapidité fulgurante comme la foudre qui frapperait un arbre.

— Vous l'avez échappé de justesse, agent Franklyn, dit Namara en se penchant pour regarder la plaque sur son uniforme bleu de la police municipale de New York (NYPD).

— Oui… Oui… En… En effet… Je… Merci, sincèrement. Ces deux-là m'ont pris par surprise. Ils m'auraient sûrement tué si vous n'aviez pas été là, dit le policier au sol tentant d'arrêter son saignement de nez. Namara se demanda s'il n'avait pas le nez cassé, il n'en était pas certain. *Une chose est certaine, il survivrait à ses blessures.*

— Y'a pas de quoi ! J'ai vu que vous aviez quelques ennuis, je me suis permis d'intervenir, dit Namara d'une voix calme.

— Peu de gens auraient fait ce que vous avez fait, dit le policier en regardant son uniforme déchiré et taché de sang. Au fait, monsieur, quel est votre nom ? demanda le policier en relevant la tête pour regarder son sauveteur, mais il réalisa qu'il était seul.

L'homme avait disparu. Tout ce qui restait de son passage, c'était deux hommes inconscients et en piteux état à côté de lui. Près de l'un d'eux, il remarqua une flaque de sang avec trois dents cassées. Puis il entendit la sirène d'une auto-patrouille…

睡眦

Danny avait décidé de voir la mer en cette journée de congé. Il avait pris le N Train en direction de Brooklyn pour se rendre à Coney Island marcher sur la plage. Quand on arrivait sur cette île, on se serait cru dans un autre monde. Il y avait à cet endroit le plus vieux cirque qui ait existé et l'état des manèges et des autres attractions le montrait bien. Plusieurs étaient rouillés par le temps et les bâtiments étaient défraîchis par le soleil et les années. De nombreux graffitis «décoraient» les murs. Toutefois, Danny aimait bien aller s'y promener, car il trouvait qu'il y avait une atmosphère magique autour des attractions et de la plage. Il avait été surpris de constater la beauté de la plage et la qualité du sable si près d'une métropole de cette taille. De nombreux New-Yorkais y allaient le week-end pour s'y reposer et l'île était remplie d'activités lors des belles journées. Les animateurs criaient pour attirer les gens à leur kiosque pour venir y gagner des prix. Les manèges fonctionnaient sans cesse. De centaines de piétons marchaient sur la promenade de bois s'étalant sur des kilomètres le long de la plage. Des odeurs de barbe à papa et de poisson émanaient des nombreux kiosques-restaurants que l'on trouvait un peu partout.

Un jour, il avait marché et profité du soleil toute la journée, restant sur la plage pour voir le soleil se coucher sur l'océan. Il s'était couché sur la plage pour fermer les yeux quelques secondes, puis il s'était endormi pour de bon. Quand il s'éveilla, l'obscurité était totale et il n'y avait plus personne sur la plage. Il devait être près de minuit. Danny se demandait comment il avait fait pour dormir tout ce temps et il se leva pour prendre le train et rentrer chez lui. Autant l'endroit était populaire le jour, il était complètement déserté la nuit. Les lieux étaient obscurs, les allées, désertes, avec le vent de la mer qui soufflait du large. Tous les manèges et kiosques étaient fermés avec des portes métalliques ou grillagées. *La présence de graffitis et la vétusté des bâtiments rendaient les lieux lugubres.* Il marchait d'un pas décidé sans trop se presser, dissipant les dernières vapeurs de sommeil. Il se disait que rendu à la maison, il se ferait à manger, car il était affamé. Il était loin de se douter que cette journée changerait sa vie à tout jamais. Il commença à s'en douter quand il se rendit compte qu'il était suivi par trois individus. Il fit un tour sur lui-même sans arrêter de marcher pour jeter un œil sur eux. En posant ce geste, il fit semblant qu'il avait failli trébucher afin de ne pas les alarmer.

Il vit que les trois hommes étaient blancs et qu'ils avaient les cheveux longs. Tout indiquait qu'il s'agissait de voyous ou des toxicomanes *en manque* cherchant à l'attaquer pour le dévaliser ou peut-être plus. La meute avait flairé une proie égarée et elle cherchait le moment opportun pour l'attaquer, gardant une certaine distance de toute évidence pour ne pas l'effaroucher. Il continua sur le trottoir un moment et il aperçut une toilette publique. Il y entra d'un pas rapide et il se dirigea au fond vers un urinoir pour simuler la raison de sa présence à l'intérieur.

L'endroit était relativement vaste, vide et sale. Il y avait une rangée de quatre urinoirs et de quatre toilettes compartimentées sur l'autre mur. L'endroit était recouvert de céramique blanche endommagée et éclairé par des néons borgnes. Il s'installa à l'urinoir du fond, en jetant un coup d'œil sur la porte d'entrée à sa gauche. Il n'était pas d'humeur à se battre et tout ce qu'il désirait était de rentrer chez lui. Il espérait que les trois décident de ne pas entrer ou bien qu'il se soit trompé en imaginant qu'ils le suivaient. En voyant le trio entrer, il conclut qu'il ne s'était rien imaginé. Il détestait avoir raison de la sorte.

Il fit semblant d'uriner en sifflotant, regardant un point imaginaire face au mur comme s'il ne s'était pas rendu compte qu'il n'était pas seul. Il sentit qu'un des trois fermait la porte et il entendit un léger clic qui indiqua qu'ils l'avaient verrouillée. Personne ne viendrait les déranger. Cela indiqua une chose à Namara. S'ils avaient seulement eu l'intention de le voler, tout ce qu'ils voudraient, c'est de se sauver le plus rapidement possible pour ne pas se faire prendre. Ils n'auraient pas verrouillé la porte. Il conclut qu'ils allaient tenter de le tuer après l'avoir volé pour éviter qu'il ne les dénonce. Il devait s'agir de toxicomanes en crise et il fallait s'attendre à tout. Un des individus s'approcha de Namara comme s'il allait prendre l'urinoir de gauche. Soudainement, il sortit un couteau avec sa main droite, bondit en arrière de Namara et lui plaça la lame dans le bas du dos.

— Hey, mec… Donne-moi tout de suite ton portefeuille sinon je te pique! lui murmura-t-il pendant que les deux autres restaient nerveusement en retrait.

— D'accord, du calme… Je te le donne, il est dans ma poche!

Namara n'avait pas fini pas sa phrase qu'il avait pivoté d'un coup sec sur sa droite pour éviter que la lame ne lui perfore un rein et saisi la main qui tenait l'arme. Il glissa son autre bras contre la jonction du coude de son agresseur et il le remonta violemment, lui disloquant l'épaule et lui déchirant les muscles. Son agresseur poussa un hurlement de douleur. Namara saisit le couteau et le lui planta dans le cou au niveau de la carotide, une attaque mortelle. Le cri de l'agresseur cessa subitement et il tomba au sol pour se vider de son sang. Un autre toxicomane sortit un couteau à son tour et il se mit à hurler en courant dans sa direction :

— Enfant de pute! Je vais t'éventrer!

De son avant-bras, Namara bloqua le coup à la hauteur de son ventre tout en lui saisissant le poignet pour contrôler la main armée. De son autre main, il lui saisit la pomme d'Adam, la serrant comme le ferait un rapace avec ses griffes. Il entendit un bruit semblable à un melon échappé sur une surface dure : la pomme d'Adam du toxicomane venait d'éclater. Le poignard de l'agresseur tomba par terre alors que Namara lui décochait un coup de coude vertical, l'atteignant directement en dessous de la mâchoire. Le coup fut si violent que la nuque se brisa sur-le-champ. Sa mort fut instantanée.

Le troisième agresseur se précipita vers lui pour tenter d'agripper son épaule; Namara profita de son élan pour se jeter sur lui et lui agripper la nuque à deux mains. Il la tira vers le bas tout en donnant un puissant coup de genou qui l'atteignit en pleine figure. Il reprit la tête de son adversaire et il la planta directement dans l'urinoir. L'impact fut si violent que l'urinoir craqua sur son socle en même temps que le crâne de l'assaillant. L'eau se mit à gicler. Tout était redevenu calme, mis à part le bruit de l'eau.

— Quel merdier! se dit Namara en regardant la salle de bain désuète et les trois cadavres étendus sur le sol.

Il déverrouilla la porte et sortit du même pas qu'il était entré. Il se rendit à la station de métro la plus proche. Alors qu'il attendait une rame, il se rendit compte qu'il venait, ce soir-là, de tuer pour la première fois. Puis il monta dans un wagon, aussi vide que la station.

Chapitre 14

— En garde, messieurs ! dit le petit Chinois.

Le gong retentit et Danny commença son second combat organisé par les triades. Il s'était juré de ne pas y retourner, mais quand il s'était rendu compte qu'encore cette fois-ci, la fin de mois était difficile, il ne put s'empêcher de signaler le numéro de téléphone qu'on lui avait remis. Il n'avait pas réfléchi plus que cela et il s'était inscrit pour le prochain combat. Cette fois, son adversaire était un karatéka qui semblait bien entraîné. Beaucoup plus grand que Namara, ce dernier craignait d'avoir de la difficulté à l'atteindre en raison de ses longues jambes. L'adversaire lui sembla aussi en bonne forme physique et capable de se déplacer efficacement. La karatéka se mit en garde et bondit tout de suite vers Namara pour le démolir pendant que la foule clamait son plaisir. Quand il était entré pour ce deuxième combat, la foule l'avait reconnu et on avait hurlé ce qui ressemblait à son nom à plusieurs reprises en guise de support.

Le karatéka lança un coup de pied droit que Namara bloqua facilement de la main. Mais ce coup « raté » était un piège. Au moment du bloc de Namara, le karatéka réussit à lui envoyer un coup de pied directement dans les côtes. Namara réussit à rester debout, mais l'impact avait été tellement puissant qu'il se rendit compte que probablement il avait une ou deux côtes de fêlées. Il tint bon malgré tout en changeant de position et en pivotant sur la gauche de son adversaire pour éviter d'autres coups.

Son adversaire profita de son attitude passive pour lui décocher un coup de poing renversé l'atteignant en pleine figure, lui fendant la lèvre et le faisant saigner du nez. À l'impact, des gouttes de sang éclaboussèrent l'arène. Namara en resta sonné et il faillit tomber. Il tituba en continuant à se retirer pour reprendre ses esprits. Il savait que les coups qu'il venait d'encaisser étaient de sa faute. Il avait eu un manque d'attention au début du combat et cela lui avait valu ces blessures. Il tenta de se reconcentrer, mais son esprit était confus en raison des coups reçus, de la douleur et de la clameur de la foule. Voyant que Namara était ébranlé, le karatéka en profita pour le charger à nouveau. Cette fois, il lui envoya un coup de poing directement à la figure où il était blessé pour l'achever, mais Namara dans un effort inouï réussit à lui saisir le poing au vol. D'un mouvement sec, il tira le bras du karatéka lui faisant perdre son équilibre et, avec le coude de son autre bras, lui décocha un coup en plein visage. Sur sa lancée, le coude descendit comme l'éclair sur l'avant-bras de son adversaire et le membre céda avec un bruit sec de fracture.

Le karatéka hurla de souffrance en tentant de s'éloigner de la zone de danger. Peine perdue. Namara lui asséna un coup de genou au ventre et le malheureux s'écroula au sol, paralysé. Namara prit une profonde inspiration pour reprendre ses sens et le petit Chinois lui prit la main et il la leva.

— Namara, le vainqueur!

La foule ne cessait de crier de satisfaction. Elle en redemandait. Danny tenta d'essuyer le sang qui coulait de sa bouche et de son nez. On lui apporta un linge pour s'essuyer et la cagnotte qu'il avait remportée. Il sortit, fort mécontent de lui. Son inattention avait failli lui coûter très cher. Il s'en était sorti, mais il était blessé. Il savait qu'il aurait pu finir à la morgue pour cette erreur. Ses côtes le faisaient souffrir atrocement à chaque inspiration. Rendu chez lui, il désinfecta ses plaies. Il avait perdu du sang, mais au moins le tout avait cessé. Les débarbouillettes ensanglantées lui rappelèrent Chandra et, tout à coup, il eut la nausée. La tête se mit à lui tourner. Il sortit de la salle de bain en se tenant les côtes pour aller chercher une bouteille de bourbon dans son armoire. Il alluma son appareil radio, s'assit sur le parquet le dos contre le mur et il se mit à boire à même la bouteille. À chaque gorgée, ses coupures à la bouche brûlaient.

Il avala plusieurs gorgées de suite et il se mit à pleurer en silence dans le noir de son appartement. Il repensait à Chandra et il en avait assez de tout cela. Il se demandait pourquoi il avait lutté autant d'années pour en arriver à ce minable résultat. Il alla prendre un couteau dans la cuisine et il se rassit sur le sol. Il posa la pointe du couteau sur son poignet. Il se cherchait une seule bonne raison pour ne pas le faire. Il n'en trouvait aucune. Les yeux humides, il continua de boire.

L'ivresse aidant, il décida de passer à l'acte. Ce serait si simple. Puis il repensa à Tim, qui devait venir le rencontrer le lendemain pour continuer son entraînement. S'il devait poser ce geste fatidique, Tim finirait par savoir ce qui était arrivé et il conclurait à juste titre que son mentor l'avait abandonné. Il aurait manqué à sa parole. Un abandon qui pourrait ruiner la vie de Tim. Il lança violemment le couteau vers le mur. Il entendit vibrer la lame… Quelques secondes plus tard, la bouteille se brisait en mille miettes à quelques centimètres du poignard. Il s'endormit sur le plancher quelques secondes plus tard, seul et complètement ivre.

睚眦

Tim courait de toutes ses forces, ses assaillants à ses trousses. Il tourna le coin de sa rue quand il vit que Danny l'attendait debout sur le trottoir au coin de Ditmars et de la 42e Rue. Tim, à bout de souffle, s'arrêta pour regarder Danny. La troupe et son leader s'arrêtèrent de courir en voyant un adulte à côté de Tim.

— Salut, Tim, dit Danny.

— Salut, répondit Tim à bout de souffle.

— Tu dois décider, tu sais… Confronter tes peurs ou bien fuir… C'est ta décision.

Tim repensa à son entraînement et il se ressaisit. Ses mains en tremblaient de nervosité. Il se retourna pour faire face au chef de gang en levant sa garde. Le chef du gang sourit en se disant qu'il allait lui donner une bonne leçon devant ses troupes, comme l'adulte ne semblait pas vouloir intervenir. Il leva sa garde également et il s'avança vers Tim pour mieux l'atteindre. Il lui décocha un coup direct que Tim bloqua. Comme Danny lui avait enseigné, il enchaîna immédiatement avec un coup de poing direct qui frappa son opposant en plein visage. Ce dernier perdit l'équilibre sous l'impact et Tim se lança sur lui pour lui envoyer une avalanche de coups de poing. Le jeune tortionnaire de Tim tenta de parer les coups, mais il en était incapable. Danny s'avança pour séparer les deux jeunes.

Namara ramassa le jeune au sol, le forçant à se lever pour faire face à Tim.

— Tu devrais avoir honte de t'en prendre aux autres de la sorte. Que cela te serve de leçon, voyou !

Le jeune ne disait rien. Il était de toute évidence humilié, d'autant plus que cela s'était passé devant sa gang. Puis tous prirent leurs jambes à leur cou. Tim resta sur place, encore hébété de ce qui venait de se passer. Il semblait ne pas réaliser qu'il avait démoli celui qui lui faisait si peur, et ce, avec une assez grande facilité — à son grand étonnement.

— Tu as choisi de faire face au danger et tu as gagné, dit Namara.

— C'est à grâce à toi, car sinon je n'aurais pas agi comme ça…

— Tu as pris cette décision toi-même et, quelle que soit la décision que tu aurais prise, je l'aurais respectée. Je t'ai attendu au coin de cette rue, car je me doutais bien qu'ils te suivraient encore aujourd'hui.

— Oui, mais c'est tout de même grâce à toi…

— Tu ne me dois rien, Tim. C'est toi seul qui as accompli tout cela. J'en suis très heureux si je t'ai apporté quelque chose, mais dis-toi que tu m'as apporté également beaucoup dans ma vie, plus que tu ne le sauras jamais. Alors merci à toi aussi! dit Namara en lui faisant un salut de Wing Chun que Tim lui rendit fièrement avec un sourire.

L'adolescent repartit chez lui et Namara le regarda aller en se disant qu'aujourd'hui, Tim avait appris une grande leçon, c'est-à-dire celle d'affronter ses propres démons. Il avait vu la confiance en soi qu'il avait subitement acquise au moment où l'autre jeune était tombé au sol, vaincu. Il savait que cette confiance ne le quitterait plus jamais dorénavant et il était heureux de l'avoir fait.

睚眦

Danny marchait en direction de chez lui quand son cellulaire sonna.

— Oui?

— Danny? Ici Igor.

— Salut, Igor, comment vas-tu?

— Très bien, merci. Écoute Danny, je vais encore avoir besoin de tes services.

— D'accord, aucun problème. Tu peux m'envoyer tes textes par courriel?

— Non, écoute… C'est pour un autre genre de travail, mais je veux t'en parler en personne.

— D'accord. Quand veux-tu que nous nous voyions?

— Eh bien, rencontre-moi demain soir vers 20 h à mon bureau. Je vais t'amener par la suite dans un endroit bien particulier, c'est une surprise. Mets ton plus beau complet, tu ne le regretteras pas.

— Je n'aime pas beaucoup les surprises.

Igor rigola à l'autre bout du fil.

— Je te le dis, tu vas aimer. Mets-toi chic et nous nous verrons demain soir, d'accord?

— D'accord, à demain.

— Ciao, amigo.

睚眦

Le chauffeur arrêta sur Broadway Avenue où une horde de gens se tenait à l'extérieur. De nombreux flashs d'appareil photo surgissaient de toutes parts, se mêlant à la vapeur qui sortait des bouches d'évacuation de la rue. L'ambiance était fébrile. Danny regardait la scène et il se demanda de quoi il retournait. Igor avait refusé en riant de lui dire dans l'auto où ils se rendaient ni pourquoi. Il avait mis sa plus belle tenue, un complet gris pâle avec une chemise blanche. Igor, quant à lui, avait opté pour un choix plus extravagant, c'est-à-dire un complet noir assorti d'une chemise et d'une cravate fuchsia. Igor semblait d'une humeur exceptionnelle. Danny était perplexe. *Cela devait être la première d'un spectacle ou d'un autre type d'événement mondain pour qu'il y ait autant de journalistes sur les lieux.*

— C'est ici que nous nous arrêtons? demanda Danny.

— Absolument! rétorqua-t-il avec enthousiasme.

— Qu'est-ce que c'est que cet attroupement au juste?

— Cet attroupement est l'événement de mode annuel le plus attendu du Tout-New York. Chaque année, les plus grands couturiers, les vedettes, la presse et tous les gens les plus influents de New York se ruent pour assister à cet événement. C'est le show le plus glamour de l'année et nous y sommes attendus en première loge, lança Igor en faisant un clin d'œil à Namara avant de sortir de la limousine et de se lancer dans la cohue.

Danny sortit et suivit Igor. Les deux se firent un chemin à travers la foule, contournèrent les files d'attente en se faufilant vers la file des invités VIP. Le portier demanda à Igor leurs noms et, aussitôt, ils furent admis à l'intérieur. Danny reconnut quelques figures connues du monde du cinéma bien qu'il n'était pas vraiment familier avec cet univers. De nombreux sièges se trouvaient autour d'une longue passerelle surélevée. L'endroit était bondé et les spectateurs étaient en tenue très chic, tous plus griffés les uns que les autres. Aux quatre coins de la salle, des journalistes faisaient des entrevues avec des gens importants, de toute évidence, mais que Danny ne connaissait pas vraiment. Un serveur passa avec un cabaret rempli de verres de champagne. Namara s'empressa de saisir une coupe au vol et il en prit une gorgée.

— Impressionnant, dit Namara en sirotant son champagne.

— Je suis d'accord et en plus, nous serons directement dans la première rangée près de la scène pour le défilé, dit Igor en lui montrant la passerelle.

— Je suis flatté, mais en quoi me vaut cet honneur? demanda-t-il.

— À question directe, réponse directe. J'ai besoin de toi, Danny et j'ai une offre à te faire, dit Igor avec un sourire.

— D'accord. De quoi parlons-nous?

— Plus tard. Avant tout, nous sommes ici pour nous amuser et profiter de la soirée, et c'est ce que nous allons faire, dit-il en donnant une tape dans le dos à Namara.

Igor lui présenta de nombreuses personnalités connues avec qui il semblait être proche. Danny se sentait un peu perdu dans cet univers, mais l'expérience ne lui déplaisait pas. Tout ce glamour et toutes ces femmes en tenue de soirée, plus belles les unes que les autres, étaient en effet une révélation comme lui avait promis Igor. Plusieurs femmes regardèrent Danny en constatant que son visage leur était inconnu. Elles lui souriaient en passant près de lui, sourire que Namara leur rendait. Il s'attendait à tout, mais pas à cela. Après quelques minutes, on invita les gens à prendre place à leurs sièges attitrés. Igor et Danny étaient les premiers. Les lumières baissèrent et la piste des mannequins s'illumina. Des jeux de lumière remplirent la salle en passant du bleu au rose. Le défilé débutait. L'événement annuel tant couru battait son plein. Plusieurs top-modèles féminins portant des vêtements des plus grands couturiers se mirent à défiler sur le son d'une musique technopopulaire pendant que des illusions graphiques défilaient sur les murs de la salle à l'aide de projecteurs. Igor prit une autre gorgée de son verre et il sourit, ravi d'avoir bien surpris son invité.

La suite de la soirée se déroula au deuxième étage où il se tenait une réception privée. Il y avait de la nourriture et de l'alcool à profusion. Des dizaines de serveurs circulaient entre les gens comme des fourmis. Danny était au bar quand une jolie blonde moulée dans une robe rouge vint s'asseoir près de lui en souriant.

— Bonsoir, je m'appelle Julia ! dit-elle en lui tendant la main.

— Et moi… Danny… Enchanté ! dit-il en lui serrant la main avec un sourire.

— Tu t'amuses bien ce soir ?

— Oui, c'est la première fois que je viens dans ce genre d'événement. C'est très bien, mais très étrange aussi.

— Nous nous demandions, mes amies et moi, si tu aimerais te joindre à nous, dit-elle en lui montrant une table à quelques mètres d'eux.

Il remarqua quatre autres femmes à la table, toutes d'une grande beauté. Elles lui firent toutes un signe de la main quand il regarda dans leur direction.

— Je ne peux pas dire non à une telle offre.

La jolie blonde se mit à rire.

— Parfait, allons nous asseoir.

— Désolé de devoir vous l'enlever, jolie demoiselle, mais je dois absolument discuter avec lui d'un sujet très important. Je vous promets d'être le plus bref possible et de vous l'envoyer dès que nous aurons terminé, intervint Igor avec un grand sourire, arrivé de nulle part.

— D'accord, mais vous faites bien de tenir parole, dit-elle en lan-çant un regard séducteur à Namara pendant qu'elle retournait s'asseoir à la table.

— Je vois que tu ne t'ennuies pas ! Tu commences à prendre goût à la grande vie, dit-il en faisant un clin d'œil à Namara.

— C'est à peu près cela…

— Nous devons discuter. Allons dans un endroit plus tranquille.

— D'accord, je te suis.

Igor entraîna Danny vers une petite pièce, une sorte de minisalon. Il ferma la porte derrière lui et s'écrasa dans un fauteuil. Namara fit de même. Igor sortit un cigare de sa poche et l'alluma.

— Tu te bats bien, Danny.

— Je vous demande pardon ?

— Tes combats que tu livres dans le Quartier chinois… Tu es un guerrier redoutable.

— D'accord, maintenant je comprends… Vous aussi, vous faites partie des gens qui aiment se distraire à regarder ce genre de spectacle ?

— Plus ou moins… J'y vais oui, mais mon but n'est peut-être pas celui de la plupart de ceux qui y assistent. La majorité, ce sont des aris-tocrates de New York qui aiment dépenser leur argent pour voir du sang et deux hommes s'entretuer. Cela les change de leur vie de bureau, trop ennuyante, sans doute. Néanmoins, j'ai bien vu tes capacités à te battre… Tu es solide, redoutable, et j'ai besoin d'un homme comme toi dans mon équipe.

— Je ne vois pas en quoi un combattant en arts martiaux pourrait être utile à une entreprise de vente d'objets d'art.

— Oublie ces conneries, Danny, dit Igor en ricanant. La nature de mon travail est tout autre. Cette entreprise est en fait une couverture pour une autre sorte de travail…

— Dans le genre…

— Dans le genre secret et gouvernemental. Es-tu familier avec la lutte antidrogue qui se passe en Colombie ?

— Un peu comme tout le monde, je crois. Je sais que la Colombie est aux prises avec des problèmes de corruption dans tout le pays tant au niveau des forces de l'ordre que du niveau politique. Je sais aussi que le seul vrai pouvoir de ce pays est la drogue. Bien des gens savent cela.

— Précisément ! Ce pays est contrôlé par les cartels de Colombie et la cocaïne y est produite en quantité industrielle pour être ensuite importée en Amérique du Nord et envahir nos rues. Le gouvernement américain et d'autres pays, notamment le Royaume-Uni, ont décidé de créer une unité antidrogue basée en Colombie pour enrayer le trafic de cocaïne le plus possible et ralentir l'arrivée chez nous de ce fléau.

— Oui, mais les autorités colombiennes ont des forces antidrogue, non ? Pourquoi envoyer des gens d'autres pays pour arrêter ces trafiquants…

— Ce pays est un vrai bordel, Danny. Il n'y a qu'un mot pour décrire cet endroit… la corruption totale. Les frappes et les arrestations musclées qu'on voit à la télé, c'est de la merde. Le vrai trafic continue, lui, car tout le monde en tire profit dans ce pays… En particulier la police et l'armée. Et qui a dit que notre tâche était de les arrêter ?

— Si vous ne les arrêtez pas… vous faites quoi ? Vous les éliminez ?

— Ce que j'aime avec toi, c'est que tu comprends vite. Oui, la neutralisation est un de nos mandats. L'existence de notre unité est tenue secrète, car disons que nos méthodes ne seraient peut-être pas du goût de la plupart des gens. Cela pourrait mettre certains pays dans l'embarras si on devait connaître les méthodes utilisées pour venir à bout d'un problème. Toutefois, il n'en reste pas moins que pour combattre des trafiquants armés jusqu'aux dents, structurés et infiltrés partout dans le pays, nous n'avons pas le choix d'utiliser ces méthodes pour avoir — peut-être — une mince chance de ralentir le trafic de cocaïne chez nous. Cela implique des milliards de dollars, Danny. Nous parlons de beaucoup d'argent.

— Et votre équipe consiste en quoi exactement ?

— Tu peux me tutoyer, Danny, notre équipe est constituée de soldats d'élite, pour la plupart venant de régiments de forces spéciales. Nous les formons de surcroît spécialement pour ce genre de mission. Toutes nos missions sont secrètes, mais les opérations de nos unités seraient démenties si leur découverte devait mettre nos pays dans l'embarras. Il nous faut éviter un incident diplomatique à tout prix. De plus, nos succès restent absolument inconnus de tous. Nous recrutons des soldats célibataires, et pratiquement sans famille. La raison est simple, si un soldat se fait tuer, moins de questions sont posées, et donc moins de possibilités que nos activités soient révélées au grand jour. Nous sommes formés à vivre dans la jungle et à survivre dans des conditions extrêmes en territoire ennemi. Notre mission est de trouver des informateurs nous menant aux trafiquants ainsi qu'à la drogue elle-même, en passant par ses installations de production. Notre but est d'éliminer les cartels, détruire leurs laboratoires clandestins dans la jungle, leurs champs de coca et plus encore. Et tout cela doit se faire dans le plus grand secret. Bref, le nettoyage complet. Notre devise : ne jamais se faire prendre. Certains soldats proviennent des commandos antiterroristes de l'armée américaine (Delta), d'autres sont des commandos antiterroristes de la marine américaine spécialisés dans les opérations amphibies (Navy SEALs), mais la plupart proviennent du SAS britannique. Tous des soldats aguerris, tous des durs à cuire.

— Au cas où tu n'aurais pas remarqué, je n'ai rien d'un soldat. Je n'ai même jamais mis le pied dans la jungle! Je ne vois pas en quoi j'aurais les qualifications pour ce genre de travail…

— Écoute. Je ne suis pas celui que tu crois. J'aimerais bien te raconter le parcours de ma vie, mais cela m'est malheureusement interdit. Tu vas devoir deviner. Si tu es intelligent comme je pense que tu l'es, tu vas vite comprendre ce que je suis. Toutefois, je peux te dire que j'ai passé ma vie à travailler pour différents gouvernements. J'ai travaillé, dirigé et formé les meilleurs commandos et agents que la terre a pu connaître et je peux te dire que je sais reconnaître un bon élément devant moi ou bien un imposteur. Je suis capable de reconnaître le potentiel et je ne me trompe que rarement. Tu sais, certains soldats cherchent à se joindre à ce type d'unité. C'est le but de toute une vie pour certains, mais dans la plupart des cas aucun n'aura la possibilité d'en faire partie. Tu sais pourquoi?

— Non, je l'ignore.

— Tout simplement, parce qu'on ne choisit pas de se joindre à ce genre d'unité: c'est l'unité qui vous choisit. Aujourd'hui, elle t'a choisi, Danny Namara. À toi de savoir si cela t'intéresse et si cela te convient. Une chose est certaine, si tu dis oui… cela changera ta vie à tout jamais.

— J'imagine…

— Tu as déjà tué?

— Pourquoi cette question?

— Eh bien… Si la réponse est oui, ton apprentissage n'en sera qu'accéléré. Il s'agit d'une barrière qui a déjà été franchie. Quand tu es dans l'intensité du combat, tu ne peux pas te permettre d'hésiter un instant. Cette hésitation peut vouloir dire ta mort ou bien celle de tes coéquipiers. Mais d'après ton expression, je crois que j'ai déjà ma réponse.

— Je n'ai aucune formation comme soldat ni avec les armes à feu…

— Si je t'offre cette opportunité, c'est que j'ai prévu la situation. Ton entraînement sera effectué là-bas sous la direction des meilleurs éléments. Tu n'as pas à t'en faire. Toutefois, je n'ai qu'une seule crainte à ton égard…

— Laquelle?

— Eh bien… Ces gars-là sont des durs à cuire et je crains que tu aies de la difficulté à te faire respecter d'eux, étant donné que tu n'es pas un ex-militaire. Ne crois pas qu'ils te rendront la partie facile, mais, si tu gagnes leur respect, ils seront prêts à mourir pour toi. J'ai grande confiance que tu sauras t'en tirer. Si j'ai vu le potentiel en toi, ils le verront aussi. Si tu es intéressé, tu quittes New York pour Bogota. Tu seras très bien rémunéré. Rien à voir avec ton salaire actuel. Mais tu oublies New York. Ta vie comme tu l'as connue est terminée. C'est à toi de jouer maintenant. La décision te revient.

— J'ai besoin d'un délai pour réfléchir quand même…

— Bien sûr, bien sûr… évidemment! Prends le temps qu'il faut. Maintenant, va rejoindre ces demoiselles avant qu'elles ne me fassent une mauvaise réputation, dit-il en riant.

Namara sortit du petit salon et il se dirigea vers la table des charmantes demoiselles qui affichèrent de larges sourires quand elles virent que Namara était de retour.

Chapitre 15

Octobre 2006, Bogota, Colombie.

Namara atterrit à l'aéroport international de Bogota à, exactement, 17 h 5 en compagnie d'Igor. La première chose qui frappa Namara fut la vague de chaleur et d'humidité qui l'assaillit dès la sortie de l'avion. Il n'avait jamais fait l'expérience d'un climat semblable. Ils prirent leurs bagages et ils embarquèrent dans une vieille Jeep décapotable stationnée tout près de l'entrée principale de l'aéroport. Igor en avait les clefs. Il prit le volant et se dirigea rapidement hors de la ville. Il semblait très bien trouver son chemin parmi des rues qui se ressemblaient toutes aux yeux de Namara. Les façades étaient vieilles et colorées. L'étroitesse des rues permettait tout juste la rencontre de deux véhicules. Les piétons circulaient en pleine rue parmi les véhicules. Le temps était couvert et la pression de l'air était basse. La Jeep sortit de la ville pour emprunter les chemins de terre qui sillonnaient la banlieue. Ils se mirent à s'éloigner de plus en plus de la ville et finirent par s'engouffrer dans la jungle.

Une heure plus tard, Danny ne constatait plus aucune trace de civilisation, que des arbres immenses et une végétation dense. Igor changea de chemin à plusieurs occasions pour finalement prendre un sentier de terre tout juste assez large pour que la Jeep puisse circuler.

— Alors, c'est cela, la jungle… C'est accablant comme humidité! dit Namara à mesure que la Jeep avançait parmi ornières et bosses.

— Oui, mais tu finiras par t'habituer à cette humidité. Cet enfer va devenir ton chez toi désormais, dit-il.

Ils roulaient dans cet enfer vert depuis environ trois heures quand finalement ils arrivèrent à un campement. Il n'y avait aucune affiche indiquant quoi que ce soit, seulement une barrière avec un garde. Ce dernier leva la barrière en voyant Igor, et la Jeep pénétra dans le camp. Igor éteignit le moteur devant un grand bâtiment de bois et il sortit. Namara fit de même pour prendre ses bagages.

— J'ai mal partout avec ces bosses, lança Namara qui transpirait abondamment même immobile.

Un homme vêtu en camouflage vint à leur rencontre. Igor s'avança vers lui avec un sourire pour lui serrer la main.

— Content de te voir, amigo ! dit Igor.

— Le voyage a été bon ?

— Oui, j'ai vu pire. James, je te présente le nouvel élément de cette unité, dit-il en lui indiquant Namara resté immobile avec ses maigres bagages.

James et Danny restèrent quelques instants à s'observer mutuellement.

— James Guerra, je te présente Danny Namara, dit Igor en se demandant ce que les deux hommes pouvaient bien penser en ce moment.

Namara et Guerra se serrèrent la main.

— Salut, Danny, bienvenue dans ce petit coin de paradis et dans l'unité.

— Le plaisir est pour moi. Merci pour le mot de bienvenue, mais j'ai des doutes quant au coin de paradis.

Guerra se mit à rire en regardant autour de lui comme s'il ne comprenait pas ce que Namara voulait dire. Igor se dit qu'après tout, les deux allaient peut-être bien s'entendre. Le premier contact s'annonçait bon, à les voir.

— Danny… C'est James qui va t'enseigner tout ce que tu dois savoir sur la jungle et les opérations spéciales. James est un membre du SAS qui est ici depuis quelques années. Il est un de mes meilleurs soldats, alors apprend tout ce que tu peux de lui et rapidement. Il te montrera sûrement quelques trucs pour rester en vie par ici, dit Igor sur un ton sarcastique.

— Je tâcherai d'apprendre vite, dit Namara.

— Hey, Danny, mets tes sacs dans le hangar pour l'instant. Ensuite, viens me rejoindre je vais te présenter à quelques membres de l'unité, de bons amis à moi.

Namara les déposa au hangar et il revint rejoindre James, qui le conduisit dans un bâtiment où quatre hommes en tenue de combat jouaient aux cartes. Un gros ventilateur permettait d'avoir une légère brise. Une odeur de cigare régnait dans la pièce assez sombre où seulement une ampoule suspendue illuminait la table. Tous les hommes semblaient dans la trentaine.

— Les gars, je vous présente le nouveau. Il s'appelle Danny Namara, dit James.

Tous arrêtèrent de jouer pour observer le « petit nouveau ». Le premier à briser le silence fut le sergent du groupe, Taz. Ce dernier était d'assez forte musculature, le crâne rasé complété par une barbe de plusieurs jours. Il avait les deux bras tatoués et, de toute évidence, la diplomatie ne semblait pas être son point fort.

— Salut, moi c'est Taz. Le tas de muscles en face de moi, c'est Twinkie. Le plus cinglé d'entre nous, c'est Gonzo, à ma gauche, et le dernier à ma droite, c'est Mike.

Aucun ne salua Danny. Namara les avait regardés tour à tour et il vit qu'il n'était pas le bienvenu. À ses yeux, ces gens dits d'élite ressemblaient davantage à un groupe de détenus dans un pénitencier à sécurité maximale cherchant à passer le temps. Ils ne ressemblaient pas à des soldats, mis à part Mike, qui était de taille moyenne et mince. Il portait une barbe tout comme Taz, ce qui n'était pas chose courante pour un soldat. Le gros tas de muscles nommé Twinkie, comme l'avait décrit Taz, était plus costaud que tous les autres. La grosseur de ses bras devait faire trois fois la grosseur de ceux de Namara qui pourtant n'était pas maigre. Les autres étaient de carrure plus normale. Gonzo avait une longue coupe de cheveux hérissés comme un guerrier autochtone. Un dragon tatoué grimpait le long de son cou du côté droit pour se terminer à la base de son crâne.

— Taz est notre sergent de groupe, il est membre de la force Delta. Gonzo est un SEAL, Twinkie et Mike sont du SAS comme moi, dit Guerra.

— Bonjour, les gars, dit Namara.

Aucun d'eux ne répondit.

— Namara a été choisi par Igor. Il sera avec nous à partir de maintenant, lança Guerra.

— Tu as de l'expérience militaire ? Tu as déjà été dans la jungle ? demanda Taz.

— Non, jamais.

— Je vois. Que faisais-tu avant d'arriver ici ?

— J'étais traducteur.

— Je vois. On dirait qu'Igor est vraiment désemparé pour nous envoyer un traducteur. En tout cas, essaie de ne pas nous faire tuer si jamais tu dois être avec nous, rétorqua sèchement Taz.

Namara ne répondit rien. *Igor ne devait sûrement pas être désemparé.* Il tenta d'évaluer combien de secondes cela lui prendrait pour rendre ces quatre crétins arrogants hors combat en leur défaisant la figure, chose qu'il aurait sûrement faite en d'autres circonstances. Les trois à la table se mirent à rigoler à la suite du commentaire de Taz. Guerra ne riait pas et il ne disait pas un mot. Le message était clair. Namara n'était pas un soldat, il n'était pas un des leurs et il n'était pas le bienvenu.

— Je crois que nous allons y aller, dit Guerra en brisant le silence.

Ils sortirent du bâtiment en refermant la porte derrière eux. D'autres membres de l'unité marchaient et circulaient dans le camp. Namara ne savait pas combien de soldats comptait l'unité, mais il comprenait qu'ils étaient divisés en petites équipes et, quant à lui, il devrait se contenter de ces imbéciles.

— Ne t'en fais pas, ils s'y feront, dit Guerra. C'est la première fois qu'un civil se joint à leur unité. Nous sommes tous soldats et certains en ont bavé longtemps en sueur et en sang pour être ici. Toutefois, je dois avouer qu'Igor a l'œil et il te fait confiance, donc je te fais confiance. Nous vérifierons tes capacités plus tard. Viens, je vais te faire visiter le camp.

En passant, cet emplacement est gardé secret. Personne ne sait que nous sommes ici et il n'y a personne à des kilomètres autour, ce qui nous permet de nous entraîner en toute quiétude.

Le camp était rudimentaire et construit principalement en bois comme une sorte de campement indigène. Certains bâtiments étaient construits pour simuler des lieux visés pour des opérations antidrogue. Plusieurs cibles étaient accrochées dans différentes pièces, affichant de nombreux trous de balle qui indiquaient que plusieurs scénarios d'entraînement y avaient pris place. Une partie du camp avait été défrichée et elle servait de champ de tir. Le repaire était situé dans une immense vallée qui l'entourait et le protégeait en quelque sorte. Danny remarqua une arène de boxe. Sans doute qu'il devait y avoir des amateurs parmi eux et qu'ils s'amusaient à s'affronter entre eux dans leurs temps libres.

— Je dors à quel endroit? demanda Namara.

— Dans le dortoir avec nous tous. Tu as un lit et une armoire. Rien d'extravagant, mais pour le moment, tu ne coucheras pas là. Je t'ai préparé ton bagage. L'essentiel dont tu auras besoin. Tu pars avec moi, ce soir, pour la jungle, et ce pour un bon moment. Tu vas apprendre les rudiments pour survivre dans cet enfer et devenir le plus efficace possible. Guerra lui lança un uniforme humide qu'il enfila. Guerra lui expliqua qu'il porterait constamment un uniforme mouillé en raison de l'humidité.

— Tu vas devoir apprendre à passer la plupart de ton temps ici dans un uniforme mouillé. Nous nous déplaçons toujours avec le minimum, donc tu as deux uniformes. Celui qui est humide, c'est pour le jour et un autre que tu garderas sec pour dormir. C'est tout.

— Splendide, dit Namara.

— En effet.

— Nous n'apportons aucune nourriture ni eau. La jungle va nous procurer tout ce qui nous est essentiel. Tu vas apprendre à vivre et à te déplacer dans cette jungle aussi facilement qu'un aborigène. Tiens, prend cette arme.

Guerra lui lança une mitraillette de type militaire, montée d'un lance-grenades sous le canon. Cette dernière était peinturlurée aux couleurs de la jungle en guise de camouflage.

— Merci. C'est avec cela que nous allons chasser le pigeon ? demanda Namara.

— Oui, ou autre chose, rétorqua Guerra avec un clin d'œil. L'arme que tu tiens est une mitraillette M16 munie d'un lance-grenades M203. C'est l'arme que nous utilisons le plus fréquemment dans la jungle. Elle tire à simple cadence ou bien à cadence automatique. Allez, en route !

Les deux hommes quittèrent le camp à pied en suivant le sentier. L'obscurité était totale, mis à part le ciel étoilé.

— Généralement, nous évitons d'aller dans la jungle en pleine nuit, car plusieurs prédateurs nocturnes chassent et nous n'y voyons pas vraiment. Cela peut mener à quelques face-à-face non souhaités. Mais comme dans notre cas nous ne choisissons pas les moments où nous devons circuler ou non, alors nous devons être à l'aise dans toutes les situations, dit Guerra, qui précédait Namara d'un pas régulier. Ce dernier ne distinguait qu'une silhouette noire devant lui avec un sac à dos.

— Et comment va-t-on pouvoir marcher dans cette jungle si nous n'y voyons rien ? demanda Namara.

— Une fois dans l'obscurité totale de la jungle, tes yeux vont finir par s'adapter. Il est temps, nous entrons !

Ils quittèrent le sentier pour s'enfoncer dans la jungle. Le ciel étoilé disparut sous la canopée dès qu'ils quittèrent le chemin. C'était l'obscurité totale.

睚眦

L'entraînement de Namara allait bien. Avec Guerra, il apprit à s'orienter sans aucun instrument de navigation. Il apprit à construire des abris surélevés en utilisant arbres et branches où ils dormaient. Ainsi pouvaient-ils se protéger des prédateurs nocturnes. Dès les premières nuits, Namara comprit vite qu'ils n'étaient pas seuls dans cette jungle. Il pouvait constamment sentir et entendre des bruits d'animaux tout autour d'eux vaquant bruyamment à leurs occupations. Ils chassaient pour assurer leur subsistance, mais la plupart du temps sans utiliser leur M16. Ils vivaient comme des nomades primitifs en pratiquant leur habileté à survivre dans des situations où ils n'auraient aucun équipement avec eux.

— J'ai soif, déclara Namara d'un ton exaspéré par la chaleur.

— Eh bien, bois !

— Comment… Il n'y a que des foutus arbres à des kilomètres !

Guerra prit sa machette, saisit une liane qui pendait le long d'un arbre. Il la coupa en biseau d'un coup sec. Un liquide clair se mit à couler de la tige.

— Elle est pure et tu as des lianes comme cela partout. Chaque fois que tu as soif, tu n'as qu'en t'en tailler une sur ton chemin.

L'entraînement se déroula de cette façon durant plusieurs semaines. Guerra laissait Namara faire ses propres essais et il le guidait. Il était impressionné par la rapidité et la résistance de Namara. Une amitié était née et chacun appréciait la compagnie de l'autre.

— Pourquoi Igor t'a choisi ?

— Je n'en sais rien. La réponse que j'ai, c'est qu'il m'a vu combattre à New York.

— Intéressant… Quel genre de combat ?

— Le genre qui tue.

— Des combats illégaux… Je ne pensais pas que cela existait vraiment. Donc, tu es bon en arts martiaux si je comprends bien, non ?

— Je ne sais pas. Le monde est un endroit vaste. Je fais de mon mieux.

— Tu pratiques quel style ?

— Le kung-fu.

— Moi, j'ai fait beaucoup de boxe et de jiu-jitsu. C'était très populaire en Angleterre alors je me défoulais avec ça.

— Cela fait longtemps que tu es soldat ?

— Aussi longtemps que je me rappelle… L'armée est ma famille en quelque sorte.

— Tu aimes ça ici ?

— Oui, je crois. La seule chose qui nous caractérise, c'est que nous sommes tous des accros à l'adrénaline. C'est l'intensité du combat qui nous stimule. De plus, c'est ce que je fais de mieux.

睡眦

Ils marchaient depuis plusieurs kilomètres et l'humidité était comme d'habitude, insoutenable. Quand la végétation était trop dense, ils la coupaient à coups de machette pour se frayer un chemin. Guerra en profitait pour lui expliquer comment se déplacer en groupe dans la jungle, les techniques de guérilla utilisées sur les lignes ennemies, les techniques de camouflage à utiliser.

— Il faudra s'entraîner ensemble au camp. Tu pourras m'enseigner quelques techniques de combat, dit Guerra.

— Bien sûr, quand tu voudras.

— Nous avons marché pas mal, prenons une petite pause. Tiens, assieds-toi sur cette roche, tu pourras te reposer les pieds.

Namara déposa son sac à dos sur le sol et il se laissa tomber lourdement sur la masse brune. Cette dernière céda sous le poids de Namara.

— Merde! Mais qu'est-ce que c'est que…

Guerra ne savait que trop ce qui se passait. La butte brune avait beau ressembler à une roche, mais elle était en réalité le nid de milliers de fourmis géantes, non dangereuses, mais qui mordaient tout de même. Il se mit à rire en voyant le derrière de Namara enfoncé dans le nid et les centaines de fourmis qui commençaient déjà à monter le long de ses jambes et à s'infiltrer sous son pantalon.

— Saloperie de merde! Putain de bestioles, mais c'est quoi ces merdes! hurla Namara en se relevant à la vitesse d'un éclair. Il sautillait et bondissait partout tout en tentant de repousser les fourmis qui s'infiltraient partout sous son uniforme. Guerra se tordait de rire. Des larmes coulaient le long de son visage.

— Toi, espèce de salaud… Tu le savais que c'était un nid de fourmis et tu m'as laissé m'asseoir là-dessus! cria Namara déchaîné.

— Oui, et c'est très très drôle! rétorqua Guerra, qui se roulait sur le sol en pleurant de rire.

— Non, mais ce n'est pas vrai… Quel connard! Et merde… Elles mordent, en plus! dit Namara en arrachant son uniforme pour se débarrasser de toutes les fourmis qui tentaient de monter sur lui. Guerra se mit à rire encore plus fort quand il le vit se dévêtir.

Namara était furieux. Mais quand il fut débarrassé de la plupart des bestioles, Namara se mit à rire lui aussi en voyant Guerra rigoler avec tant de cœur.

— T'es vraiment le pire enfant de chienne que j'ai rencontré! dit Namara, nu, les fesses constellées de morsures de fourmis.

睚眦

Après un certain temps, Namara devint complètement à l'aise dans la jungle. Il commençait même à s'y sentir chez lui. Dès son retour au camp, il avait entamé son entraînement aux armes à feu. Guerra le faisait tirer avec la M16 et la mitraillette MP5 avec et sans silencieux, qu'ils utilisaient régulièrement dans les opérations antidrogue raison de la précision de tir. Il tirait au pistolet tous les jours. Guerra changeait constamment le type de pistolet utilisé pour l'habituer au maniement du plus grand nombre d'armes différentes.

Namara et Guerra pouvaient tirer des centaines de balles en une matinée de sorte qu'après un certain temps, tirer à vue devenait pour lui aussi naturel que respirer et manger. Namara avait une habileté particulière au tir avait remarqué Guerra. Déjà, il avait des résultats de tirs quasi parfaits. Après la phase du tir, Guerra commença à le former à l'utilisation des explosifs, des grenades, des mines antipersonnel. Il lui apprit comment fabriquer des bombes et comment les désamorcer. Quand Guerra jugeait qu'ils s'étaient entraînés suffisamment à manier les armes, il montait sur l'arène de bois pour combattre avec lui. La première fois qu'il avait grimpé sur le ring avec Namara, ce dernier l'avait mis au tapis rapidement sans trop d'efforts.

— Tu es bon, je dois l'avouer, s'était exclamé Guerra en haletant après un combat au sol.

— Merci… Tu es un bon combattant aussi. Tu me donnes de la difficulté, dit-il en se relevant.

— Ce n'est pas vrai, mais c'est gentil quand même. Je commence à comprendre pourquoi Igor a misé sur toi. Avec, encore, un peu d'entraînement, tu seras un soldat efficace dans cette unité. Mais, il va falloir que tu m'apprennes quelques-uns de tes secrets de kung-fu pour que je sois plus efficace. Tu aurais pu me tuer de plusieurs manières en quelques secondes quand nous étions au sol.

— C'est un bon marché. Cela me fera plaisir de te montrer et de te faire mal un peu aussi, dit Namara tout sourire.

— Ma douleur te fait rire je le sais, dit-il, encore à bout de souffle.

Après quelques semaines, Guerra passa à une autre étape en lui faisant pratiquer le tir dans les bâtiments avec des cibles. Il lui donna des scénarios dans lesquels il évalua ses entrées, ses déplacements, sa précision de tir, sa rapidité d'exécution. Ensuite, il pratiqua avec lui, l'accompagnant, balayant pièce par pièce, tirant des vrais projectiles souvent à quelques centimètres l'un de l'autre. Les cinq autres membres du groupe se mirent de la partie en fonçant dans les pièces, tirant eux aussi avec de vraies munitions à une vitesse et une précision maximale. Cela les rapprochait le plus possible des situations réelles de combat. L'entraînement de Namara lui permettait de ne pas avoir à penser à ce qu'il devait faire, mais simplement exécuter ce qu'il avait pratiqué au champ de tir et suivre la cadence des autres. Maintenant, il devait tenir compte qu'il intervenait avec cinq autres hommes, agissant ensemble comme un seul individu. La communication entre eux, les déplacements et la coordination se devaient d'être parfaits.

Guerra constata que Danny suivait les autres très bien. Il pouvait voir la transformation qui s'effectuait en lui depuis son arrivée. Il était maintenant devenu un vrai soldat, voire un très bon en l'espace de quelques mois. Pour le reste de son apprentissage, il devrait l'apprendre sur le champ de bataille.

Il savait que Namara n'avait jamais vécu le feu du combat réel, mais cela ne devrait tarder. Il croyait qu'il s'en tirerait bien, mais il ne pouvait en être certain. On ne peut savoir la capacité et les réactions d'un homme seulement lorsqu'il se retrouve dans une situation où sa vie est vraiment en danger. Il l'avait appris après toutes ces années. Il avait rencontré de nombreux soldats plus costauds, plus grands que lui, et aussi plus bavards. Nombreux étaient ceux qui avaient craqué sous la pression réelle pour finalement devoir admettre qu'ils n'étaient pas si bons ni endurcis qu'ils ne le laissaient entendre. Cela amusait Guerra de voir les plus arrogants repartir devant une telle humiliante évidence et il en avait vu beaucoup dans sa carrière. Il aimait bien Namara et il souhaitait que tout aille bien, mais il ne pouvait prédire ce qui allait se passer. Serait-il toujours aussi précis dans ses tirs quand ses ennemis tireraient également dans sa direction et qu'il entendrait le sifflement des balles près de lui? Pourrait-il supporter la pression? L'expérience démontrait que peu le peuvent.

Chapitre 16

La vraie intégration de Namara au sein de l'unité se fit le jour où ce dernier monta sur le ring de bois avec Guerra pour lui enseigner quelques techniques martiales. Les deux transpiraient abondamment vêtus de leur pantalon de combat, mais torse nu, en raison de la chaleur insoutenable.

— Hey, Namara… Faisons un vrai combat pour voir ce que je vaux, d'accord ? demanda Guerra avec enthousiasme.

— Je ne suis pas certain que cela soit une bonne idée.

— Mais oui, mais oui. Seulement un. Allez, nous ne nous battrons pas pour nous tuer, mais nous porterons les coups, d'accord ?

— D'accord, mais je t'aurai prévenu. C'est toi qui l'as demandé, dit-il en faisant un signe de négation de la tête.

Namara mit ses mains en garde, paumes vers le ciel. Il restait immobile et il attendait que Guerra se décide. Ce dernier ne cessait de bondir et de sautiller comme un boxeur.

— Arrête de sauter comme cela, concentre-toi sur ta position !

— Oui, oui… Allez, amène-toi, rétorqua-t-il avec un sourire.

Guerra bondit sur lui en lui envoya un coup de poing que Namara bloqua d'un coup sec. Il répliqua de deux coups de paume en plein visage, ce qui assomma Guerra. Ce dernier tomba sur le sol. Pendant ce temps, les autres membres du groupe s'étaient arrêtés pour regarder ce qui était en train de se dérouler dans l'arène.

— Ça va ? demanda Namara.

— Oui, oui…

— Tu n'as pas fait ce que je t'ai appris… Tu dois protéger ton centre davantage et non sautiller comme une écolière ! Je crois que c'est assez pour aujourd'hui.

— Non, encore une fois ! dit-il en se relevant.

— Idiot ! D'accord, tu l'as demandé ! dit Namara avec un sourire en coin en levant sa garde.

Guerra écouta ce que Namara lui expliquait et il se concentra cette fois-ci. Il referma sa garde et il cessa de sauter. Il frappa un direct à Namara plus rapide que le premier, mais ce dernier le bloqua et il lui saisit le bras. Guerra tenta de lui donner un coup de pied que Danny arrêta en plaçant son talon sur son tibia. Guerra n'avait plus qu'une option, frapper Namara de la main qui lui restait de libre. Namara lui avait tendu un piège. Quand Guerra lui envoya son coup de poing, il le saisit également, prenant ainsi le contrôle de ses deux bras. Il les croisa ensemble pour le mettre littéralement en trappe. Il lui donna un léger coup de coude à la figure pour lui montrer qu'il aurait pu aisément se faire tuer dans cette situation. Léger, mais, assez, pour le faire saigner du nez. Namara termina le combat en projetant Guerra au sol à l'aide des deux bras croisés. En raison de la douleur, Guerra ne put résister : ses pieds levèrent de terre et il atterrit sur le dos faisant résonner l'arène d'un bruit sourd.

— Aieeeee ! Merde ! OK, c'est assez pour aujourd'hui ! Nous essaierons demain, dit Guerra couché sur le sol avec un filet de sang au nez.

— D'accord, nous essaierons encore demain si tu le souhaites. Tu étais plus concentré cette fois-ci, c'est mieux.

Les autres membres s'étaient regroupés autour de l'arène pour regarder.

— À quoi tu joues, petit merdeux, lança Twinkie en enlevant son chandail, visiblement contrarié.

— Arrête, Twinkie ! Laisse tomber… Ne te mêle pas de cela, rétorqua Gonzo.

— Non, il est temps de mettre ce petit imbécile à sa place une fois pour de bon !

— Twinkie… Arrête ! dit Mike.

— Il n'y a pas de problème, c'est moi qui voulais combattre, tout est correct, dit Guerra.

— Non, rien n'est correct ! Tu n'as rien à faire ici, petit con, et tu te permets de nous défier ! Amène-toi, connard, viens te battre avec moi !

— Je ne veux pas me battre avec toi, Twinkie, ni avec aucun d'entre vous… Nous ne faisions que pratiquer, rétorqua Namara.

Twinkie se mit à rire fortement avec arrogance, faisant encore plus gonfler ses muscles.

— Tu as peur, fillette… Viens par ici, je vais te retourner d'où tu viens… à New York à grands coups de pied au derrière !

— D'accord, Twinkie… Alors, je t'invite ! rétorqua Danny.

Il leva sa garde encore une fois en attendant que Twinkie s'approche. L'adversaire devait faire deux fois sa taille. Twinkie poussa un cri et chargea Namara. Il lui envoya un coup de poing que Namara esquiva tout en lui fauchant une jambe, ce qui fit perdre l'équilibre à Twinkie. Ce dernier dut effectuer un bond vers l'avant pour éviter de tomber face contre le sol. Namara prit son élan en faisant un tour complet sur lui-même pour lui envoyer de toute sa force l'envers de son poing sur le menton. Un bruit de claquement se fit entendre lors de l'impact et les deux pieds de Twinkie levèrent du sol. Il s'effondra de tout son poids dans l'arène, inconscient. La force de sa chute fit craquer des planches de l'arène. Les autres membres de l'équipe ainsi que d'autres soldats de l'unité grimacèrent quand ils entendirent le bruit de l'impact du coup. Twinkie était inconscient et il n'était plus qu'un tas de muscles inerte cinq secondes après avoir défié Namara. Danny le salua, en guise de signe d'indication que le combat était bel et bien terminé.

— Je crois que cela suffit pour aujourd'hui! dit Danny.

— Merde, mais c'est quoi ce mec exactement? lança Gonzo, incrédule de voir Twinkie hors combat en quelques secondes. Personne n'avait jamais réussi à le vaincre au corps à corps jusqu'à maintenant.

— Eh bien, eh bien… Le tableau d'Igor commence à se dessiner… Nous commençons à en comprendre le pourquoi, dit Mike en souriant.

Guerra se mit à rire à la suite de ce commentaire, toujours en tenant son nez ensanglanté.

— Ce connard de Twinkie ne sait pas quand s'arrêter, dit Taz mécontent du spectacle non professionnel qui venait de se dérouler. Gonzo! Mike! Sortez-le-moi de l'arène tout de suite!

Les deux montèrent sur le ring en riant.

— Je suis désolé, Taz, je ne voulais pas que cela se passe de cette façon, dit Namara encore debout dans l'arène.

— Ne le sois pas. Il l'a cherché! Tu t'es bien battu… Je me suis peut-être trompé sur toi. Mais je ne veux plus de ce genre de combat au camp. C'est mauvais pour l'image du groupe. Nous ne sommes pas des voyous de rue, nous sommes des soldats professionnels qui sont ici pour faire un travail précis! Compris?

— Message reçu!

Namara sortit de l'arène et Guerra lui fit un clin d'œil en lui donnant une tape dans le dos pendant que Mike et Gonzo s'efforçaient d'extirper Twinkie de l'arène, le corps aussi inerte qu'un gros sac de sable. Les autres membres de l'unité retournèrent à leurs occupations. On entendait encore des rires de certains soldats et des discussions animées. Tous venaient de faire connaissance avec le *p'tit nouveau*, y compris Twinkie.

Namara était en train de nettoyer son pistolet quand tous les membres du groupe s'approchèrent de lui. Le premier à briser le silence fut Twinkie.

— Danny… Je… Je tiens à te faire mes excuses, j'ai été trop loin, marmonna Twinkie visiblement mal à l'aise avec l'idée des excuses.

— Ne t'inquiète pas, Twinkie, je ne t'en veux pas… J'ai gagné ! dit Namara en lui faisant un clin d'œil.

Tous les autres se mirent à rire en cœur.

— Ouais, ouais, d'accord ! J'ai compris, je l'ai mérité ! dit Twinkie avec les deux mains dans les poches de son pantalon et la tête baissée comme un gamin pris en flagrant délit de mauvais coup.

— Tu sais… Twinkie est un bon gars, dit Mike en rigolant.

— Oui, mais il a un petit pénis, rétorqua Guerra.

Tous rirent en cœur, sauf Twinkie.

— Eh, va chier, Guerra ! Ce n'est pas ce que ta sœur disait quand j'ai passé la nuit avec elle ! répliqua sèchement Twinkie d'un air contrarié.

— Eh bien… C'est peut-être parce que c'est une prostituée et qu'elle voulait ton argent… Voilà pourquoi ! répliqua Guerra en souriant.

— Ça va ! Ça va ! Mais allez vous la fermer, bordel !!! Vous êtes pire qu'une bande d'adolescents ! cria Taz avec un léger air de contrariété dans le visage.

— Tu es maintenant le nouveau sujet de conversation du camp. Tout le monde se demande qui tu es. Sincèrement, tu t'es bien battu. Battre Twinkie comme tu l'as fait, c'était hilarant comme spectacle, dit Gonzo.

— Tu peux aussi éviter les balles ? demanda Mike avec un sourire.

— Rien n'est impossible… Mais toi, d'abord ! dit Namara.

— Je compte sur toi pour botter le cul à tous ces enfoirés de trafiquants, dit Mike.

— Bref, au nom du groupe… Eh bien, je te souhaite officiellement la bienvenue parmi nous ! dit Taz en lui serrant la main.

— Merci, dit Namara.

— OK ! Bon, passons aux choses sérieuses, allons manger et dépêchons-nous avant que Twinkie ne mange tout ! dit Taz.

— Très amusant, sergent ! dit Twinkie.

Tous se dirigèrent ensemble pour manger alors que l'obscurité était quasi-totale et que des chants d'oiseaux nocturnes commençaient à se faire entendre au cœur de la jungle.

Chapitre 17

— Voici une mission pour nous, les gars, dit Taz.

Tous étaient assis dans une pièce du camp qui servait de salle de rassemblement. Seul Taz était debout à côté d'une immense carte de la région fixée au mur.

— Un informateur nous a avertis de la présence d'un laboratoire clandestin pour la transformation de la cocaïne au cœur de la jungle. Il serait à environ soixante-quinze kilomètres de notre campement, dit-il en pointant sur la carte l'endroit approximatif de l'installation.

— Un gros ou un petit laboratoire? demanda Guerra.

— Aucune idée. Je n'ai pas cette information, ni sur combien d'en-foirés nous pouvons tomber. Nous n'avons ni renseignements ni pho-tographies. Tout ce que nous avons, c'est l'endroit approximatif où le laboratoire serait situé. Notre mission est de trouver cet emplacement s'il existe bel et bien. En deuxième lieu, nous devons déterminer s'il s'agit effectivement d'un laboratoire et finalement, faire le nettoyage et, sur-tout, revenir vivants. Nous partirons en hélicoptère et nous serons dépo-sés à environ quinze kilomètres de l'emplacement présumé. Nous allons faire le reste en reconnaissance à pied. Nous décampons dans dix-sept heures. Pour le reste des détails, c'est à nous de déterminer comment nous procéderons et quelles seront les tâches de chacun. Des questions?

Tous gardèrent le silence. Namara était songeur. Cette fois-ci, ce n'était plus un scénario ou un entraînement, mais bien la réalité.

— Très bien, je suggère que nous réglons ensemble le reste des détails dès maintenant. Une fois cela fait, nous pourrons préparer notre équipement et prendre un peu de repos avant de quitter le camp, d'accord?

Tout le monde acquiesça. L'équipe s'assit autour d'une table et tous s'entendirent sur l'équipement à emporter, le rôle de chacun, et on échangea sur les idées et les opinions des membres de l'unité. Tout le monde avait un mot à dire et chacun écouta. Ils prirent le temps de régler les plus petits aspects et de s'entendre sur la meilleure façon de procéder. Leur planification dura cinq heures. Ils quittèrent la salle chacun de leur côté pour préparer et tester leur équipement. Une fois qu'il l'eut fait, Namara se coucha pour prendre un peu de repos avant leur départ. Il dormit d'un sommeil sans rêves.

睚眦

Tous étaient maintenant dans un hélicoptère, assis sur le rebord, les pieds dans le vide. L'hélicoptère survolait la jungle à quelques mètres à peine au-dessus de la canopée qui défilait à vitesse vertigineuse sous leurs bottes. Namara, comme tous les autres, était vêtu en tenue de combat vert kaki. Ils portaient tous des chapeaux militaires et leurs visages étaient tous peints en noir et vert pour se fondre dans la jungle. Le pilote cria pour les prévenir lorsqu'ils arrivèrent à leur zone de largage. L'hélicoptère resta immobile au-dessus de la zone. Tous étaient attachés à des harnais et ils laissèrent tomber leurs cordes avec lesquelles ils se laisseraient glisser jusqu'au sol.

— Allez! cria Taz, qui avait de la difficulté à se faire entendre en raison du bruit de moteur.

Tous sautèrent dans le vide en même temps pour se laisser glisser sur la corde. En l'espace de quelques secondes, ils atterrirent sur le bord d'un petit cours d'eau aux rives dénudées sur quelques mètres. Ils se débarrassèrent de leurs cordes rapidement en se dépêchant pour entrer et disparaître dans la jungle.

Ils se sentaient vulnérables, car personne ne savait si l'ennemi les avait vus arriver et n'était pas en train de les observer. Après quelques mètres au creux de la jungle, le groupe s'accroupit pour écouter ce qui se passait autour d'eux. Ils entendirent le bruit de l'hélicoptère s'éloigner au loin. Tout semblait normal. Le groupe était équipé d'un système de communication fonctionnant avec les vibrations des cordes vocales. Ils pouvaient donc communiquer entre eux sans trop élever la voix, ce qui était souhaitable derrière les lignes ennemies.

— D'accord, avançons en reconnaissance. Mike, tu prends le pas! Nous évitons les communications inutiles, dit Taz.

Mike avança tranquillement de plusieurs mètres, son M16 armé. Il s'accroupit un instant pour écouter et observer. Tout semblait normal. Il leva le bras pour indiquer au groupe de venir le rejoindre. Le groupe s'avança en silence vers lui. Ils continuèrent cette tactique en direction de leur cible, se relayant à tour de rôle comme éclaireur. Après quelques heures de reconnaissance, le premier à repérer une présence humaine fut Gonzo qui fit un signe au groupe en se pointant le bout du nez. Tous firent attention et effectivement une faible odeur de brûlé se faisait sentir, preuve qu'ils n'étaient pas seuls. Taz fit un signe de la tête indiquant qu'ils avaient senti l'odeur également.

Ils continuèrent en silence, mais plus lentement. Peu de temps après, aux abords d'une clairière, ils aperçurent des pointes de toits. Taz fit signe au groupe de cesser d'avancer et de se replier, ce qu'ils firent. Le groupe revint sur ses pas de plusieurs centaines de mètres pour éviter d'être repéré. L'emplacement existait, ils l'avaient trouvé. Le cœur de Namara s'était mis à battre à toute vitesse quand il avait entrevu les bâtiments. Jamais, il n'avait vécu un tel sentiment auparavant. Un mélange d'adrénaline et de peur. Il n'avait pas réalisé à quel point cela pouvait être intense. Maintenant, il le vivait et il comprenait pourquoi ces soldats faisaient ce travail. Ils étaient accros à cette sensation. *C'était une drogue quand on l'expérimentait une fois.*

— Parfait, nous avons trouvé notre cible. Maintenant, il reste à déterminer ce qui se fait à cet endroit. Établissons notre campement ici. Chacun de nous se relayera pour la garde de nuit en attendant que nos éclaireurs reviennent avec des renseignements. Namara et Guerra, prenez l'équipement dont vous avez de besoin et revenez-moi avec un topo complet sur l'installation ! Bonne chance, messieurs ! dit Taz. Quant aux autres, silence complet et restez sur vos gardes !

Le reste du groupe les regarda disparaître dans la végétation dense en espérant que tout irait bien, sachant que la tâche de recueillir des renseignements sans se faire repérer était une tâche délicate, extrêmement dangereuse. Une énorme responsabilité en particulier pour un nouveau comme Namara. Taz le mettait à l'épreuve en lui faisant confiance et tous respectèrent la décision du sergent, chacun se concentrant sur ce qu'il devait faire.

睡眦

Namara et Guerra s'approchèrent des lieux où ils avaient vu les cimes de toits. Ils se mirent d'accord pour se séparer, contourner le site de chaque côté et se rejoindre à l'autre extrémité. À cet instant, leur tâche devint d'une précision presque chirurgicale. Ils se perdirent de vue après un moment. Namara continua à avancer en se rapprochant de plus en plus. Les bâtiments commençaient à prendre forme et grossir. Il pouvait même entendre indistinctement des voix humaines. À ce moment, il se dit qu'il devait être à environ cinq mètres de la limite du campement. Il se coucha sur le ventre pour se camoufler dans les hautes herbes.

Il continua à avancer à pas de tortue. Il rampait doucement quelques dizaines de centimètres et il s'arrêtait pour vérifier s'il n'était pas repéré.

Le sol était humide et vaseux. Cela ne prit pas longtemps pour qu'il devienne complètement souillé de boue. Il y avait toujours cette humidité écrasante et le poids de l'équipement de Namara rendait sa tâche encore plus pénible. Il sentait qu'il était tout près. Il pouvait entendre clairement des voix d'hommes discuter en espagnol. Il percevait même des bruits de pas, mais sa vision était cachée par la végétation. Il continua d'avancer un peu plus pour finalement se rentre compte qu'il était rendu au périmètre même du camp. Quelques mètres à peine plus loin, entre les herbes, il pouvait voir deux hommes discuter en fumant une cigarette. Les deux tenaient une mitraillette AK-47. Le cœur de Namara battait à tout rompre. Peut-être qu'un des deux pouvait le voir. Il cessa de bouger complètement. Il crut voir un des hommes regarder dans sa direction, mais finalement ce dernier continua sa discussion comme si de rien n'était. Il fit le mort pour observer les déplacements des individus en question. Puis Namara commença à exécuter sa tâche. Il sortit son appareil photo numérique et il commença à photographier les individus qui circulaient, les bâtiments, les caisses qu'ils déplaçaient. Après un moment, il décida de s'éloigner de son poste d'observation pour avoir une autre perspective du campement et obtenir d'autres renseignements. Rendu là, il était épuisé. Il était couvert de boue des pieds jusqu'aux cheveux. Malgré qu'il ait été là depuis déjà plusieurs heures, il n'avait contourné qu'une infime partie du camp. Il prenait encore des photos quand un homme armé d'une mitraillette fit mine de se diriger carrément vers lui. Le cœur de Danny se mit à battre à tout rompre, certain d'avoir été repéré. Il remit son appareil photo dans sa poche et il sortit son pistolet 9 mm déjà muni d'un silencieux. Il garda son arme pointée en direction de l'arrivant au fur et à mesure que ce dernier avançait. Il savait que s'il devait l'abattre, malgré le silencieux, les autres s'en rendraient forcément compte et l'opération serait sérieusement compromise.

L'homme était presque rendu sur lui. Danny augmenta doucement la pression sur la gâchette de son 9 mm. Puis l'homme s'immobilisa, plaça gauchement son arme sous son bras, libérant ses deux mains pour… ouvrir sa braguette et se soulager ! Le jet d'urine atterrit à quelques centimètres du visage de Namara. L'homme se mit à siffloter pendant qu'on entendait un bruit de liquide couler sur les pierres dans les herbes. Namara continua à viser la tête du pisseur, mais ce dernier ne réalisa aucunement sa présence ni la minceur du fil auquel sa vie tenait. L'homme referma sa fermeture éclair, replaça son arme, tourna les talons pour disparaître derrière un bâtiment du campement aussi rapidement qu'il était arrivé.

— Quel enfoiré ! se dit Namara en rangeant son pistolet.

Il finit par réussir à contourner la partie du camp qu'on lui avait allouée, de la même façon, très lentement, en véritable félin. Il supposa que Guerra devait être en train de faire la même chose sur l'autre versant. Sa portion du travail d'éclaireur terminée, Namara s'éloigna avec les mêmes précautions vers son point de départ. Après un laps de temps qui lui sembla une éternité, il aperçut rampant vers lui une masse vaseuse avec deux yeux qui le fixaient. Namara reconnut Guerra, qui lui fit signe de le suivre. Une demi-heure plus tard, Guerra se releva de sa position accroupie pour rejoindre les autres membres du groupe avec les renseignements. Namara se releva aussi ; il avait fait sa première reconnaissance avec succès.

睚眦

— L'informateur a dit vrai. Cet endroit est bel et bien un laboratoire pour la cocaïne. J'ai compté six bâtiments. Il y en a probablement pour quelques millions de dollars en poudre à en juger par la grosseur des caisses qu'ils transportent entre les bâtiments et la quantité de produits de transformation qu'ils manipulent. C'est un laboratoire de grosseur moyenne je dirais, dit Guerra en montrant les photos prises aux autres membres.

— Une quinzaine d'hommes, tous avec des armes d'assaut. Impossible de dire s'ils ont une formation militaire ou non, mais je n'exclus pas la possibilité qu'ils aient des explosifs, dit Namara.

— Très bien, dit Taz. Faisons un croquis du camp avec les photos que vous avez prises.

Taz fit un croquis aussi simple que précis sur l'emplacement des bâtiments. Il sépara le camp en secteurs qu'il assigna à chacun pour arriver à contrôler tout l'espace en quelques minutes.

— En passant les gars, vos masques de beauté vous vont à merveille ! dit Gonzo en faisant référence à leurs visages encore couverts de vase.

— Merci, Gonzo, le masque de boue garde la peau jeune, paraît-il. Cela explique pourquoi nous sommes plus beaux que toi, dit Namara.

— Je n'ai besoin d'aucun masque, moi, je suis beau au naturel ! dit Gonzo.

— Cela suffit, messieurs, limitons les conversations à l'essentiel ! dit Taz.

Twinkie répondit en émettant plusieurs flatulences comme un vieux moteur qui tenterait de démarrer.

— J'ai dit la ferme ! rétorqua Taz d'un ton irrité en regardant Twinkie.

— Quoi, sergent… je n'ai rien dit moi! rétorqua Twinkie d'un air hébété.

Tous se mirent à rire en regardant Twinkie qui s'amusait avec son couteau, un sourire en coin.

— Bon d'accord. Moi et Twinkie nous chargerons du côté ouest, Gonzo et Mike, du côté est. Namara et Guerra, côté sud. Quand nous avons contrôlé notre section respective, nous remontons tous côté nord pour prendre un contrôle total. Avant d'investir le camp, nous éliminons ceux que nous voyons à distance avec nos silencieux pour garder l'effet de surprise plus longtemps. Moins nous ferons de bruit, moins nous aurons d'enfoirés qui nous enverront des rafales de Kalachnikov quand ils réaliseront ce qui se passe, vu? dit Taz.

Tous bougèrent la tête en signe d'accord.

— Au moment où vous constaterez que nous sommes repérés, nous investissons les lieux sans tarder. Postons-nous à nos places respectives dès maintenant pendant que l'obscurité est totale et, à quatre heures exactement, je donne le signal sur les ondes pour que nous passions à l'attaque. Des questions?

Tous restèrent silencieux.

— En route, messieurs, et faites en sorte que nous repartions tous sains et saufs! Faites votre travail! dit-il en enfilant son sac à dos et en mettant son chapeau.

睡眦

— Go! Go! Go! lança Taz sur les ondes radio.

Il y avait deux hommes qui discutaient tout près de Namara et de Guerra. Les deux combattants visèrent et deux sifflements étouffés se firent entendre. Les deux hommes s'écroulèrent au sol, chacun avec une balle en pleine tête. Leurs mitraillettes tombèrent au sol d'un bruit sourd. Les tireurs restèrent embusqués au même endroit, espérant que d'autres trafiquants passeraient près d'eux. Rien. Le silence. Soudain, ils entendirent un cri en espagnol. Ce fut le signal qui indiqua qu'un trafiquant les avait repérés. Guerra et Namara passèrent à l'action en bondissant dans le camp.

— Rock-and-Roll Namara! cria Guerra. Namara le suivit, les deux balayant le périmètre avec les mires de leurs mitraillettes.

Les deux longèrent un bâtiment et arrivés au coin, ils aperçurent un trafiquant qui visait sans doute un autre membre du groupe dans une direction opposée. C'est Guerra qui l'engagea d'un pas rapide. Il lui tira une seule balle qui l'atteignit à l'arrière de la tête, provoqua un nuage de bruine rouge au moment de l'impact. Guerra indiqua le premier bâtiment à leur droite. Les deux se placèrent de chaque côté de la porte. Guerra donna un violent coup de pied dans la porte qui céda. Namara lança immédiatement une grenade aveuglante dans l'ouverture de la porte. Un fort bruit d'explosion s'ensuit, puis des éclats aveuglants alors que les deux attaquants fonçaient dans le bâtiment. Namara entendit un coup de feu étouffé à sa droite lui indiquant que Guerra avait rencontré de la résistance de son côté. Namara bondit dans une petite pièce ; en une fraction de seconde, il sentit plus qu'il ne vit un trafiquant qui s'apprêtait à faire feu sur lui. La vitesse d'entrée et l'entraînement de Namara firent en sorte que son ennemi, avant d'avoir pu presser la gâchette de son arme, avait reçu une balle au cœur et une autre à la tête. Il ressortit aussi vite de la pièce pour se précipiter dans la seconde. Elle était vide ! Le premier bâtiment était probablement sécurisé.

— Dégagé ! hurla Namara pour que Guerra sache que tout était maîtrisé de son côté.

— Dégagé ! lança Guerra.

— Tirons-nous ! dit Namara en courant vers la sortie avec Guerra à ses trousses.

Quand les deux sortirent du bâtiment, ils aperçurent Taz et Twinkie qui se ruaient dans un bâtiment en face d'eux. Namara courut vers le second bâtiment qu'ils avaient pour mission de contrôler. D'un coup de pied, il défonça la porte et se recula pour se protéger. Sa réaction avait été juste, car deux coups d'AK-47 se firent entendre. Namara entendit le sifflement des balles de toute évidence destinées à celui qui serait entré le premier. On les attendait donc de pied ferme cette fois-ci. Guerra lança une grenade fumigène, suivi d'une grenade aveuglante. Guerra se précipita à l'intérieur et Namara le suivit. La pièce était remplie de fumée, mais Namara réussit à entrevoir un trafiquant visiblement aveuglé temporairement. Namara l'atteignit à la tête au moment même où Guerra trouvait aussi sa cible. Malgré la fumée, on pouvait voir que la pièce était remplie de cocaïne répandue sur de longues tables fortement éclairées. Il s'y trouvait aussi de nombreux barils et contenants de produits chimiques entassés les uns sur les autres au sol.

— Dégagé ! hurla Guerra.

— Dégagé ! rétorqua Namara.

La zone qu'on leur avait assignée était maintenant contrôlée. Ils se ruèrent à la vitesse de l'éclair vers la zone nord. Tous les autres membres de l'unité arrivèrent quasiment au même instant. L'endroit était investi et quinze trafiquants étaient morts sans qu'aucun membre du groupe ne soit blessé. Namara regarda sa montre. À sa stupéfaction, il se rendit compte que cela n'avait pris que quatre minutes en tout. Des heures, lui avait-il pourtant semblé.

睚眦

— Parfait ! Retournons à nos secteurs respectifs et fouillons en profondeur pour voir s'il n'y en a pas un qui nous aurait échappé. Ensuite, on photographie la drogue, les installations, les cadavres des trafiquants. Comme à l'habitude, brûlons tout et cassons-nous ! Allez ! dit Taz.

Tous se mirent à l'œuvre rapidement et de façon méthodique. Une forte odeur d'éther imprégnait les pièces où la cocaïne était stockée. Selon Guerra, il devait y en avoir pour plusieurs millions de dollars. Tous sortirent du camp une fois qu'on se fut assuré que chaque bâtiment avait commencé à flamber. Le groupe s'éloigna du camp pour se camoufler à nouveau, histoire de s'assurer que le camp au complet serait brûlé. Quand les flammes eurent ravagé presque complètement les installations, le groupe s'éloigna définitivement pour rejoindre leur zone de récupération qui se situait à environ dix kilomètres des lieux du combat. Arrivé rapidement à destination, Taz envoya un signal radio indiquant au pilote qu'ils étaient prêts à être rescapés par hélicoptère.

— Super travail, les gars ! dit Taz.

Pointant leurs armes dans des directions opposées, tous les membres de l'unité se mirent à la recherche d'ennemis qui auraient pu les suivre subrepticement. Personne. La clairière ainsi sécurisée, il ne leur restait qu'à attendre que l'hélicoptère arrive. Un bruit d'hélice se fit entendre au loin puis l'hélicoptère se posa dans la clairière quelques minutes plus tard. Tous les membres s'y rendirent au pas de course. L'appareil prit vivement de l'altitude et prit la direction du retour au camp.

— Beau travail, branleur ! Tu t'en es bien tiré ! dit Guerra tout sourire.

— Merci, répondit Namara en lui retournant son sourire et en lui serrant la main.

— Ouais, beau travail, dit Twinkie.

Tous donnèrent une tape dans le dos à Namara : cette mission était sa première et on lui indiquait qu'il avait été à la hauteur. Namara laissa l'adrénaline dans son corps s'atténuer tranquillement en se balançant les pieds dans le vide et en regardant la canopée défiler.

Chapitre 18

Namara était épuisé. Cela faisait deux jours qu'ils montaient la garde dans une zone marécageuse sans, pratiquement, fermer l'œil. On les avait avisés qu'un échange se ferait à un endroit précis. Une transaction de plusieurs kilos de cocaïne entre deux cartels. C'était un signe d'une possible alliance entre deux cartels rivaux, et Taz les avait informés que la CIA et le service de renseignements britannique (MI6) ne souhaitaient pas une telle alliance. Le but était de les antagoniser pour les affaiblir et Taz avait eu l'ordre d'éliminer les trafiquants lors de l'échange pour détruire le mince lien naissant de confiance entre les deux cartels. Si les deux groupes étaient éliminés au complet, chaque chef de clan se demanderait si ce n'était pas le clan adverse qui avait monté un guet-apens qui aurait mal tourné, tous les trafiquants y ayant laissé leur vie. De plus, l'unité avait été informée que quelques membres influents de chaque cartel seraient présents, ce qui rendrait les effets de l'anéantissement encore plus dévastateurs. Les services de renseignements savaient que plusieurs autres transactions semblables étaient prévues. De nombreux raids devraient donc être réalisés par l'unité pour semer la dissidence parmi les trafiquants. Si les attaques s'avéraient fructueuses, ils évaluaient que, d'ici un mois, les deux cartels se feraient une guerre impitoyable et plusieurs trafiquants s'élimineraient sans pitié jusqu'à ce qu'il ne reste personne de vivant. Les services de renseignements souhaitaient ardemment cette issue.

Taz avait eu ordre de s'embusquer avec son équipe à un point précis d'une zone marécageuse d'une superficie de plusieurs kilomètres. De toute évidence, la transaction devait se faire par bateau, ce qui était une des meilleures façons pour les membres de ces clans pour éviter de se faire attaquer. La seule façon de «participer» à cette rencontre était d'avoir un bateau et de savoir exactement où aurait lieu le troc et à quelle heure. Les trafiquants n'avaient toutefois pas pensé à une fuite au sein de leur gang. L'informateur avait livré à l'unité l'emplacement quasi précis de la rencontre, mais il en ignorait l'horaire prévu. Tout ce qu'ils avaient comme renseignements, c'était que la rencontre devait avoir lieu une certaine journée qu'on leur avait indiquée, sinon le jour suivant!!! Le groupe de Taz se rendit en embarcation à l'endroit prévu et ils s'engloutirent littéralement dans le marais pour attendre le moment où ils verraient les trafiquants se pointer. Cette zone humide semblait servir de domicile à toutes les saloperies venimeuses, piquantes et mordantes que l'on pouvait imaginer, allant des caïmans aux serpents en passant par de nombreuses variétés de créatures non identifiables qui vivaient au fond de ces masses d'eau stagnante. Gonzo avait expliqué à Namara de ne jamais uriner immergé dans l'eau des marais, car certaines bestioles pouvaient s'insérer directement dans son urètre et remonter jusqu'à la vessie. Namara n'était vraiment pas enthousiasmé à l'idée d'être plongé dans des eaux qui grouillaient de prédateurs, de bestioles et de bactéries. L'idée, lui disait-on, c'était de bouger le moins possible sous l'eau pour ne pas que cette malsaine ménagerie ne remarque leur présence et décide d'attaquer. Il fallait se camoufler le plus possible près des immenses racines d'arbres que le marais renfermait. S'immerger jusqu'au-dessous des aisselles et attendre, avait fait remarquer Taz. Les commandos en étaient à leur deuxième journée d'immobilité à attendre dans ces eaux visqueuses où de drôles de bouillons indiquaient parfois la présence de douteux visiteurs tout près d'eux. Namara préférait ne pas penser à ce qu'il pouvait y avoir sous l'eau et il se concentrait sur sa tâche de surveillance.

Vers les petites heures du matin de cette deuxième journée, ils avaient entendu au loin des bruits de moteur s'approcher. Un bateau transportant cinq hommes armés de mitraillettes s'était immobilisé à environ cinq mètres de Namara. L'informateur ne s'était pas trompé, au mètre près, se dit Namara. Le bateau resta stationnaire une vingtaine de minutes et personne à bord ne sembla remarquer d'indices de présence ennemie. Pour le moment, Namara était le plus près du bateau et, si les choses ne changeaient pas, c'est lui qui devrait agir le premier. Un deuxième bruit de moteur se fit entendre. La deuxième embarcation contenait une dizaine d'hommes, tous armés également. La rencontre commença et une discussion s'engagea entre deux hommes alors que les bateaux étaient immobiles, l'un face à l'autre.

Taz et ses hommes observèrent ce qui se déroulait et il leur sembla évident qu'ils étaient témoins d'un bel échange de drogue entre trafiquants. Namara fut le premier à engager l'action. Il pointa son M16 en direction d'un bateau, enclencha le lance-grenades sous le canon et il fit feu vers l'un des bateaux. Un bref sifflement s'ensuit et la grenade frappa le bateau comme l'éclair. Le bateau explosa, pulvérisant la drogue, ses occupants et l'embarcation elle-même. Les trafiquants furent tués avant même d'avoir réalisé ce qui se passait. Une avalanche de métal, de cocaïne et de morceaux de chair calcinée retomba au travers d'un nuage de feu dans les eaux marécageuses. Twinkie fut celui qui fit exploser le deuxième bateau quelques secondes à peine après la destruction du premier. Le marécage reprit son calme après quelques secondes; leur mission était réussie.

Pour retourner au camp, le groupe marcha une distance de plusieurs kilomètres avant d'être récupéré par hélicoptère. Peu d'équipement avait été nécessaire pour cette mission alors le poids du sac à dos avait été allégé d'autant. Pourtant, Namara avait de la difficulté à suivre le groupe, et ce depuis le début de la marche. Il lui semblait que son sac pesait des tonnes et il se disait qu'il n'avait vraiment pas la forme ces derniers temps. Il se sentait épuisé, ce qui ne semblait pas le cas des autres. Mais il continua par orgueil pour ne pas ralentir le groupe.

— Hey, pourquoi tu traînes comme cela, Namara? dit Mike avec un sourire en le voyant en dernier de file.

— Je ne traîne pas! avait-il rétorqué.

Mais en effet, il traînait. Arrivé au camp, Taz lui demanda de lui prêter sa lampe de poche. Celle-ci se trouvait dans son sac. Namara l'ouvrit pour la première fois de la mission pour en sortir deux grosses roches qui y avaient été dissimulées.

— Mais qu'est-ce que c'est que cela! Qui est l'enfant de chienne qui a mis cela dans mon sac! hurla Namara.

Tous se mirent à rire gorge déployée en voyant le visage de Namara. Ce dernier se doutait bien du moment précis où on avait mis ces roches dans son sac. Il l'avait laissé sans surveillance quelques instants avant le départ et le groupe s'était amusé à lui jouer ce sale tour. Il se jura de ne plus jamais s'y faire prendre.

— Bande d'enfoirés… Je trimbale ces roches depuis deux jours. Je comprends pourquoi j'étais si épuisé! Si j'attrape celui qui a fait cela! dit Namara en lançant les roches de toutes ses forces vers ses comparses.

Tous rirent encore plus fort, satisfaits de leur plaisanterie. Quelques instants plus tard, Namara vit un autre groupe de l'unité revenir de mission. Ce groupe avait reçu comme ordre d'observer certaines activités d'organisations terroristes. Pour cela, ils avaient été isolés pendant une longue période de temps, c'est-à-dire tout près de deux semaines derrière les lignes ennemies. Le groupe avait été détecté et une fusillade avait éclaté, blessant un membre du groupe à la jambe. Il vit le soldat blessé passer sur une civière avec sa blessure ouverte. À son horreur, il constata que la plaie grouillait de vers blancs. Namara grimaça de dégoût en voyant la blessure. Il se dit que cette jambe devait être infectée et que le pauvre commando la perdrait probablement.

— C'est dégoûtant, des vers sont en train de le dévorer vivant! dit Namara.

— Oui, mais c'est probablement ces vers qui lui ont sauvé la vie, lança Gonzo.

— Comment ça, je ne comprends pas! rétorqua-t-il, incrédule.

— Eh bien... Les vers sont une méthode de guérison utilisée lorsque nous sommes blessés et qu'aucun soin n'est disponible. L'idée, c'est de laisser la plaie à l'air libre pour que des mouches viennent y déposer leurs œufs. Les œufs se transforment en vers qui vont manger les mauvais tissus de la blessure et aider à la cicatrisation. Le problème, c'est que quand ils ont mangé les mauvais tissus, si on ne les arrête pas, ils continuent à manger les bons. Il faut les enlever, sinon ils peuvent te bouffer vivant! Mais entre-temps, ces vers, c'est probablement eux qui lui ont sauvé la vie. Autrement, il se serait vidé de son sang.

Namara grimaça de nouveau.

— Oui, oui, je sais, dit-il en ricanant tout en ramassant son sac à dos. Au fait, ces vers me font penser à une de mes ex. Par contre, elle, c'était mon argent qu'elle bouffait sans jamais arrêter!

— Alors, tâche de ne jamais me présenter sa sœur, au cas où elle en aurait une, rétorqua Namara.

La fatigue leur fit trouver cette blague très drôle, alors que sac à dos à l'épaule et mitraillette à la main les deux hommes se dirigeant vers leur baraque. Les deux étaient sales et puaient à des mètres. Leurs visages étaient noircis par la saleté.

— Au fait, on t'a déjà dit que tu es beau mec? dit Gonzo avec ironie en regardant le visage de Namara, méconnaissable de saleté.

Les deux se mirent à rire encore plus fort et Namara échappa son sac en raison du fou rire. Gonzo dû s'arrêter aussi à force de trop s'esclaffer.

— Arrête! Le ventre me fait mal à force de rire! dit Namara les larmes aux yeux. Quand les deux furent calmés, ils reprirent leur sac et se le mirent à l'épaule.

— Tu sais Gonzo, cela fait longtemps que je veux t'avouer quelque chose... J'adore tes cheveux, dit-il en faisant référence à sa coupe hérissée sur la tête.

— Ah oui, tu parles sérieusement?

— Oui, on dirait que tu as pris un animal mort sur le bord de la route et que tu l'as mis sur ta tête!

Les deux éclatèrent de rire, courbés vers le sol, les yeux remplis de larme, épuisés, incapables de se redresser.

— Arrête! Arrête! Tu vas me faire pisser dans ma culotte, connard! rigola Gonzo qui haletait au sol en se tenant les parties génitales.

Chapitre 19

Histoire de bien récupérer, le groupe décida de prendre un peu de repos au camp. Le groupe de Taz, ainsi que d'autres groupes de l'unité décidèrent de faire la fête. Plusieurs cochons sauvages qui avaient été capturés par des membres de l'unité cuisaient sur la broche en dégageant une bonne odeur de viande rôtie. Une ambiance de fête et de camaraderie régnait. L'alcool coulait à flots et tous firent honneur au festin improvisé. La nuit tomba et la fête continua. Certains soldats avaient sorti des tables à l'extérieur et jouaient au poker, d'autres étaient assis autour d'un énorme feu et placotaient en sirotant leur breuvage.

Namara fit la connaissance de plusieurs autres soldats d'autres unités qu'il n'avait pas eu la chance de rencontrer plus tôt. Tous avaient des histoires de mission à raconter ou des blagues tordantes. Jamais Namara n'avait autant ri. Comme c'était la première fois en plusieurs semaines que de l'alcool leur avait été servi, certains étaient passablement éméchés, comme Twinkie qu'il vit passer en sous-vêtements, ne gardant de sa tenue habituelle que ses bottes de combat. Il tenait une radio portative sur son épaule qui hurlait une vieille chanson country. Il se trémoussait en courant comme s'il dansait, à l'amusement des autres qui saluaient ses prouesses par des rires et des sifflements lorsqu'il passait dans leur coin. Soudain, Namara cessa d'observer ce qui se passait autour de lui pour ne profiter que de l'instant présent. Il leva les yeux pour admirer le ciel qui brillait de ses milliers d'étoiles. Il se dit qu'il n'avait jamais vu un aussi beau firmament de toute sa vie. Puis, il se mit à regarder les soldats autour de lui qui riaient, buvaient et conversaient. Il se dit que ces soldats étaient la seule famille qu'il ait jamais eue et que c'était cela, la vraie vie. Il était heureux. Il était fier d'être là dans la jungle, vivant, sans blessure, et il profitait de ce moment de plaisir qui passerait dans sa vie probablement comme une étoile filante. Twinkie le tira subitement de sa réflexion philosophique en revenant encore à la course, mais cette fois-ci affublé d'un immense chapeau mexicain. Où pouvait-il bien avoir trouvé ce couvre-chef? Namara se mit à crier comme les autres lors de son passage. Le Mexicain improvisé poursuivit sa course sur quelques mètres, s'enfargea et tomba de tout son long dans une flaque d'eau. Tous pouffèrent de rire en le voyant tomber. Twinkie se releva, ramassa sa radio et son chapeau, puis il repartit, titubant de plus belle.

睚眦

10 Juin 2008, Bogota, Colombie.

— Go, go, go! lança Taz indiquant le signal de départ pour l'opération.

Le groupe se précipita à la course en file indienne en direction de l'habitation. Tous étaient habillés de noir et masqués d'une cagoule de la même couleur. Il faisait nuit et le ciel était couvert, rendant leur camouflage encore plus efficace. Ils n'avaient aucun sac à dos, car leur mission serait brève. Tous armés d'une mitraillette noire MP5 munie d'un silencieux, ils arrivèrent devant un mur de béton d'une hauteur d'environ trois mètres et demi qui entourait l'imposant manoir du chef de cartel colombien, Manuel Balboccia. Taz et ses hommes avaient eu l'ordre d'exécuter Balboccia et tous ses hommes qui résidaient avec lui en banlieue de Bogota. L'individu était l'auteur d'une série d'attentats contre des hommes d'affaires américains. Il avait tenté de les kidnapper pour obtenir des rançons, mais aussi de faire chanter le gouvernement américain pour qu'il cesse sa lutte antidrogue. Plusieurs assassinats de policiers, de militaires et d'hommes politiques avaient eu lieu dans la dernière année et Balboccia était derrière tous ces crimes. Il était surveillé par les services de renseignements depuis un bon moment, mais il signa son arrêt de mort quand il organisa le meurtre de deux porte-parole d'une agence d'aide humanitaire, un, canadien et l'autre, britannique. Le truand eut même la témérité de justifier leur assassinat en raison de l'invasion de la Colombie par des pays étrangers. Ce Balboccia n'allait pas s'en tirer.

Le groupe, silencieusement, commença à escalader le mur en formant une pyramide humaine. Twinkie se pencha pour que Gonzo monte sur ses épaules. Ensuite, Taz escalada les épaules de Gonzo et ainsi de suite. Le premier rendu en haut du mur donna la main à celui qui se trouvait au sommet de la pyramide pour le tirer vers lui. Ensuite, le troisième et ainsi de suite. Ils agissaient vite, sans aucun bruit et ils étaient tellement bien coordonnés qu'à les regarder, on aurait cru qu'il s'agissait d'une créature noire qui grimpait le long du mur. Ils franchirent le terrain entourant la luxueuse résidence, prenant soin de ne pas se faire repérer par des gardes. Jusqu'à maintenant, aucune sentinelle n'avait été aperçue à l'extérieur, mais Taz était certain que cela n'allait pas durer et qu'ils rencontreraient de la résistance.

Le commando grimpa le mur de la maison en l'escaladant jusqu'au deuxième étage en utilisant une gouttière. Ils atteignirent le deuxième étage, se retrouvant sur un long balcon. Tout semblait calme à l'intérieur. Mike força doucement la serrure de la porte vitrée donnant sur la galerie et elle céda sans bruit. Ils entrèrent dans une pièce obscure qui s'avéra être une chambre à coucher où il n'y avait personne. Ils se dirigèrent tous vers l'escalier où ils se sépareraient. Il avait été entendu que Twinkie et Taz prendraient le troisième étage. Mike et Gonzo, le deuxième alors que Danny et James s'occuperaient du rez-de-chaussée.

Silencieux comme des fantômes, ils s'exécutèrent. Arrivé au rez-de-chaussée, Namara, qui s'avançait le premier, fit un demi-tour vers un long corridor où il aperçut deux gardes. Le premier se tenait en plein milieu dans une demi-obscurité en fumant une cigarette. Il remarqua que l'homme portait un pistolet dans un étui attaché à ses épaules. L'autre semblait regarder, du corridor, un téléviseur qui se trouvait dans une autre pièce, la cuisine probablement. Les deux hommes tournaient le dos à Namara. Ce dernier remarqua plusieurs portes le long du corridor. *La manœuvre qu'il s'apprêtait à faire était très risquée, mais c'était la seule qui lui permettait d'éviter une détonation qui aurait révélé leur présence à tous les hommes de main.* Il sangla sa MP5 sur son uniforme pour éviter qu'elle ne pende. Il sortit sa dague à double tranchant et il commença à avancer comme un chat en direction du garde dans le corridor. Guerra, lui, qui avait compris la manœuvre de son équipier pointa le garde de sa mitraillette, se préparant à faire feu si le gardien devait se tourner. Namara posait doucement un pied à la fois, transférant son poids parfaitement sur le plancher de marbre. Il était silencieux comme un flocon de neige se posant sur le sol. Namara devait éliminer le garde, mais pas dans le corridor. Le moindre soupir, le giclement du sang alerteraient l'autre garde. Il entrouvrit la porte la plus près du garde : la lumière du corridor lui permit de se rendre compte que la pièce était sombre et vide. Rendu dans le dos de la sentinelle, il plaça sa main sur sa bouche pour l'empêcher de crier et du même coup le tira dans la pièce, repoussant la porte sans bruit. D'un coup de lame, il lui coupa l'aorte. Le garde décéda sans aucun bruit.

— Hey, Jimmy ? cria le garde téléspectateur.

Namara se plaça près du cadre de porte, prêt à tirer l'autre lorsqu'il passerait devant lui.

— Jimmy ? cria encore une fois l'autre garde d'un ton plus impatient.

Namara entendit un bruit de chaise et des pas qui arrivaient dans sa direction. À l'instant où l'autre garde passa devant la porte, il le tira d'un coup sec et lui réserva le même sort qu'à son collègue. Namara referma délicatement la porte et se pointa dans le corridor. Il fit signe à Guerra de venir le rejoindre. Ce dernier avança. Ils arrivèrent dans l'immense cuisine qu'ils balayèrent du regard; elle était vide. Ils empruntèrent un autre long corridor et ils entrèrent dans chaque pièce pour fouiller. Rien. Guerra vit au fond une porte à moitié fermée d'où émanait de la lumière. Il entra subitement pour apercevoir un garde assis sur la cuvette en train de lire un magazine. Il lui tira un projectile directement en pleine tête, éclaboussant le mur carrelé blanc. Guerra attrapa le corps à temps pour éviter qu'il ne fasse du bruit lors de sa chute. Il tendit l'oreille. Rien. Après l'avoir déposé doucement sur le parquet, il ferma la lumière de la salle de bain. Il retourna dans le corridor pour continuer avec Namara.

— Charlie-3, dégagé! dit Twinkie sur les ondes, ce qui indiquait que le troisième étage avait été nettoyé.

La dernière pièce du rez-de-chaussée consistait en un immense salon. Ils virent par le reflet d'une vitre qu'il s'y trouvait trois gardes assis en train de regarder la télévision. Guerra et Namara décidèrent de les charger en entrant rapidement dans la pièce. Ils bondirent littéralement dans la pièce en pointant leur MP5. Un garde les vit entrer, écarquilla les yeux tout en tentant de sortir son pistolet de son étui, mais il reçut deux balles de Namara en pleine poitrine avant même d'avoir le temps de crier. Guerra atteignit chacun des deux autres gardes d'une balle à la tête. Aucun des trois n'avait eu le temps de se lever de leurs fauteuils.

— Charlie-1, dégagé! souffla Guerra sur les ondes.

Peu de temps après, Mike et Gonzo se firent entendre.

— Charlie-2, dégagé! dit Mike. Balboccia est identifié. Élimination confirmée, ajouta-t-il.

— Compris, répondit Taz.

Tous vinrent rejoindre Namara et Guerra au rez-de-chaussée pour envahir ensemble le dernier étage, le sous-sol. Ils n'y virent personne. Quinze gardes avaient été éliminés en tout. Namara et Guerra en avaient abattu six, Gonzo et Mike en avaient tué sept incluant Balboccia, alors que Taz et Twinkie en avaient neutralisé deux. Tous ressortirent aussi silencieusement qu'ils étaient entrés en escaladant à nouveau le mur. Ils s'enfoncèrent dans le boisé avoisinant où deux kilomètres plus loin devait les attendre un camion. Ils embarquèrent tous en silence. Le seul bruit qu'on entendit fut le bruit du moteur de la camionnette qui s'éloigna dans la nuit noire.

Chapitre 20

30 novembre 2008, Bogota, Colombie.

— Merde, il fait vraiment chaud aujourd'hui! dit Namara en étirant son col de chemise attaché par une cravate.

Tous les membres du groupe étaient mobilisés pour constituer une escorte VIP de l'ambassadeur américain Frankler envoyé à Bogota. Le diplomate, qui devait se rendre à une conférence au centre de la ville vers 17 h, était escorté par tout le groupe de Taz. L'ambassadeur avait reçu une menace d'attentat contre lui et selon les informations reçues, il y avait de fortes probabilités que la tentative d'assassinat survienne lors de son déplacement vers le centre-ville. Les hommes de Taz avaient remplacé les gardes du corps privés habituellement chargés de sa protection.

Tous les commandos étaient vêtus comme des banquiers. À leur grand dam. Tous portaient leur mitraillette MP5 avec silencieux dissimulée sous leur veston. Ils escortaient l'ambassadeur avec deux véhicules blindés noirs. Tous les véhicules pour officiels étaient blindés en Colombie en raison des nombreux attentats perpétrés constamment. La menace n'était pas les balles, mais désormais les lance-roquettes. Les auteurs probables de l'attentat suspecté seraient des trafiquants d'un important cartel, selon l'information qu'ils avaient reçue.

Ces cartels étaient également bien informés que les véhicules étaient à l'épreuve des balles, même de forts calibres, et ils devaient donc s'y prendre par d'autres moyens pour réussir leur coup. Les cartels étaient organisés et ils disposaient de moyens illimités. Taz et ses hommes savaient qu'il fallait donc s'attendre au pire. Si un engin explosif devait atteindre le véhicule où voyageait l'ambassadeur, même avec un blindage normal, il ne résisterait pas à l'attaque. Le groupe avait planifié leur mission en se faisant passer pour des gardes du corps attitrés à sa protection et non en commando entraîné à tuer efficacement, ce qu'ils étaient. Les deux véhicules d'escorte se suivaient dans les rues étroites de Bogota. Dans le premier, Guerra se trouvait au volant et Namara comme passager sur le siège avant. Derrière eux se trouvait l'ambassadeur assis à l'arrière de son véhicule officiel, protégé par Taz et Twinkie. Suivaient à l'arrière dans un autre véhicule, Gonzo au volant et Mike comme passager. Ils avaient fait un bon bout de chemin et tout semblait normal. La chaleur était écrasante et un immense soleil orange semblait briller d'une lumière encore plus intense que d'habitude. Namara n'était plus habitué à porter un complet-cravate et il avait de la difficulté à s'y faire en cette journée humide.

— Merde, cette cravate me sert trop le cou! Cela me donne la nausée! grommela Namara, de mauvais poil en cette journée. D'un coup sec, il desserra sa cravate et la jeta sur le banc arrière. Il déboutonna un bouton de son col et il poussa un soupir de soulagement.

— Pourtant, la cravate t'allait à merveille! ricana Guerra qui avait fière allure avec son habit bleu foncé agencé d'une chemise noire.

— Personne ne verra que je l'ai enlevée. Il fait trop chaud pour ces conneries! répondit-il en scrutant l'extérieur par la fenêtre du véhicule.

Les trois véhicules furent forcés d'arrêter derrière un camion de construction qui bloquait la rue. Trois hommes habillés en salopette et munis de casques rigides semblaient travailler dans une bouche d'égout.

— Foutus connards, ils ne voient donc pas qu'ils bloquent la rue! grommela Guerra en donnant une claque sur le volant.

Un signal de danger immédiat fut perçu par Namara, soudainement fort préoccupé par la tournure des événements. Ils arrivaient à une intersection où plusieurs fenêtres surélevées donnaient sur la rue. De plus, un camion qui bloque complètement une rue de la sorte, cela n'était pas normal. Cette situation le rendit fort nerveux. Il observa toutes les fenêtres autour d'eux en tentant de détecter un individu suspect. Le camion bloquait la rue, mais il y avait encore une bonne distance entre eux et l'obstacle. Les employés travaillant dans le puisard avaient érigé une barrière en bois à environ vingt mètres de leur lieu de travail, assez loin pour qu'un véhicule soit pulvérisé par une roquette sans que ceux qui travaillent dans le puisard ne soient blessés par la déflagration. Danny conclut rapidement que s'il était celui qui devait tirer cette roquette, le meilleur emplacement se trouverait en face du convoi et en hauteur de deux ou trois étages. Son regard se posa sur une fenêtre ouverte du premier étage d'un édifice en face d'eux et effectivement, il crut apercevoir la silhouette d'un homme tenant un objet cylindrique sur son épaule. Le suspect se tenait derrière un rideau blanc qui flottait au vent. Namara réalisa ce qui se préparait en une fraction de seconde et il hurla :

— Lance-roquettes à 11 h !

Namara ouvrit la portière et il se rua à l'extérieur à toute la vitesse dont il était capable suivi de Guerra. Namara sortit son MP5 et il le pointa vers la fenêtre qui était située à une centaine de mètres d'eux. Il tira une rafale automatique qui se traduisit par une détonation étouffée suivie du bruit métallique des douilles de balles qui trébuchaient sur l'asphalte brûlant. Le rideau blanc frémit de plusieurs secousses sous l'impact de la rafale de balles qui frappa le porteur du lance-roquettes. Des jets de sang éclaboussèrent le rideau alors que la silhouette disparut définitivement de la fenêtre. Au même moment, les trois pseudo-employés de la construction s'étaient rués vers leur camion d'entretien et ils avaient maintenant des pistolets-mitrailleurs UZI en main.

— Ennemis à 12 h! hurla Guerra qui se rua à la course vers le derrière du véhicule pour se protéger de la pluie de balles qui percutaient déjà l'avant de leur véhicule.

Un fracas métallique se faisait entendre, les balles ricochaient et sifflaient partout autour d'eux. Namara courut rejoindre Guerra à l'arrière en tentant de se protéger des balles le plus possible. Taz et les autres étaient sortis du véhicule et ils se tenaient à l'arrière entourant l'ambassadeur. Les trois trafiquants armés s'étaient barricadés à leur tour derrière leur camion de construction et ils tiraient à tour de rôle en direction des véhicules. Namara se pointa légèrement sur la droite d'un des véhicules et il leur envoya une rafale de balles qui fit exploser les vitres du camion. On entendit des cris tout autour, mais Namara eut tout juste le temps de se protéger derrière leur véhicule pour éviter de justesse une autre rafale de balles qui lui était destinée. Ce fut Guerra qui prit la relève en tirant trois rafales automatiques, transperçant le camion de dizaines de trous sans blesser aucun des trafiquants qui étaient tous bien protégés.

— Nous allons manquer de munitions si nous continuons comme cela! Balance-leur encore une rafale, je vais tenter de les faire sortir! hurla Guerra.

Namara s'exécuta en tirant à nouveau dans leur direction pendant que Guerra rampait sous leur camion. Puis il se mit à tirer dans cette position en faisant éclater tous les pneus du camion de construction et en blessant un trafiquant sérieusement aux jambes de plusieurs projectiles. Ce dernier tomba sur le sol en hurlant, maintenant sans aucune protection. Guerra avait un très bon angle de tir de sa position. Il mira et tira une rafale qui atteignit le trafiquant de plusieurs balles au thorax et au visage, le tuant sur-le-champ.

— En voilà un de rayé, il en reste deux! hurla Guerra.

Les deux autres trafiquants, qui essuyaient une pluie de balles qui passaient dessous leur camion décidèrent de se sauver en voyant un des leurs criblé de balles. Ce dernier n'était plus maintenant qu'une masse sanguinolente sur le pavé brûlant. Les deux trafiquants prirent leurs jambes à leur cou vers l'entrée d'un immeuble. Guerra se releva et il en profita pour recharger son MP5 en même temps que Namara. Gonzo, qui était à l'arrière, fit signe à Taz et Twinkie que le chemin était libre.

— Twinkie, prends le volant, fais marche arrière, j'embarque avec l'ambassadeur et nous fichons le camp ! hurla Taz en tirant l'ambassadeur par le bras et en lui baissant la tête. Taz coucha l'ambassadeur sur la banquette arrière pendant que Twinkie prenait le volant.

— Mais où sont Namara et Guerra, bordel ! cria Taz à Gonzo.

— Ils sont partis après les deux salopards qui restent ! rétorqua Gonzo.

— Bande de foutus cinglés de merde ! hurla Taz. Gonzo ! Mike ! Tentez de trouver ces deux cons s'ils sont encore en vie ! Nous, nous fichons le camp avec l'ambassadeur !

Gonzo et Mike se précipitèrent vers la porte par laquelle Namara et Guerra avaient disparu. Un crissement de pneu se fit entendre et le véhicule transportant l'ambassadeur disparut.

Au moment où Guerra et Namara pénétraient dans l'édifice, une volée de balles fit exploser littéralement la porte derrière eux, manquant de justesse les deux commandos qui s'étaient jetés vers le mur. L'escalier devant eux semblait mener au toit. Se couvrant à tour de rôle, les deux attaquants réussirent à grimper jusqu'au toit sans écoper. Les trafiquants devaient se trouver sur le toit. Effectivement, les deux tueurs les attendaient sur le toit, barricadés derrière un immense climatiseur métallique situé à plusieurs mètres d'eux. Les deux commandos étaient à découvert et rien sur le toit ne pouvait les abriter. Ils ne pouvaient compter que sur leur instinct pour rester en vie, comme cela leur avait été enseigné dans leur entraînement, leur seule chance de survie.

— Avançons dans leur direction en tirant à tour de rôle pour qu'ils écopent d'un feu constant sur eux ! cria Guerra à Namara.

Les deux se relevèrent de leur position au sol pour se rapprocher des trafiquants. Namara tirait des rafales automatiques les forçant à rester relativement à l'abri. Pendant ce temps, Guerra suivait Namara à ses côtés sans tirer. Les deux entendaient des balles siffler, la riposte des deux tueurs. La tension et la chaleur avaient détrempé les deux attaquants, la sueur leur coulait dans les yeux. Namara et Guerra essuyaient un feu ennemi intense. Les petites antennes paraboliques accrochées sur le rebord du toit éclataient en mille morceaux sous l'impact des balles et leurs parcelles de métal retombaient dans la rue.

Namara avait quasiment vidé son chargeur.

— Recharge ! hurla Namara.

Guerra prit immédiatement le relais en se mettant à tirer des rafales automatiques pendant que Namara rechargeait sa mitraillette. Les deux avançaient d'une démarche coordonnée sans jamais arrêter, se rapprochant de plus en plus des trafiquants.

— Je vais tenter de les contourner quand mon chargeur va être vide. Toi, tu continues à tirer vers eux en avançant, mais à simple cadence pour les maintenir planqués plus longtemps. Je vais tenter de les tuer ces enfoirés ! hurla Guerra en tirant des rafales vers le climatiseur.

— Compris !

Guerra arriva à la fin de son chargeur.

— Maintenant ! cria Guerra en se mettant à courir à toute vitesse vers la droite du climatiseur pour prendre le plus de distance possible pour les contourner.

Pendant ce temps, Namara continua à avancer seul en tirant une seule balle à la fois, forçant sa cible à rester barricadée incapable de savoir dans quelle direction Guerra s'était dirigé. Guerra rechargea son MP5 en courant. Lorsqu'il fut éloigné suffisamment, il se mit à balayer en demi-cercle le toit avec son arme, avançant toujours, jusqu'à tant qu'il ait une bonne vision des deux trafiquants embusqués. Ces derniers essuyaient les tirs de Namara, sans savoir qu'ils avaient Guerra à leur gauche qui les visait de sa mitraillette à environ vingt-cinq mètres. Guerra enclencha le mode automatique en avançant d'un pas rapide, décidé à se rapprocher le plus possible de ses cibles. À environ dix mètres, il mira les deux trafiquants et il vida son chargeur dans leur direction. Les deux trafiquants vibrèrent et se trémoussèrent comme des pantins sous l'impact des balles qui leur transperçaient le corps. Les trafiquants tombèrent au sol, morts.

— Dégagé ! hurla Guerra.

— Compris ! hurla Namara, qui vint le rejoindre à la course en rechargeant sa mitraillette.

— Bande d'enfoirés ! hurla-t-il, satisfait de son tir.

Namara était trempé de sueur et il se taponna un peu partout, incrédule de n'avoir reçu aucune balle.

— Oh ! Là, c'était moins une ! dit Guerra, excité par l'intensité du combat qu'il venait de vivre.

— Oui, nous avons bien failli y rester cette fois ! lança Namara en reprenant son souffle.

— Absolument ! Mais quelle expérience !

Namara se mit à rire, secouant la tête en voyant Guerra qui était enthousiaste comme un enfant dans un parc d'attractions.

— Tu es cinglé ! dit Namara.

— Possible!

— Mais, c'est vrai que nous leur avons réglé leur compte!

— Et comment! rétorqua Guerra. Mais là, il faut s'en aller au plus vite avant qu'on nous repère. Namara, photographie nos deux tas de merde de trafiquants pour les renseignements. Nous identifierons ces deux cadavres plus tard et nos copains du renseignement seront ravis!

Namara poussa les cadavres du pied pour s'assurer qu'on voyait bien les visages des deux narcotrafiquants, sortit son appareil photo et prit quelques clichés de ce qui restait des tueurs qui avaient tenté de les abattre quelques instants plus tôt. Gonzo et Mike arrivèrent à l'instant avec leurs mitraillettes à l'épaule et ils virent les deux corps au sol.

— Ohhhla, beau travail, les mecs, dit Mike avec un sourire.

— Allez, fichons le camp avant que la police locale nous repère! dit Namara.

Tous attachèrent leur MP5 sous leur veston et ils descendirent par un autre escalier que celui par lequel ils étaient arrivés. Ils descendirent dans la rue calmement et ils se fondirent dans la foule pour disparaître dans les rues de Bogota.

Chapitre 21

Tous les membres de l'unité antidrogue étaient réunis dans la salle de rassemblement du campement. Les commandos étaient assis en attendant qu'Igor prenne la parole. Ce dernier brisa le silence en leur annonçant ce que la plupart soupçonnaient et craignaient.

— Messieurs, j'ai le regret de vous informer que les gouvernements américain et britannique ont décidé de mettre fin à l'unité antidrogue. Par conséquent, votre mission prend fin dès maintenant. Vous serez retournés à vos unités et à vos régiments respectifs. Je sais que pour plusieurs, cela doit être un choc. Je tiens en mon nom personnel ainsi qu'au nom de vos gouvernements respectifs à vous remercier pour l'excellent travail que vous avez accompli au cours de votre séjour ici. Tout un chacun a contribué à rendre cette unité bien spéciale et je sais, à titre personnel, que vous avez accompli au péril de vos vies des exploits que peu auraient été capables de réussir. Vous êtes des soldats qui ont eu un mandat parmi les plus difficiles et parmi les plus complexes. Soyez certains qu'en raison de votre travail, vous avez fait un tort considérable aux cartels et sauvé des milliers de vies indirectement par vos actions. Soyez fiers de ce que vous êtes, messieurs. Ce fut un honneur et un privilège d'avoir des hommes tels que vous sous mes ordres !

— Comment se fait-il que s'ils sont tant satisfaits de notre travail, ils nous démantèlent ? demanda un des soldats du groupe.

— D'accord, messieurs, je vais être honnête avec vous, mais cela restera dans cette pièce, compris ? Les priorités sont ailleurs pour le moment, la lutte antidrogue n'est plus la priorité pour eux, pour le moment, alors ils n'ont plus rien à foutre de nous ! Nous étions un outil jetable après usage, et ils nous ont utilisés, fin de l'histoire. Maintenant, nous sommes bons à mettre à la poubelle, rien de plus à ajouter ! De plus, en raison de la nature de notre travail ici, nous pouvions devenir embarrassants à long terme. Bref, nous devons disparaître ! Nous sommes habitués à ce discours et ces conneries de toute manière, pas vrai ? Le discours officiel fournit comme explications qu'ils vont analyser la suite dans les mois à venir et voir ce qu'il en est, mais ils jugent que maintenir notre unité fonctionnelle implique trop de ressources et d'argent. Je suis désolé, mais nous savons tous que c'est terminé!

Tout le monde restait silencieux dans la salle comme résignée. Ils savaient que l'unité était une assignation temporaire et que, tôt ou tard, elle était vouée à être démantelée. Ce jour était arrivé. La plupart savaient qu'à partir de maintenant, les choses ne seraient plus jamais pareilles et qu'ils ne reverraient plus la plupart de leurs collègues. Ils s'étaient créé un monde et une vie qui étaient maintenant terminés.

— Que vas-tu faire? demanda Namara à Guerra, qui était assis à côté de lui.

— Je ne sais pas. Ils vont me réassigner à Hereford sans doute. Ils vont me mettre dans une équipe et m'envoyer sur une autre mission. En toute honnêteté, j'en ai marre de n'être qu'un instrument qu'on utilise et qu'on jette par la suite. Je ne sais pas. Et toi, que vas-tu faire?

— Aucune idée. Pourquoi ne viendrais-tu pas avec moi? Nous pourrions nous lancer en affaire ensemble.

Guerra sourit en guise de résignation.

— Je suis un soldat, camarade. Et en plus, qu'est-ce que nous ferions? Nous ouvrir un resto de burgers? Et quel genre de vie nous aurions avec cela, tu y as pensé? Travailler de neuf à cinq? Avoir une maison avec une femme, des enfants et un petit chien? Faire un peu de jardinage dans nos temps libres? Des conneries, mec! Je suis un nomade! Je deviendrais cinglé en moins de deux! Toi aussi d'ailleurs, connard!

Namara garda le silence

— Danny, viens par ici! lança Igor à l'avant de la salle.

Il se leva de sa chaise pour aller à sa rencontre.

— Dur coup, hein? dit Igor en lui donnant une tape sur l'épaule.

— Oui, en effet.

— Ne t'en fais pas, tu t'en remettras vite. J'ai d'autres plans pour toi, rétorqua-t-il avec un clin d'œil.

— C'est-à-dire?

— Eh bien… Cela t'intéresse de revenir à New York?

— Tout dépend de quoi il s'agit.

— Nettoyage, même genre qu'ici. Je vais avoir plusieurs contrats pour toi et tu serais aussi bien payé qu'ici.

— Qui sera mon employeur?

— Tu serais travailleur autonome… Sous-traitant non officiel pour la CIA. En fait, cela ne fera pas grande différence, car l'unité était déjà sous sa tutelle. Tu feras le même genre de travail que tu faisais ici, mais à New York. Toutefois, tu devras changer quelque peu tes méthodes et être beaucoup plus discret, si tu vois ce que je veux dire. Disons que le nettoyage devra se faire plus subtilement, car les choses sont différentes aux États-Unis, comme tu le sais. Tu devras agir comme une ombre et évidemment, si tu te fais prendre, l'agence niera tout sur toi et tu seras tout fin seul.

— Je commence à y être habitué de toute manière !

— Je sais. Je serai ton intermédiaire. Tu n'as aucun engagement envers moi. Je t'offre des contrats et, si tu es intéressé, tu l'exécutes. Tu réussis la mission, tu encaisses l'argent. C'est aussi simple que cela.

— Et pour Guerra ?

— Danny… James appartient au SAS britannique. Jamais ils ne voudront prêter un de leurs meilleurs soldats pour le faire travailler pour la CIA.

— Qui a dit prêter… Peut-être qu'il ne souhaite plus retourner à Hereford ?

Igor poussa un soupir comme si on venait de lui lancer un immense poids sur les épaules.

— Si c'est le cas, oui, je pourrais faire quelque chose en effet… Mais cela ne sera pas facile… Et…

— Oui, mais il n'y a pas de plaisir dans la facilité, pas vrai ?

— D'accord ! C'est entendu ! Marché conclu ! Autre chose, bordel ?

— Non ! merci Igor.

— Donc, nous pouvons dire que c'est une entente conclue ? demanda-t-il avec un sourire.

— Il semblerait !

Les deux hommes qui avaient développé un respect mutuel l'un envers l'autre au fil du temps se serrèrent la main pour conclure une entente comme celle qui s'était conclue quelques années auparavant et qui avait transformé la vie de Namara à tout jamais. Ce dernier retourna s'asseoir aux côtés de James, qui était perdu dans ses pensées.

— Fais tes bagages ! Nous allons à New York ! lança Namara tout sourire.

Troisième partie

Personne ne peut me faire du mal sans ma
permission.

Mohandas Gandhi

Chapitre 22

An 2012, San Diego, Californie, États-Unis.

Kamilia marchait d'un pas régulier dans le sable fin et blanc de Pacific Beach où elle venait de terminer un cours d'aérobie extérieur qu'elle donnait sur la plage en début de soirée. Elle s'était laissée retarder par certains de ses étudiants qui lui avaient posé de multiples questions sur leur entraînement à la fin de son cours. Au moment de quitter les lieux, l'obscurité était tombée. Le temps était clair et chaud. Une brise océanique rafraîchissante arrivait du large et faisait bouger les palmiers, ce qui produisait un son relaxant partout sur la plage déserte à cette heure. Le bruit des vagues se faisait entendre, étouffant le brouhaha environnant. Kamilia Stone avait pris son sac et elle marchait sur le sable de la plage obscurcie par la nuit tombée. Elle se rappelait avoir garé sa Jeep dans une petite rue donnant sur la palissade de la plage. Quelques minutes de marche et elle y serait.

Perdue dans ses pensées, elle ne se rendit pas compte que deux silhouettes la suivaient sur la plage depuis quelques minutes. Quand elle sentit qu'il y avait quelqu'un derrière elle, il était trop tard. Elle reçut un puissant coup derrière la tête qui la fit tomber étourdie dans le sable. Confuse, mais consciente, elle vit deux hommes debout devant elle qui ricanaient.

— Salut, ma jolie! Tu n'as pas peur de te promener dans le noir toute seule? dit un des deux hommes pendant qu'il commençait à baisser son pantalon.

— Reste tranquille, nous allons nous amuser un peu avec toi et, si tu es bien gentille, nous ne te tuerons pas, dit l'autre homme qui sortit quelque chose de sa poche.

Kamilia se douta bien qu'il s'agissait d'un couteau et, effectivement, elle vit le reflet de la lame briller légèrement quelques instants dans l'obscurité. De sa main dissimulée sous son corps, elle sortit posément le couteau d'entraînement qu'elle avait constamment sur elle. Elle dissimula la lame le long de sa cuisse et commença à prendre des appuis au sol pour se sortir de là. Subitement, elle se releva sur les genoux pour s'attaquer à l'agresseur au couteau, empêtré dans son pantalon. D'un coup direct, elle lui planta sa lame dans l'artère fémorale de la cuisse gauche, provoquant un violent jaillissement sanguin.

En se levant, elle ressortit sa lame d'un coup, puis la remonta et la lui piqua dans l'artère brachiale de son bras gauche pour ensuite terminer en allant lui couper le côté droit du cou, ce qui lui sectionna la carotide. Son premier agresseur s'écroula au sol, se vidant de son sang. Sa technique mortelle ne lui avait pris que quelques secondes d'exécution. Son entraînement lui avait valu de repérer l'emplacement exact des vaisseaux sanguins majeurs de son agresseur, et ce, même dans l'obscurité presque complète. Elle pivota vers l'autre violeur et elle sauta pour lui asséner un coup de genou en plein visage qui le fit tomber à la renverse. Une fois qu'il fut au sol, elle ne lui laissa pas le temps de tenter quoi que ce soit. Elle lui saisit la tête à deux mains et elle la tourna d'un coup sec, lui cassant le cou, le tuant instantanément. Elle posa un genou au sol pour reprendre ses esprits, encore un peu confuse du coup reçu à la tête.

— Bande de lâches! lança-t-elle d'un ton enragé en remettant le couteau dans sa poche et en remettant son sac d'entraînement à l'épaule.

Malheureusement pour les deux violeurs, cette petite femme d'une grande beauté qu'ils avaient surveillée pendant une partie de la soirée lors de sa leçon, n'était pas une proie facile, tout juste bonne à enseigner l'aérobie, comme ils l'avaient cru. Kamilia Stone était une adepte de la boxe thaïlandaise connue sous le nom de muay thaï qui utilise principalement les genoux et les coudes comme armes de frappe. En plus de sa forme physique exemplaire due à son entraînement en aérobie, elle s'était spécialisée en combat au couteau philippin. Elle était passée maître dans ces deux styles de combat et malheureusement pour ses agresseurs, ils en avaient tâté pour la première et la dernière fois cette nuit-là. Tout comme ses agresseurs qui l'avaient remarquée, elle ne laissait personne indifférent lors de son passage. Kamilia était une femme de petite taille et d'une grande beauté. Ses longs cheveux bruns descendaient jusqu'au bas de son dos. Sa peau blanche avait un teint de bronzage californien laissant ressortir ses grands yeux bruns. Son physique d'athlète, sa poitrine bien proportionnée, ses courbes sensuelles, ses lèvres pulpeuses et la grande beauté des traits de son visage faisaient tourner la tête de bien des hommes et rendre jalouses encore plus de femmes. Elle avait les deux bras tatoués, de véritables œuvres d'art comportant de nombreuses couleurs vives. Plusieurs motifs y apparaissaient, par exemple une murale colorée dans laquelle on pouvait voir des inscriptions et des fleurs. Sur l'autre bras, on pouvait apercevoir deux petites têtes de mort entourées de motifs colorés différents. De loin, ses bras ressemblaient à une œuvre d'art abstraite, mais, plus on les examinait de près, plus on distinguait différents motifs s'entremêlant les uns aux autres. Ce qu'on ignorait, c'est que le but de ses tatouages n'était pas d'attirer l'attention, mais plutôt de marquer sur son corps les souffrances qui avaient marqué sa vie et son histoire. Chaque dessin représentait une épreuve de sa vie comme si elle les avait écrites dans un journal intime.

En réalité, les tatouages lui permettaient d'évacuer les souffrances qu'elle portait. Et ce que pouvaient penser les gens qui l'observaient la laissait totalement indifférente. Elle se concentrait à la gestion de son restaurant-bar situé dans le Gaslamp de San Diego, à s'entraîner en arts martiaux et à enseigner l'aérobie. Elle possédait un condominium dans l'ouest du centre-ville offrant une vue incroyable de l'océan. Elle se tenait constamment active sans doute pour ne pas craquer. C'est de cette façon qu'elle avait réussi à surmonter les démons intérieurs qui l'habitaient depuis son enfance, et même encore aujourd'hui, à la veille de ses trente ans. Originaire de San Diego et enfant unique, elle avait grandi dans le quartier de Point Loma. De nombreuses fois, elle avait vu son père battre sa mère sous ses yeux et la police se précipiter pour l'arrêter. Cette violence constante ainsi que la pauvreté étaient devenues la norme de son enfance.

Mais le pire était à venir. Tout bascula le jour de ses huit ans lorsque la police fut appelée par des voisins pour cause de coups de feu. Lorsque les policiers défoncèrent la porte de la demeure familiale, défraîchie par le manque d'entretien et les années, ils découvrirent deux corps encore tièdes étendus sur le sol de la cuisine. Le père de Kamilia avait tiré deux coups de feu. Le premier était destiné à sa femme qui avait reçu une balle en pleine tête. Le second coup de feu avait été pour lui. Les policiers fouillèrent la maison et ils trouvèrent une jeune fille de huit ans, terrorisée, au fond d'une garde-robe. Kamilia fut prise en charge par les services à l'enfance où elle fut traitée pour ses traumatismes. Pendant plusieurs mois, elle resta muette, comme coupée du monde. Puis, peu à peu, elle reprit du mieux et elle fut placée dans une famille d'accueil. Au fur et à mesure que Kamilia grandit, elle commença à exceller à l'école.

Tout le monde l'aimait pour son attitude joviale et souriante. Cette personnalité de fille déterminée et dynamique, admirée par la plupart des jeunes filles de son entourage, cachait en réalité une jeune femme rongée continuellement par la colère et une rage viscérale. Kamilia avait compris que le sourire d'une jolie femme était une arme plus puissante que tout, mais, dans son cas, c'était équivalent à croire au sourire d'un lion parce qu'il montre ses dents. De nombreux jeunes hommes avaient été attirés par elle au collège, mais elle les trouvait sans intérêt et vides.

Malgré sa diplomatie et son masque, ses émotions réelles prenaient parfois le dessus.

Au début de la vingtaine, un jour, des amies de Kamilia l'avaient invitée à passer l'après-midi à la plage pour prendre du soleil et reluquer les garçons. Elle avait accepté. Au cours de la journée, le groupe avait fait la connaissance de plusieurs jeunes hommes aussi sûrs d'eux-mêmes qu'attirés par ce groupe de jolies demoiselles en bikini. Kamilia resta cordiale, mais elle n'était nullement intéressée par aucun d'entre eux. En réalité, plusieurs avaient choisi Kamilia et ils avaient tenté de la séduire tout au long de la journée sans grand succès. Ce qui n'avait pas trop gâché le plaisir de la jeune femme qui réussit à s'amuser avec les autres filles. L'alcool coulait à flots chez les jeunes gens. Tout se gâta lorsqu'un garçon qui avait bu trop de bière tenta de la coller un peu trop. Il fit signe à ses copains qu'il désirait prendre une photo de groupe avec les demoiselles en question. Kamilia s'avança avec ses amies et le jeune homme, accompagné d'autres fêtards, s'avança torse nu, une casquette sur la tête et une bière à la main. Il se dirigea directement à côté de Kamilia et il lui enlaça la taille en lui effleurant doucement les fesses. Cette dernière se retourna d'un coup sec et lui envoya un coup de coude sur le nez, ce qui le fit tomber sur le sol. Tout le monde resta figé et bouche bée devant une telle scène, surtout se rendant compte de son explosion de colère.

— Si jamais je te reprends à me toucher le derrière, foutu imbécile, tu vas retrouver tes dents dans tes selles! lança-t-elle au garçon étendu sur le sol.

— Quel est ton problème, connasse? Tu es lesbienne ou quoi? rétorqua le garçon tout en s'essuyant le sang du nez, visiblement humilié.

— Mon problème, ce sont les trous de cul de ton genre!

— Va te faire voir! Je n'en ai rien à foutre de toi de toute manière, dit le garçon dont l'amour-propre venait d'en prendre un coup devant ses amis.

— Non, toi, va te faire voir, petit con! Et en passant... Tu ressembles à un handicapé mental avec ta casquette, change-la! rétorqua-t-elle.

Toutes les autres filles se mirent à rire et à siffler, ce qui détendit l'atmosphère.

— Tu ne l'as pas manqué! dit une fille du groupe en rigolant.

睚眦

Grande amateure de café, elle passait ses soirées à étudier, lire et rédiger ses travaux avec son portable sur la terrasse extérieure d'un bistro non loin de chez elle. Son intérêt et son sens inné des affaires lui permirent de compléter son diplôme universitaire en finance et d'ouvrir un restaurant-bar dans le centre-ville de San Diego. Malgré des débuts modestes, son commerce devint un des endroits les plus courus de son coin. *Le Système*, le nom de son bistro, offrait une cuisine du meilleur rapport qualité-prix. En prime, une fois rassasié, le client pouvait poursuivre la soirée en se rendant à la boîte de nuit qu'elle avait ouverte juste à côté. Kamilia était la seule propriétaire. Elle gérait le tout d'une main de fer et avec une discipline exemplaire, ce qui était la raison de son succès. Elle menait une double vie : celle de la femme d'affaires toujours vêtue d'un tailleur classique lorsqu'elle dirigeait son entreprise, et celle de la femme qui s'entraînait en arts martiaux lorsqu'elle s'attaquait à ses démons intérieurs. Elle montait même régulièrement dans l'arène pour faire des combats de boxe thaïlandaise. Elle combattait pour s'endurcir et apprendre à encaisser. Ses coups étaient puissants et rapides, son corps et ses jambes devinrent endurcis comme du roc avec les années. Elle s'entraînait avec cette même férocité au couteau en apprenant comment contrer des attaques à l'arme blanche et comment attaquer son ennemi le plus efficacement possible et causer sa mort.

睚眦

Elle passa près du *Kono's Café* où elle avait déjeuné le matin tout près du Crystal Pier. Elle arriva à sa Jeep stationnée dans une rue avoisinante. Elle jeta quelques coups d'œil pour voir si on ne l'avait pas suivie. Elle monta dans son véhicule et démarra en direction du centre-ville jusqu'à son condominium. Elle se stationna dans le garage intérieur, puis monta jusqu'au huitième étage où se trouvait son appartement. Le long du trajet, elle s'était demandé si quelqu'un avait été témoin de l'agression. Tout le monde saurait dès le lendemain matin que deux individus avaient été tués sur la plage de Pacific Beach. Elle lança ses clefs sur la table de cuisine, prit une chaise et s'assit en poussant un long soupir. Jamais elle n'avait songé en se levant ce matin-là qu'elle tuerait en soirée deux individus en légitime défense. Elle ne croyait pas qu'il y ait eu des témoins, mais elle ne pouvait en être certaine. Elle alla dans la salle de bain pour vérifier dans le miroir si elle n'avait pas de blessures occasionnées par la violence de l'attaque. Mise à part la douleur qu'elle sentait encore légèrement derrière la tête, elle n'avait aucune blessure.

Elle prit une douche très chaude pour se détendre. Elle laissa l'eau couler pendant plusieurs minutes pour la sentir partout sur elle, ce qui lui procura un massage. De retour dans la cuisine, elle saisit calmement un des nombreux couteaux qu'on trouvait dans son appartement. Elle était une tueuse et probablement qu'elle l'avait toujours été.

— Et puis, merde… Rien à foutre ! Qu'il en soit ainsi !

Elle lança l'arme d'un coup sec sur une cible fixée au mur. Le couteau fit deux tours complets sur lui-même durant sa trajectoire avant de se planter profondément dans la cible en vibrant. Elle éteignit les lumières, s'allongea dans son immense lit et elle s'endormit d'un sommeil profond dans ses draps en soie blanche.

Chapitre 23

An 2011, Los Angeles, Californie, États-Unis.

— *Hajime !* cria l'arbitre.

Les deux samouraïs contemporains commencèrent le combat, armés de leurs sabres de bambous et protégés par leurs casques bleus grillagés. Les deux combattants étaient vêtus d'un kimono bleu foncé et d'un long pantalon bouffant ressemblant à une robe, le hakama. Tous les autres adeptes du kendo se tenaient en rond autour des deux combattants. Tous étaient vêtus de la même façon et tous avaient le visage caché par le casque grillagé, ce qui leur enlevait toute apparence humaine. On aurait dit une secte de prêtres féroces effectuant un rituel sacré. La voie du sabre était une discipline difficile que Shinsaku maîtrisait et pratiquait depuis de nombreuses années. Ce dernier était également maître en aïkido, un art qu'il enseignait. Le kendo était la technique du sabre que les samouraïs utilisaient à l'époque et qui était devenue un sport de combat, remplaçant le sabre d'acier par le sabre de pratique en bambou communément appelé un shinai.

Shinsaku aimait combattre avec ses étudiants pour leur faire vivre l'expérience du combat au sabre. Le kendo développait la rapidité des gestes, mais aussi la rapidité à percevoir les coups donnés dans l'espace-temps. Les réflexes de Shinsaku pour éviter les coups étaient hors du commun. Il lança un cri guerrier sous son casque pour intimider son adversaire qui tenait son sabre à deux mains. Comme l'éclair, Shinsaku frappa le sabre de son étudiant. Ce dernier l'échappa et l'arme roula sur le parquet.

— Allez, reprends-le ! dit-il.

Ce dernier fit un signe de la tête et se pencha pour le récupérer. Il se remit en garde pour poursuivre le combat. L'étudiant tenta de l'attaquer en levant les bras pour lui asséner un coup sur la tête. La rapidité de réaction de Shinsaku fut telle qu'il put lui asséner un coup de sabre dans les flancs avant qu'il n'ait le temps de baisser les bras. Shinsaku continua son mouvement et il lui plaça le sabre à la gorge. Le bruit de l'impact sur le protège-gorge se fit entendre. Avec un vrai sabre, ce coup, qu'on nommait en japonais tsuki, aurait amené une mort instantanée. Il salua l'étudiant en baissant le corps vers l'avant.

— Bien, continue en ce sens, dit Shinsaku.

— Merci, sensei !

Le message envoyé à l'étudiant était qu'en réalité, il devait continuer à s'entraîner, qu'il n'était pas encore prêt. La voie du sabre était une voie difficile et Shinsaku le savait. Il fit signe à tous les pratiquants de se mettre en ligne. Ces derniers obtempérèrent et s'agenouillèrent devant Shinsaku, qui était face à la ligne qu'ils formaient. Il fit signe à ses étudiants d'enlever leurs casques et leur tenugi, un foulard de coton traditionnel qu'on mettait sur sa tête et sous le casque pour absorber la sueur, une tradition japonaise datant de l'époque des samouraïs. La majorité des étudiants transpiraient abondamment en raison de l'intensité de la leçon. Élèves et enseignant se saluèrent. La leçon était terminée.

Le dojo fermé, il ferma les lumières et alluma quelques bougies pour éclairer l'endroit d'une lumière tamisée. Il sortit son vrai katana de son coffre protecteur. Il glissa l'étui à son hakama, saisit le manche de la main et dégaina le sabre. Le katana, aiguisé comme une lame de rasoir, luisait dans la demi-obscurité du dojo. Il pratiqua ses katas en fauchant l'air de son sabre. Chaque coup fendait littéralement l'air et un sifflement aigu se faisait entendre. Pied nu, il glissait sur le plancher avec la légèreté d'un spectre. Ce que pratiquait Shinsaku étaient d'anciennes formes enseignées jadis aux véritables samouraïs. Chaque mouvement consistait en une attaque sur les points vulnérables de l'adversaire. Ces vraies techniques mortelles du samouraï n'étaient pas enseignées publiquement. Seul un petit nombre d'initiés dans le monde avaient reçu en secret ces connaissances ancestrales et il en était un de ceux-là. Il s'entraînait à dégainer son sabre de son fourreau et à l'y remettre à la vitesse de l'éclair. Il se déplaçait et bougeait de manière à ne faire qu'un avec son arme blanche. Sa nationalité japonaise, sa petite taille, son visage carré et ses cheveux noirs mi-longs et peignés vers l'arrière donnaient l'impression qu'il était vraiment un authentique samouraï ayant remonté le temps. Son visage sérieux, ses traits guerriers et ses yeux noirs inspiraient à la fois crainte et respect. Calme et d'un grand sang-froid, il ne perdait jamais le contrôle de lui-même. Sa voix grave était empreinte de sérénité.

Son entraînement terminé, comme son appartement était proche, il décida de garder son uniforme et de retourner à pied chez lui en cette nuit chaude. Son sac à la main, il marcha à travers les ruelles sombres de Koreatown qu'il connaissait parfaitement. Les rues étaient vides et un léger vent du désert soufflait. Il passa devant un petit marché de quartier ouvert la nuit qui vendait alcool, cigarettes et nourriture. Ce dernier faisait partie d'un petit centre commercial en forme de L, typique du sud de la Californie. Sans savoir pourquoi, il prit la peine de regarder à l'intérieur du petit commerce.

Ce qu'il vit l'horrifia : deux jeunes noirs menaçaient d'une arme à feu un vieux commis asiatique derrière son comptoir. Un des deux semblait hurler des choses au vieillard, des paroles incompréhensibles pour Shinsaku à la distance où il était. L'image qu'il vit à l'instant lui rappela le meurtre de ses parents qui avaient été tués par des voleurs dans le même genre de circonstances bien des années auparavant. Des braqueurs étaient entrés dans leur commerce un soir et les avaient abattus par balle. Le contenu de la caisse s'élevait à peine à une centaine de dollars et les braqueurs n'avaient jamais été retrouvés.

Shinsaku courut vers l'arrière du petit marché. Il repéra une porte arrière de secours. Il laissa tomber son sac, en sortit deux foulards noirs et il se mit à se les enrouler autour de la tête en guise de cagoule en ne laissant paraître que ses yeux. Il sortit un couteau qu'il inséra dans la fente de la porte qui céda brusquement. Il glissa son katana à sa ceinture et il ouvrit la porte pour entrer à pas feutrés dans le petit commerce. Rendu à l'intérieur, il entendit un des braqueurs crier :

— Allez, le vieux ! Tu ne vas pas me dire que c'est tout ce que tu as comme argent dans ton foutu magasin !

— Je vous en supplie, croyez-moi ! Il n'y a pas d'autre argent ici, sinon je vous le donnerais. C'est tout ce que j'ai ! répondit le vieux d'une voix terrorisée avec un accent japonais.

— Tu mens, le vieux ! Si tu ne me dis pas où est le reste de l'argent, je te bute !

— Non, pitié ! Cinquante dollars, c'est tout ce qu'il y a ici, prenez-les !

— Il nous prend pour des amateurs, ce vieux connard, bute-le, allez ! dit l'autre braqueur.

D'après le ton de la discussion, Shinsaku savait qu'ils allaient certainement tuer le vieux commis. Ils étaient énervés et agités au dernier degré. De toute évidence, cela devait être deux petits criminels de la rue cherchant de l'argent pour se payer leur dose. *Le malheureux commis n'en avait que pour quelques secondes à vivre.* Shinsaku sortit son sabre de son fourreau en se dirigeant d'un pas aussi rapide que léger vers l'endroit de l'altercation. Il vit l'agresseur qui braquait l'arme sur le commis ; avant que ce dernier n'ait même remarqué sa présence, d'un coup d'une force inouïe, Shinsaku lui avait tranché net l'avant-bras qui tomba sur le sol comme un simple objet. Il fallut au braqueur quelques secondes pour réaliser qu'il n'avait plus son bras, mais seulement un moignon, et se mettre à hurler comme un dément. L'autre voyou se retourna et pendant un instant, il crut voir l'apparition du diable : une silhouette cagoulée, sortie des ténèbres, une immense lame à la main. Ses pieds cachés par le hakama, le diable semblait flotter littéralement sur le plancher de l'établissement. Il ne pouvait s'agir d'un humain, c'était la grande faucheuse cherchant à tuer. Le toxicomane resta figé à côté de son compagnon qui ne semblait toujours pas croire ce qui venait de lui arriver. Shinsaku fit virevolter son arme qui entra dans la gorge du braqueur au bras coupé, le tuant instantanément. Il ressortit aussitôt la lame d'une geste tellement fluide qu'il sembla continuer le même mouvement pour aller chercher la tête du comparse. La force du coup fut telle que la tête du toxicomane fut sectionnée et alla voler deux mètres plus loin que le corps en train de s'écrouler pour finir son envolée en allant percuter la vitre de la porte du commerce. La tête tomba face la première sur le plancher sale.

— Êtes-vous blessé ? demanda Shinsaku d'une voix calme sous son masque.

— Non ! Non… balbutia le commis qui était couché derrière le comptoir, terrorisé par la silhouette masquée qui venait de guillotiner littéralement ceux qui aspiraient un moment plus tôt à devenir ses meurtriers.

— N'ayez pas peur, je ne suis pas ici pour vous faire du mal ! Vos deux agresseurs sont morts, je n'ai pas eu d'autres choix. Vous êtes maintenant en sécurité ! dit-il.

— Qui… Qui êtes-vous ?

— Une personne ordinaire qui est passée en face de votre commerce au bon moment, je crois. Vous avez des caméras de surveillance ?

— Oui, derrière le comptoir.

Shinsaku passa derrière le comptoir et il saisit la cassette qui avait enregistré la scène.

— Je vous prends cela si vous n'y voyez aucun inconvénient. Que direz-vous si on vous demande qui a fait cela ?

— Qu'un homme est entré et qu'il m'a défendu. Ma vision n'est pas très bonne à mon âge, il me sera impossible de donner une description adéquate, je le crains, dit l'homme âgé qui avait une excellente vision.

— Je vous remercie ! dit-il en aidant le vieil homme à se relever.

— Non, merci à vous. Sans vous, je serais sans doute mort à l'heure qu'il est. Que Dieu vous garde, monsieur !

— Vous pareillement !

Shinsaku l'aida à s'asseoir et il enclencha le bouton panique sous le comptoir pour que la police se dirige sur les lieux.

— Les policiers seront là dans quelques minutes, restez assis pour le moment.

— Oui, merci. C'est tout un sabre que vous avez. Qu'est-ce que c'est exactement ?

Le vieil homme qui lui avait tourné le dos pendant quelques secondes, se rendit compte qu'il discutait seul. Lorsqu'il se retourna pour voir l'homme cagoulé, le mystérieux visiteur avait disparu comme il était arrivé. Ce devait être un fantôme ! Puis un bruit croissant de sirène de police se fit entendre au loin dans la nuit.

Shinsaku entra dans son appartement. Il appuya sur l'interrupteur et laissa tomber son sac près de l'entrée, ne gardant que son katana. Il se mit immédiatement à la tâche de le nettoyer et d'enlever les traces de sang qui restaient sur la lame. Tout en le récurant, il ne put s'empêcher de se demander s'il avait pris la bonne décision d'éliminer les deux braqueurs sans tenter de simplement les faire fuir. Mais il se convainquit vite qu'en fin de compte, il n'avait eu que quelques secondes pour maîtriser une situation dans laquelle un homme avait une arme à feu à la main et aucun scrupule à l'utiliser. Une hésitation de sa part et cette crapule aurait possiblement abattu Shinsaku ainsi que le vieil homme par la suite. Cela était sans compter que l'autre voyou était probablement armé également. Non, il avait fait ce qu'il devait faire selon les circonstances, le vieil homme était encore en vie, et c'était là tout ce qui comptait. Il prit une douche brûlante qui poussa de la vapeur partout dans l'appartement. Il se versa un verre de saké, puis il s'agenouilla nu sur le parquet avec des morceaux de moxa et des aiguilles d'acupuncture. Il piqua une aiguille dans chaque morceau. Par la suite, il alluma les morceaux de moxa. Ces derniers se mirent à fumer comme de l'encens. Il planta les aiguilles sur son thorax et sur l'arrière de ses épaules, créant un cercle de fumée et de vapeur de moxa autour de sa tête. Il se concentra sur sa respiration et il se détendit. Il entra en méditation profonde et silencieuse au beau milieu d'une nuit de L.A.

Chapitre 24

Août 2012, Quartier chinois, Montréal, Canada.

— Dix dollars pour connaître votre avenir ! clamait un vieil homme chinois à l'endroit des piétons qui circulaient dans les dédales du Quartier chinois.

L'homme était assis sur une vieille chaise de bois posée sur le trottoir. Il secouait des bâtonnets dans un vase pour attirer l'attention des touristes, ce qui donnait un son ressemblant à celui d'un serpent à sonnettes secouant ses anneaux. Le devin avait installé une autre chaise et une table à côté de lui pour accommoder ceux qui désireraient savoir ce que le futur leur apporterait. La peau de l'homme était ridée et sèche, telle une momie. L'homme était accompagné d'un berger allemand qui dormait à ses pieds. Le vieil homme n'était pas loin financièrement de l'itinérance et il avait déposé un panier en osier pour recevoir les dons des passants, ceux qui ne se souciaient pas de connaître ce que le sort leur réservait. Presque en face de lui, une femme arriva en coup de vent de nulle part pour argumenter avec un agent de stationnement.

— Je suis à plus d'un mètre de la borne-fontaine ! dit Ming Mei, irritée, à l'agent de stationnement qui lui préparait un constat pour avoir stationné sa moto à moins de cinq mètres de la borne-fontaine.

— Écoutez, madame, le règlement indique clairement qu'un véhicule moteur doit être à au moins cinq mètres d'une borne-fontaine.

— Cinq mètres ! Trouve-moi une seule personne qui va se stationner à cinq mètres d'une borne dans cette ville… C'est ridicule !

— Là n'est pas la question, j'ai calculé que vous êtes à environ un mètre de la borne-fontaine.

— Précisément ! Je ne suis pas devant la borne, je suis à un mètre, ce qui est la norme ! dit Ming Mei de plus en plus contrariée par le jeune agent de stationnement.

— Si vous n'êtes pas d'accord avec le constat, vous pourrez le contester ! dit-il, visiblement insensible aux protestations véhémentes de Ming Mei.

— Parfait, tu peux être certain que je vais le contester. Il y a des limites à recueillir des taxes déguisées! dit-elle en furie.

— Je ne fais que mon travail, mademoiselle!

— Je n'ai aucun problème avec ton travail! Toutefois, j'en ai avec le manque de jugement! rétorqua-t-elle sèchement.

L'agent ne dit pas un mot, remonta dans son véhicule et il continua sa route, la laissant sur le trottoir, son constat d'infraction à la main.

— Espèce d'idiot! marmonna-t-elle en regardant sa moto stationnée, selon elle, correctement.

— Vous voulez connaître votre avenir, mademoiselle? dit une faible voix à l'arrière d'elle.

Ming Mei se retourna vers la voix et elle vit le vieil homme assis à côté de son chien.

— Non, merci! Je le connais, mon futur… C'est de payer des maudites contraventions!

Le vieil homme sourit, mais il n'ajouta pas un mot. Elle se calma et elle regarda le pauvre vieil homme plus attentivement. Soudain, elle se demanda depuis combien de temps cet homme pouvait se trouver là. Des jours, des mois, des années? Elle n'en savait rien. La plupart des gens qui circulaient devant lui ne le voyaient pas, comme s'il faisait partie du décor. Elle eut pitié de l'homme et elle sortit un billet de vingt dollars.

— Tiens, vieil homme! Je ne veux pas savoir mon avenir, mais je te donne un billet de vingt dollars pour que tu puisses manger… toi et ton compagnon, dit-elle en regardant le chien. Elle plaça le billet entre les mains du devin.

— Merci beaucoup, madame, dit-il en lui serrant la main.

C'est à ce moment qu'elle se rendit compte que le vieil homme était aveugle, remarquant subitement ses orbites blanches qui ne contenaient aucune pupille.

— De rien, bonne chance, vieil homme!

Ce dernier lui mit un morceau de papier chiffonné dans la main avec un sourire.

— Qu'est-ce que c'est?

L'homme ne répondit pas. Il souriait en continuant de brasser ses bâtonnets. Elle déplia la feuille et elle vit une annonce pour un shiai, mot japonais pour tournoi. Il s'agissait d'un tract publicitaire pour un tournoi d'arts martiaux à venir.

— Ce n'est pas vraiment mon style, vieil homme, mais je te remercie tout de même! dit-elle habitée par une étrange sensation à la vue des orbites blanches du vieil homme.

Elle mit son casque de moto, blanc comme son habit moulant. Elle enfourcha sa moto sport Benelli en baissant la visière de son casque. Un puissant son se fit entendre dans la ruelle lorsqu'elle démarra le moteur pour ensuite disparaître dans les petites rues étroites de la ville.

Chapitre 25

Août 2012, Manhattan, New York, États-Unis.

— Quoi… Allez, Namara ! Nous ne pouvons pas laisser passer une telle opportunité ! dit Guerra d'un ton enthousiaste.

— Je ne comprends pas pourquoi cela est si important pour toi… ce tournoi ! Il s'agit d'un putain de tournoi… C'est stupide ! lança Namara, qui était assis sur un banc de Central Park aux côtés de James, tout en regardant les piétons et les coureurs passer dans le parc. La journée était chaude, ensoleillée, et Danny prenait le temps de relaxer en regardant la magnifique verdure de l'immense parc.

— Eh bien… Pour commencer, c'est cent mille dollars que tu peux gagner facilement, j'en suis certain, et je trouve que c'est une occasion merveilleuse pour nous remettre en forme avec ce tournoi.

— Nous remettre en forme… Mais de quoi parles-tu, bordel… Tu ne sembles pas saisir… Tu as vu les règles ?

— Non.

— La raison est simple… C'est que tout est permis, excepté les techniques de dislocation et les techniques mortelles… Espèce de crétin !

— Et alors… Quel est ton point ?

— Quel est mon point ? Tu peux être blessé sérieusement dans ce genre de tournoi, et sûrement que certains le seront. C'est inévitable. Nous avons de l'argent, je ne vois pas l'intérêt d'aller à Tokyo pour cela. Je n'ai rien à prouver… J'ai déjà donné dans ce genre de combat. J'ai combattu, car je n'avais pas le choix, tu saisis ?

— Oui, voilà… Tu as combattu dans des combats pires que ce tournoi et tu as gagné ! Je suis certain que tu vas gagner cette cagnotte facilement ; alors, pourquoi t'en priver ?

— Je ne veux pas avoir ta mort sur la conscience, pauvre imbécile ! dit Namara en sirotant son café calmement.

— Peu importe ce que tu penses ! Je tâcherai de faire de mon mieux et je vais me débrouiller. Je vais manger des coups, c'est certain, mais je vais pouvoir visiter le Japon et aller voir les bars de danseuses habillées comme des écolières! Je ne vois pas ce que je pourrais demander de mieux, dit-il avec un large sourire.

Danny regarda James en secouant la tête sans rien dire comme s'il renonçait à lui faire entendre raison.

— C'est si important pour toi?

— Quoi… Le tournoi ou les danseuses?

— Le tournoi! rétorqua Namara en levant les yeux au ciel.

— Oui! Je ne manquerai pas cela et, en plus, tu vas leur en mettre plein la gueule à ces connards. Tu ne peux pas manquer cela non plus!

— Écoute… Tu ne m'entraîneras pas dans tes plans de fou encore une fois!

Pendant que les deux tenaient cette discussion animée sur le banc, une femme obèse passa à pied devant eux, un verre en plastique rempli de quelque chose à la main. Elle en but la dernière gorgée et elle lança le verre sur le sol en continuant son chemin.

— Pardon, madame, il y a une poubelle juste ici. Auriez-vous l'obligeance d'y jeter votre verre? demanda Guerra.

— Va chier, sale con, occupe-toi de tes affaires! rétorqua la grosse femme en lui faisant un doigt d'honneur.

Guerra devint rouge de colère à cette remarque et Namara ne put retenir un petit sourire, amusé à l'idée de voir ce qui se préparait.

— Je vous demande pardon? rétorqua sèchement Guerra.

— J'ai dit… Va chier, sale con! hurla la grosse femme.

— Va chier toi-même, grosse connasse! Pétasse! lui balança Guerra en furie.

Namara se tordait maintenant de rire sur le banc en se délectant du spectacle.

— C'est à cause des gens comme toi que la planète est en train de s'autodétruire! hurla Guerra.

— Je vais l'enfoncer dans ton derrière, mon verre, si je t'attrape! hurla-t-elle.

— Tu n'attraperais même pas un rhume avec ton derrière gros comme l'Afrique! hurla-t-il.

Namara pleurait de rire en voyant Guerra hors de lui. Plus Namara riait et plus Guerra devenait énervé. Les deux s'injurièrent de cette façon quelques minutes pour ensuite cesser. La grosse femme s'éloigna en continuant de hurler des injures.

— Je ne te savais pas si écologique, rigola Namara, les larmes aux yeux.

— Non, mais c'est vrai, quoi… Il y a tout de même des limites! Il y a une poubelle à moins d'un mètre! grogna-t-il en jetant lui-même le verre de la grosse dame dans la poubelle. Il se rassit sur le banc.

— Alors? Nous participons au shiai? insista-t-il avec un sourire.

Danny poussa un soupir en continuant de regarder les passants dans le parc.

— Je vais certainement le regretter... D'accord, je suis partant! lança Namara en buvant une autre gorgée de son café.

— Je vais pouvoir visiter Tokyo finalement!

— Ouais... Tu pourras.

Deux jolies jeunes femmes faisant de la course à pied dans le parc passèrent devant eux. Une des deux coureuses regarda rapidement Namara avec un sourire.

— Salut! dit-elle d'un souffle court en continuant sa route dans les sentiers.

— Salut, dit Namara en lui retournant son sourire.

— Ce n'est pas croyable. C'est une évidence qu'elle te veut et tu ne vas même pas la rattraper? cria Guerra en faisant semblant de s'arracher les cheveux, visiblement déconcerté.

— Non! dit-il d'un ton calme et serein en prenant une autre gorgée de café.

— Ce n'est pas croyable, je n'arrive pas à y croire! Moi, depuis que je suis dans cette ville, j'ai constamment mal au cou à force de regarder toutes les jolies femmes qui passent. Il y en a partout ici!

— Si tu n'es pas plus concentré que cela, ce n'est pas seulement au cou que tu vas avoir mal dans ce tournoi!

— Mais quel râleur tu es! OK, OK! J'ai saisi! Tu as raison! Mais tu ne m'empêcheras pas d'aller voir les danseuses nues japonaises! dit Guerra avec un sourire.

— Quand elles vont te voir, elles vont tellement avoir peur que leurs yeux ne seront plus bridés! En plus, tu as tellement grossi que ton ventre te descend jusqu'aux genoux! dit Namara avec un sourire.

— Salaud! Je n'ai pas engraissé! Tu n'es qu'un jaloux! marmonna-t-il avec un sourire aux lèvres.

Les deux se mirent à rire. Deux jeunes femmes asiatiques passèrent devant eux, leur lançant un regard amical. La vie était belle!

Chapitre 26

Quartier Shibuya, Tokyo, Japon.

Dès le début, le shiai fut un véritable cirque. De nombreux participants étaient venus des différentes régions du monde, exhibant des uniformes de couleurs variées. Certains étaient des combattants venus seuls, d'autres faisaient partie d'une école particulière. D'autres encore y venaient pour faire la promotion d'un style qu'ils avaient créé, d'autres, pour en prouver l'efficacité, et certains, pour s'autoévaluer tout simplement.

Une atmosphère de compétition et d'arrogance régnait. Tous se regardaient et tentaient de démontrer par leur attitude l'évidence de leur supériorité. Au fur et à mesure que le tournoi avançait, de plus en plus de combattants étaient éliminés. Ces perdants se dépêchaient de disparaître, humiliés de leurs défaites. Pour ceux qui restaient, plus les heures avançaient et plus l'ambiance devenait calme et respectueuse. La tension avait baissé, plusieurs faisaient connaissance et échangeaient entre eux. Tous étaient curieux de voir le dénouement de ce tournoi. La cinquième et dernière journée débutait. Les finalistes seraient annoncés par le représentant en chef de l'organisation du tournoi. Par la suite, les combats recommenceraient, et le grand gagnant serait couronné cette même journée. Cette finale était la plus attendue et les estrades étaient bondées de monde. L'ambiance était fébrile surtout à la vue du personnel médical organisant leur matériel pour s'occuper des combattants qui seraient blessés.

睚眦

— Messieurs et mesdemoiselles, voici le moment de vous présenter les combattants finalistes de ce tournoi qui se disputeront le titre de grand champion aujourd'hui, dit le responsable du tournoi dans son micro qui résonna jusqu'au fond de l'immense salle. Le premier combattant est James Guerra! Sa discipline est la boxe et le jiu-jitsu! Des applaudissements se firent entendre. Notre second combattant est Danny Namara, qui est pratiquant de Wing Chun et de Pak Mei! La foule se fit encore entendre. Notre troisième candidate se nomme Ming Mei Li, spécialiste du taï-chi. Les applaudissements suivirent. Notre quatrième candidat se nomme sensei Shinsaku Ushiyama, instructeur en kendo et en aïkido ! Notre dernière combattante et non la moindre… Kamilia Stone ! Sa discipline… Muay thaï ! hurla le présentateur pour clore sa présentation.

La foule applaudit tout en étant attentive à voir les finalistes.

— Nos deux premiers combattants seront Kamilia Stone contre James Guerra. Veuillez donc vous placer derrière vos lignes respectives ! ordonna le présentateur.

James s'avança à la limite de la surface de combat et il se plaça derrière la ligne noire collée au sol. Il tira sur son kimono blanc pour qu'il soit bien serré et prêt pour le combat quand il vit son adversaire se présenter. Une petite femme brune qui avait les cheveux attachés vers l'arrière. Elle portait un pantalon noir et une chemise chinoise noire à col mao. La chemise était sans manche arborant les bras colorés de Kamilia. Les contours de sa chemise comme les boutons chinois étaient d'un rouge vif. Il fut déconcentré par la beauté de son adversaire et par son frêle gabarit. *Il préférerait l'inviter plutôt que de se battre avec elle. Le combat serait court.* Il ne voulait pas frapper une femme, mais s'il le fallait pour gagner… Après tout, c'était elle qui s'était mise dans cette situation. *Un coup de poing direct bien envoyé devrait suffire pour la calmer.* Les deux combattants se mirent en garde et l'arbitre donna le signal pour combattre.

— *Hajime !* cria l'arbitre.

Guerra s'avança rapidement vers Kamilia, qui le scrutait de ses yeux perçants et foncés tout en se déplaçant constamment. Il lui envoya un coup de poing direct au visage qu'elle bloqua avec son avant-bras et elle lui piqua le coude d'un coup sec contre l'os de son avant-bras, provoquant une vive douleur chez Guerra qui recula légèrement en sentant l'onde de la décharge électrique qui avait remonté son bras à la suite de l'impact. La douleur le stimula et il tenta cette fois d'amener Kamilia au sol. Rapidement, il baissa sa position et il tenta de lui saisir les deux jambes pour la faire basculer vers l'arrière. À la vitesse de l'éclair, elle réagit au moment où elle sentit son adversaire lui toucher les jambes. Elle sut exactement ce qu'il tentait de faire et elle riposta en lui envoyant un coup de genou directement au visage au moment où il pensait lui faire perdre l'équilibre. Un filet de sang jaillit de la bouche de Guerra et éclaboussa la surface de combat. Il s'écroula au tapis sur le ventre, inconscient et hors de combat. L'arbitre repoussa Stone pour indiquer la fin du combat.

— La vainqueur… Kamilia Stone! cria l'arbitre.

La foule applaudit fortement et Kamilia salua son adversaire qui, toujours inanimé, était maintenant pris en charge par les médecins qui s'apprêtaient à le transporter hors de la zone de combat. Namara avait observé le combat attentivement et il secoua la tête. *Les femmes auront encore eu raison de James.* Il avait été déconcentré par sa beauté au début du combat, de ça, il en était sûr. Il avait certainement aussi sous-évalué son adversaire. Philosophiquement, il se dit que cela serait une bonne leçon pour James.

— Le second combat sera entre Kamilia Stone et Ming Mei Li. Veuillez vous placer derrière vos lignes respectives! ordonna le présentateur.

Kamilia se plaça derrière sa ligne et elle vit son adversaire arriver d'un pas léger. Du même genre de gabarit qu'elle, Ming Mei portait une chemise chinoise blanche et un pantalon en soie de couleur identique. Son uniforme flottait dans l'air comme ses longs cheveux noirs. Les deux se saluèrent.

— *Hajime!* cria l'arbitre.

Kamilia s'avança d'une cadence rapide et agressive, bien déterminée à gagner le combat aussi rapidement que le précédent. Elle lui envoya un coup de pied circulaire aux flancs, mais Ming Mei dévia le coup en suivant la direction du coup donné par Kamilia comme si elle suivait sa jambe en la collant. Vive comme l'éclair, Ming Mei fonça dans son adversaire en baissant sa position et elle lui planta l'épaule en plein centre de son thorax. L'impact fut dévastateur pour Kamilia. Ses deux pieds levèrent de terre et elle fut projetée vers l'arrière atterrissant sur le dos dans un bruit sourd.

L'arbitre repoussa Ming Mei.

— Avantage à Ming Mei! cria l'arbitre. Êtes-vous prête à continuer? demanda-t-il à Kamilia.

Kamilia fit signe que oui de la tête en se relevant pour reprendre position derrière sa ligne.

— *Hajime!* cria l'arbitre.

Kamilia fonça de nouveau sur son adversaire en lui envoyant un coup de pied dans l'intérieur de la cuisse que Ming Mei encaissa. Elle enchaîna avec un coup de poing direct au visage que Ming Mei dévia en balayant ses deux bras vers le haut pour bloquer le coup. Ming Mei profita de cette ouverture pour se rapprocher de son adversaire. Rendue à seulement quelques centimètres, Ming Mei lui envoya un coup de coude qu'elle dirigea du bas vers le haut, frappant Kamilia directement en dessous de la mâchoire provoquant presque une perte de conscience immédiate chez son adversaire. Ming Mei poursuivit son mouvement en redescendant son bras vers le bas qui prit la forme d'un tranchant de la main pour percuter le deltoïde de Kamilia, directement entre le cou et l'épaule. La puissance du coup fut si forte que Kamilia fut inondée d'une douleur insupportable qui lui fit fléchir les genoux comme si une tonne de pierres lui était tombée sur les épaules. Ming Mei recula légèrement et elle frappa de nouveau Kamilia d'une forte poussée avec ses deux paumes contre le thorax projetant cette dernière de plusieurs mètres vers l'arrière. Kamilia s'écroula de douleur au sol à demi consciente. L'arbitre repoussa Ming Mei et, voyant l'état de Kamilia, ne put que conclure qu'elle n'était plus apte à combattre. Il déclara donc Ming Mei vainqueur.

— La vainqueur est Ming Mei! cria l'arbitre, ce qui entraîna les applaudissements des spectateurs. Ming Mei salua Kamilia et elle sortit de la surface d'un pas léger.

睡眦

Maki observait lui aussi les combats attentivement, bien assis dans la foule. Depuis le début du tournoi, il était à l'affût de nouvelles recrues. Il avait observé minutieusement chaque combattant, de leur attitude jusqu'à leur façon de combattre. Maki savait spécifiquement ce qu'il cherchait — les guerriers les plus aptes à devenir de bons assassins, voire les plus impitoyables des concurrents en présence. En tant que ninja, Maki avait été désigné par sa confrérie pour recruter des guerriers au potentiel suffisant pour devenir eux-mêmes des ninjas et recevoir les connaissances secrètes et ancestrales de son clan. Il avait l'œil pour repérer les guerriers qui avaient suffisamment l'âme noire ainsi qu'un potentiel de violence nécessaire pour devenir des combattants redoutables.

Il avait repéré des candidats de ce calibre dès le début du concours, seulement à les regarder déambuler. Puis, il les avait observés combattre pour voir s'il avait vu juste. De toute évidence, il avait le talent pour flairer un ninja, car ses choix du début étaient les finalistes du tournoi.

Il voyait la chose sous un angle bien particulier. Leur violence et leurs talents combinés aux connaissances et habiletés d'un ninja, en feraient de véritables machines de combat. Ils correspondaient exactement aux objectifs établis par le clan. Maki était un Japonais froid, sans aucune pitié. L'unique chose qu'il respectait était la famille ninja à laquelle il appartenait et pour laquelle il serait prêt à mourir pour préserver sa survie. Chez lui, aucun sens moral ni émotion. Il pouvait tuer sans même cligner de l'œil, chose qu'il avait faite à plusieurs reprises. Il avait beaucoup réfléchi au cours des derniers jours et le combattant qui l'avait le plus impressionné avait été Danny Namara.

Maki avait de la difficulté à le cerner, mais il avait remarqué dès le début que ce dernier était différent des autres. Il y avait quelque chose de particulier en lui qu'il ne pouvait expliquer. Il n'était pas le combattant le plus aguerri ni le plus agile, mais il avait le comportement d'un véritable prédateur. Il emportait son adversaire sur son propre territoire tel un dragon traînant une proie dans sa caverne pour la brûler vivante. Maki savait qu'il avait déjà remporté le combat avant même qu'il n'ait débuté. Oui, il y avait quelque chose de particulier avec ce type-là. Quelque chose.

Le type de salut que Namara faisait lors des combats lui en dit un peu plus sur lui. Le salut martial consistait généralement à fermer le poing droit et à mettre la main gauche ouverte au-dessus. Cela symbolisait la paix et la guerre ou le yin et le yang, bref l'équilibre en quelque sorte. Plusieurs symboliques pouvaient se trouver sous le type de salut d'un combattant. Maki avait vite remarqué que Namara inversait le salut traditionnel en fermant le poing gauche au lieu du droit et en apposant la main droite ouverte au-dessus de son poing. Le salut de Namara était celui du Pak Mei. Maki savait que le Pak Mei était un style obscur et secret des arts martiaux chinois, c'est-à-dire l'équivalent chinois de ce qu'était le ninjutsu pour les Japonais. Il savait peu de chose sur le Pak Mei, mis à part sa réputation légendaire. Il avait cru ce style disparu depuis des années. Il fut étonné de voir l'efficacité et l'agressivité de cet art.

Pour avoir pu étudier ce style controversé, Namara devait sans aucun doute avoir de bonnes raisons pour y avoir d'abord eu accès. Pour cette raison même, il avait été le premier choix de Maki dès le début du tournoi. Il avait vu tous les combats de Namara avec fascination et n'avait aucun doute qu'il remporterait le tournoi. Satisfait de son flair, il ajusta son nœud de cravate et il se concentra sur la suite des combats qui reprendraient sous peu.

Chapitre 27

— *Hajime!* cria l'arbitre.

Ming Mei avança vers Shinsaku pour lui donner un coup de paume au visage, mais ce dernier suivit le mouvement du bras en lui saisissant le poignet solidement. Soudain, il fit un demi-tour abrupt pour lui ramener le bras vers elle en tournant. La torsion de son bras fut telle, que Ming Mei fut projetée dans les airs en faisant une vrille avant de retomber au sol. Il tenait toujours le bras de Ming Mei tendu, prêt à le casser. Il lâcha son bras, mais il lui asséna un coup de pied au visage. L'arbitre repoussa Shinsaku, qui retourna à sa ligne en faisant flotter son hakama.

— Êtes-vous prêt à continuer ? demanda l'arbitre à Ming Mei.

— Oui, oui ! dit-elle en se relevant en essuyant le sang de sa lèvre fendue.

— *Hajime!* cria l'arbitre.

Shinsaku s'avança pour lui asséner un coup au thorax afin de la faire chuter, mais son adversaire bloqua son coup par l'extérieur, se baissa et elle lui asséna un coup de poing dans les parties génitales en remontant. Avec le même poing, elle remonta d'un coup sec sous son menton en même temps qu'elle lui donnait un coup de genou à nouveau dans les parties génitales. Les deux coups furent portés en même temps et il perdit connaissance. Elle plaça sa jambe derrière Shinsaku et d'un coup sec lui faucha les jambes pour le faire tomber au sol. Il s'écroula sur le dos, inerte. L'arbitre repoussa Ming Mei.

— La vainqueur… Ming Mei ! hurla l'arbitre.

Namara savait maintenant qui serait son adversaire. Il avait vu Ming Mei combattre et elle était d'une efficacité redoutable. La finesse de ses techniques trompait ses adversaires. Elle se collait à eux et elle les amenait dans son propre terrain où elle les achevait. Il avait prévu de lui tendre un piège. Il commença à s'échauffer en attendant que le présentateur annonce le combat final. Vêtu de sa chemise chinoise noire à col mao et d'un pantalon noir, il restait calme et impassible, gardant ses énergies pour le combat.

— Mesdames et messieurs, voici le moment du combat final. Le titre de champion se disputera entre Danny Namara et Ming Mei Li. Veuillez prendre position ! ordonna le présentateur.

Danny s'avança calmement derrière sa ligne en remontant légèrement les manches de sa chemise.

— Saluez votre adversaire ! cria l'arbitre.

Les deux se saluèrent et ils se mirent en garde.

— *Hajime !* cria l'arbitre.

Namara savait que Ming Mei collait ses adversaires pour sentir leurs mouvements alors il lui envoya un coup direct qu'elle bloqua en le saisissant comme il l'avait prévu. Il poussa légèrement vers l'avant comme s'il voulait continuer son mouvement. Rapidement, il brisa le mouvement en explosant à la vitesse de l'éclair, ce qu'elle n'avait pas prévu. Elle perdit le contact du bras de Namara qu'il retira d'un coup sec. Il tourna son bassin vers Ming Mei en même temps qu'il lui asséna un coup de poing direct sous la mâchoire. Il expira fortement en même temps que le coup fut porté, ce qui rendit l'impact foudroyant. La tête de Ming Mei fut projetée vers l'arrière et elle s'évanouit sur le coup. Ses pieds levèrent du sol et elle s'écroula de tout son poids. Le combat n'avait duré que quelques secondes. L'arbitre repoussa Namara, qui salua son adversaire.

— Le vainqueur et le grand gagnant… Danny Namara ! hurla l'arbitre.

La foule se mit à applaudir. Le présentateur lui offrit un chèque au montant de cent mille dollars. Plusieurs prirent des photos avec le champion pour officialiser l'événement et le tournoi se termina.

睡眦

— Tu vas faire quoi de tout cet argent ? demanda Guerra, qui fumait un cigarillo, assis près de la fenêtre de la chambre d'hôtel offrant une vue impressionnante du quartier Shibuya avec ses milliers de lumières et de néons qui brillaient dans la nuit.

— Je ne sais pas… Le placer pour les jours difficiles sans doute, dit Namara en avalant une bouchée de nouilles, son repas qu'il dégustait bien assis dans un fauteuil de la chambre.

— Ouais, je ferais pareil. Nous ne savons jamais avec notre travail… S'en mettre de côté, c'est toujours une bonne chose, dit-il en prenant une bouffée de son cigare tout en regardant la vue de Tokyo du haut du vingt-huitième étage de leur chambre.

Guerra avait des ecchymoses à la joue, un œil au beurre noir ainsi que le nez amoché. Heureusement, il n'avait pas de fracture, mais il s'en était fallu de peu. Après avoir repris connaissance à la suite du combat, il se rappela graduellement ce qui lui était arrivé. Il avait saigné du nez longuement, mais, en fin de compte, il s'estimait heureux de s'en être sorti qu'avec des contusions au visage.

— Ton visage te fait mal? demanda Namara.

— Non, ça va. Un peu sensible, mais j'ai vu pire!

— Elle était jolie, n'est-ce pas? dit Namara avec un brin de sarcasme entre deux bouchées.

— Ouais, c'est certain! Mais elle a eu de la chance, cette garce! marmonna-t-il.

— Ne sois pas si mauvais perdant… Tu t'es bien débrouillé.

— Je te l'avais bien dit, que je m'en sortirais.

— Ouais, dit Namara, la bouche pleine.

— Tu penses quoi des autres finalistes?

— De bons combattants dans leur discipline.

— Oui, la Chinoise au taï-chi était surprenante. Moi qui pensais que le taï-chi n'était qu'un art de relaxation pour les vieillards!

— Et bien, comme tu vois… Tu avais tort! Le Japonais est bon également, mais ses points faibles ont eu raison de lui. Je me demande si sa progéniture n'en sera pas affectée. Il doit avoir les couilles enflées comme des ballons de plage!

— S'il lui en reste encore! rigola Guerra.

— Sérieusement… Shinsaku et Kamilia étaient désavantagés pour cette compétition. Donne un sabre à Shinsaku et un couteau à Stone…

— Eh bien… Même chose pour moi, donne-moi une arme à feu!

— Je sais! Tu es le meilleur tireur que j'ai rencontré! dit Namara.

— Je n'ai jamais vu autant de lumières! Nous pourrions croire que nous sommes dans un autre univers! dit Guerra en fixant l'extérieur.

Pendant que les deux discutaient, ils virent une enveloppe glisser sous la porte silencieusement sur le plancher de leur chambre. Ils se regardèrent quelques secondes et Guerra se précipita vers la porte qu'il entrouvrit d'un geste brusque pour voir le livreur du colis. Il n'y avait personne dans le long corridor de l'hôtel.

— Mais qu'est-ce que… lança Guerra en regardant de chaque côté de la porte.

Il referma la porte de la chambre et ramassa l'enveloppe. Il l'ouvrit sous le regard intrigué de Namara et il se mit à lire le carton inséré dans l'enveloppe en silence.

— Qu'est-ce que cela dit? demanda Namara d'un air intrigué.

— Imagine-toi donc que nous avons été choisis pour recevoir un entraînement «particulier et ancestral». Ce carton est en fait une invitation!

— De quel genre d'entraînement est-il question ? demanda Namara en buvant une gorgée de thé.

— Aucune idée. Rien n'est mentionné. Uniquement une adresse où se rendre demain à 20 h, si nous sommes intéressés, et le nom d'un certain Maki !

— D'accord.

— Tu en penses quoi ?

— Je pense que je suis curieux même si la curiosité est un vilain défaut !

Chapitre 28

L'adresse écrite sur le carton correspondait à un petit restaurant situé au cœur du quartier Shibuya dans une rue secondaire. Namara et Guerra firent le trajet à pied à partir de leur hôtel en se fondant dans la masse de gens qui circulait au cœur du quartier des mille lumières. Ils bifurquèrent vers une ruelle minuscule dans laquelle on pouvait circuler seulement deux de front à la fois. La ruelle était éclairée par des lampadaires blancs surélevés que l'on retrouvait à chaque deux cents mètres. Le numéro en question se trouvait sur un petit restaurant comportant une énorme porte en bois. Namara la tira et ils entrèrent dans le restaurant à l'éclairage tamisé. Une hôtesse les accueillit avec un sourire.

— C'est pour deux personnes?

— Euhhh… À vrai dire nous sommes attendus à une table… Au nom de Maki! dit Guerra.

— D'accord… Suivez-moi.

L'hôtesse les conduisit à l'arrière du restaurant vers une salle à manger privée, fermée par des paravents en papier. Une table se trouvait au centre de la pièce, faiblement éclairée. Namara fut stupéfait de constater que tous les finalistes du tournoi étaient présents à cette table. Il ne manquait qu'eux pour compléter l'équipe. Au bout de la table se trouvait un petit Japonais aux yeux noirs qui les scruta alors qu'ils pénétraient dans la pièce.

— Bienvenue, messieurs, je suis heureux que vous ayez accepté l'invitation. Asseyez-vous, je vous prie. Je me nomme Maki!

James et Danny s'agenouillèrent à la table comme les autres qui les regardaient en silence.

— Je crois que tout le monde est là. Nous pouvons commencer! dit Maki. Bienvenue à tous, et merci d'avoir répondu à mon invitation. Vous êtes ici, car vous avez été choisis parmi tous les concurrents pour recevoir un entraînement spécifique à notre clan. C'est un grand honneur pour moi d'être en compagnie d'artistes martiaux de votre calibre et un privilège pour notre famille de vous léguer notre patrimoine ancestral si vous êtes intéressés! dit Maki sur un ton calme et mesuré.

— De quel entraînement s'agit-il ? demanda Kamilia.

— Il s'agit d'un entraînement qui existe depuis la nuit des temps dans notre pays et qui est resté secret. Notre réputation est légendaire et nos accomplissements sont historiques. Si vous acceptez notre invitation, mes chers frères et sœurs d'arme, vous deviendrez les meilleurs assassins et espions que notre monde connaîtra. Vous deviendrez autre chose… Vous deviendrez des ninjas !

— Pourquoi nous ? demanda Shinsaku en regardant Maki de ses yeux sombres.

— Notre famille reste dans l'ombre, ce qui est propre aux ninjas. Nous existons depuis des centaines d'années et nous avons survécu jusqu'à maintenant, bien que la plupart des Japonais croient que les vrais ninjas ne sont que vestige du passé. Nos exploits sont entrés dans le folklore populaire et la plupart en sont venus à croire que les vrais ninjas ne sont que fiction. Il n'en est rien ! Nous avons participé à mystifier notre existence réelle en ouvrant des dojos de ninjutsu, ce qui a laissé croire au monde que ce qui restait des ninjas était en fait quelques techniques martiales enseignées dans des écoles d'autodéfense. Le ninjutsu est plus qu'un simple art martial, il est l'entraînement d'un assassin insaisissable de l'ombre, une doctrine, un ordre, une entreprise dont le produit est la mort. Nous sommes des marchands de mort et la demande pour ce marché est grandissante. Nous observons, nous régnons en silence et nous devons trouver une relève digne de recevoir les connaissances de notre confrérie pour que cette dernière continue de survivre et de traverser les époques comme nous l'avons fait jusqu'à maintenant. Notre clan a posé le regard sur vous !

Tous restaient silencieux et se regardaient, ne sachant trop quoi penser.

— Vous n'avez pas répondu à la question… Pourquoi nous ? dit Ming Mei.

— Vous êtes agiles, agressifs et doués martialement. Avec le savoir-faire nécessaire, vous serez des assassins efficaces.

— Et quelle est l'implication pour nous ? Faut-il nous joindre à votre clan ? demanda Namara.

— Non, il n'y a aucune obligation envers nous et cela ne vous lie à rien. Notre offre n'exige rien de votre part. Notre but est de transmettre notre savoir afin qu'il ne disparaisse pas et que les ninjas survivent dans le monde entier… D'un continent à l'autre. Nous jugeons que vous correspondez à ce qu'un ninja doit être dans notre époque actuelle. Les temps changent tout comme les ninjas ! L'adaptabilité est notre force !

— Et à quoi ressemble l'entraînement ? demanda Guerra.

— Ne vous y méprenez pas… Vous serez mis à dure épreuve ! Vous devrez faire preuve de débrouillardise et d'endurance. Vous devrez apprendre à vous entraider pour survivre, confronter vos peurs et les vaincre pour semer la terreur dans le cœur de votre ennemi. Vous devrez regarder la mort en face et lui rire au visage. Vous apprendrez à défier les règles de la physique et à devenir des maîtres de l'illusion en manipulant les éléments qui vous entourent. Nous vous enseignerons ce savoir-faire.

Tous réfléchissaient et se demandaient ce que cela cachait. Maki avait su les intriguer et les charmer.

— Le prix ? demanda Ming Mei.

— Nous ne vous demandons aucun argent. La seule chose que nous vous demandons, c'est de nous faire honneur !

— Si jamais nous sommes intéressés… Nous commencerions à quel moment ?

— Dès demain ! dit Maki.

Chapitre 29

Maki, suivi de ses futures recrues, s'arrêta devant un immense immeuble moderne, haut de vingt étages. L'immeuble était recouvert de mur-rideau. Le hall d'entrée de marbre blanc était désert. Maki entra un code sur un clavier à la réception, ce qui lui permit d'ouvrir les immenses portes vitrées et d'accéder à l'intérieur.

— Quel est cet endroit? demanda Shinsaku.

— Cet immeuble nous appartient au complet. Il est complètement vide et aménagé spécifiquement pour l'entraînement. Il comporte vingt étages et un stationnement souterrain qui comporte cinq étages dans lequel vous pourrez vous exercer à conduire. C'est ici que vous vivrez et dormirez en permanence à moins que je n'en décide autrement. Vous resterez au dix-septième étage. Prenons l'ascenseur, vous pourrez déposer vos effets personnels.

— Dis donc! Je ne savais pas que les ninjas étaient si prospères. Nous sommes loin des hommes cagoulés vivant dans les montagnes! murmura Guerra à Namara.

— Les ninjas s'adaptent à leur environnement, monsieur Guerra! rétorqua Maki qui avait entendu le commentaire de James. La société actuelle vit maintenant en majorité dans un milieu urbain alors nous devons nous infiltrer dans tous les environnements pour être efficaces. Les défis modernes pour les ninjas sont d'autant plus considérables et complexes. Néanmoins, ils sont nécessaires… Vous le constaterez bientôt vous-même!

— J'imagine! rétorqua Guerra.

Arrivés au dix-septième, ils entrèrent dans une immense pièce complètement vide et dépouillée à l'exception d'une table qui était située en plein centre et de matelas qui jonchaient le sol.

— Voici l'endroit où vous resterez. Les salles de bain et les douches sont à l'extrémité de la pièce, dit Maki en pointant du doigt le fond de cette dernière.

L'endroit avait probablement été conçu pour servir de lieu de réunion avec ses fenêtres panoramiques qui entouraient l'immense espace.

Quelques lumières au néon illuminaient l'endroit. Tous déposèrent leurs sacs et ils se regardèrent en se rendant compte qu'ils allaient passer les prochaines semaines ensemble. Ils n'auraient autre choix que d'apprendre à se connaître.

睚眦

Ils étaient enfermés dans cet immeuble depuis quelques semaines et la tension qui existait entre eux au départ avait disparu au bout de quelques jours. Ils dormaient, mangeaient et vivaient ensemble, ce qui avait aidé à créer de solides liens entre eux. Ils avaient tous appris à se connaître plus intimement lors de nombreuses discussions qu'ils avaient eues en soirée, n'ayant rien de mieux à faire. Une ambiance de camaraderie et de respect s'était développée entre eux. Maki avait passé les dernières semaines à leur enseigner le fonctionnement de tous les types d'appareils électroniques de détection et la façon de les neutraliser. Le groupe avait appris à s'infiltrer subrepticement là où se trouvaient des systèmes sophistiqués de caméras, d'alarme, de détection de mouvements et de radiation thermique.

Il leur apprenait comment pirater n'importe quel réseau informatique. Il leur avait expliqué que peu importe la technologie utilisée et, quel que soit son niveau de sophistication, il existe toujours une faille. Un jour que Maki faisait une présentation sur les explosifs et sur leur mode d'utilisation, James s'était assoupi dans sa chaise tout au fond de la salle. Maki, visiblement contrarié, lui avait lancé une bille directement sous sa chaise. La bille, au contact du plancher, fit un puissant bruit d'explosion qui retentit partout dans la salle. James se réveilla en sursaut et il bascula en bas de sa chaise, cherchant dans toutes les directions d'où provenait l'attaque.

— Quoi! Qu'est-ce qui se passe! dit Guerra en se relevant.

— Je m'excuse d'avoir interrompu votre sommeil, monsieur Guerra, mais je juge que cette partie est particulièrement pertinente! lança sèchement Maki.

Guerra se redressa alors que tous rigolaient en le regardant.

— Je crois que tu as sali tes sous-vêtements, James. À ta place, j'irais les changer, nous allons t'attendre! lui souffla Ming Mei.

— Ouais, c'est cela! De toute manière, on s'en fiche, car c'est ta petite culotte en dentelle que je t'ai empruntée!

Tout le groupe se mit à rire à la suite du commentaire de James qui se rassit calmement.

— D'accord, trop de détails! dit Kamilia.

— Un peu de sérieux, s'il vous plaît ! lança Maki d'un ton contrarié.

— Si tu portes la petite culotte de Ming Mei, elle n'aura plus un élastique qui va tenir quand tu vas lui retourner ! chuchota Namara à Guerra.

— Elle va se retrouver avec un parachute rond aux couleurs et aux odeurs des savanes ! chuchota Guerra en retour.

Namara et Guerra se tordirent de rire en essayant de ne pas se faire entendre, mais, de toute évidence, tout le monde avait entendu, car tous avaient le sourire aux lèvres, sauf Maki.

— Très bien, monsieur Guerra. Comme vous semblez être au-dessus de vos affaires, alors vous nous ferez l'obligeance de bien vouloir poursuivre cet enseignement à l'avant. Avancez-vous !

Guerra s'avança tranquillement à l'avant en soutenant le regard de Maki. Ce dernier lui lança une boule de matière plastique blanche qui avait la texture de la pâte à modeler.

— Vous nous ferez bien l'obligeance de nous expliquer en quoi consiste cette matière, non ? demanda Maki d'un air arrogant.

— Si tu y tiens… Il s'agit d'un explosif militaire communément appelé le C-4. Vous pouvez le manipuler facilement de par sa nature stable. Aucun danger d'explosion à moins que vous y mettiez un détonateur. Il est à l'épreuve de l'eau. Sa facilité d'utilisation, sa malléabilité et sa puissance en font un explosif de choix pour les terroristes, les militaires, les groupes tactiques d'intervention pour la police.

Au même moment où Guerra faisait son exposé avec un apparent manque d'intérêt, il scrutait les boîtes remplies d'objets hétéroclites que Maki avait apportées dans la pièce. Son choix se porta sur un petit objet qu'il mit dans le creux de sa main. Son regard se posa ensuite sur Shinsaku, plus précisément sur le stylo qu'il tenait à la main. Il lui fit signe de le lui remettre. D'un geste brusque, Shinsaku lui lança l'objet. Guerra entreprit de dévisser le capuchon du stylo.

— Il peut s'utiliser dans plusieurs types de contextes et pour différents types de bombes. Par exemple, une petite quantité de C-4 de la grosseur d'une tête d'épingle dans ce stylo, combiné à un détonateur activant la charge vous permet d'avoir un stylo-bombe en quelques secondes pouvant pulvériser à peu près tout ce qu'il y a dans cette pièce, voire dans les pièces voisines !

Au même moment où Guerra donnait ses explications, il était en train de construire un véritable crayon-bombe constitué d'un mécanisme d'enclenchement, d'une charge explosive et d'un détonateur comme s'il faisait une tâche aussi banale que faire sa lessive. La tension s'installa dans la pièce.

— Bon. Ici, vous avez maintenant un magnifique stylo-bombe fonctionnel. Pour l'activer, il suffit de peser une fois sur le capuchon. Pour le désamorcer, on pèse deux fois. Vous conviendrez que, la beauté de cette bombe, c'est sa simplicité, non ?

À la stupéfaction générale, Guerra pesa subitement sur le capuchon et lança simultanément le crayon en direction de Maki. Un silence de mort régnait maintenant dans la salle alors que Maki attrapait le crayon au vol avec sa main.

— Tu es malade ou quoi James ! lança Ming Mei.

— Tu as cinq secondes pour désamorcer autrement nous allons finir pulvérisés dans quatre, trois, deux…

Maki appuya deux coups secs sur le bouchon, ce qui désamorça l'explosif immédiatement. Guerra avait marqué son point.

Le cœur de Maki battait à tout rompre. Guerra prit une mince brindille de couleur métallique, longue de quelques centimètres à peine. Il se dirigea comme pour retourner à sa place ; arrivé devant Kamilia, il lança la petite brindille dans le verre d'eau qui se trouvait devant elle. À l'instant où l'objet entra en contact avec l'eau, celle-ci se mit à bouillir instantanément et elle s'enflamma, comme s'il se fut agi d'un contenant d'essence où on aurait jeté une allumette.

— Ceci est du potassium pur. Ce métal réagit fortement lorsqu'il entre en contact avec l'eau, ce qui le rend très dangereux à l'état pur. La morale de cette histoire : tout peut servir d'explosif si nous avons les connaissances et le savoir-faire requis. Un élément à première vue insignifiant, s'il est mélangé avec un autre élément tout aussi insignifiant, peut devenir un puissant explosif. Cela sera tout pour aujourd'hui ! dit Guerra en retournant à l'arrière de la salle.

— Espèce d'imbécile ! hurla Stone qui s'était levée de sa chaise en voyant les flammes liquides qui s'étaient répandues en dehors de son verre et qui l'avaient quasiment éclaboussée.

— Très bien, monsieur Guerra, bel exposé ! J'ai saisi votre point. Je vois bien que vous n'avez pas passé la majorité de votre temps à faire de la boxe !

Maki était stupéfait devant l'exposé de Guerra. De toute évidence, ce dernier avait des connaissances en matière d'explosifs, ce que Maki ignorait et ce qui le rendait encore plus dangereux à ses yeux. Il n'osait pas demander où il avait acquis de telles connaissances, car l'élève n'aurait sûrement pas accepté de dévoiler son passé si facilement. Il n'avait pas besoin de réponses de la bouche de Guerra en réalité. Il avait déjà une bonne idée de ce qu'il avait pu être dans son autre vie. Tout ce qui changeait aux yeux de Maki, c'était qu'il devenait plus intéressant et plus dangereux aussi. *Un homme, qui a des secrets et qui sait bien les dissimuler comme Guerra l'a fait, est toujours un homme qu'il faut redouter.* Maki reprit son exposé.

Chapitre 30

L'entraînement du groupe prit soudainement une tournure *temps réel*. Maki, qui leur avait transmis beaucoup de connaissances techniques et théoriques, décida qu'il était temps de faire d'eux de véritables ninjas. En pleine nuit, il leur donna l'ordre d'escalader l'édifice vitré. Le groupe n'était équipé que de chaussures d'escalade munies d'antidérapants et d'un sachet de poudre de talc pour se sécher les mains et y éviter la sueur. Ils n'avaient aucune corde pour les retenir, car aucune ne pouvait être attachée à cette paroi absolument lisse. La seule façon d'escalader cette façade était de s'aider avec les minces cadrages d'aluminium qui séparaient les fenêtres entre elles.

Maki leur avait bien expliqué qu'il ne fallait pas forcer avec les bras, mais bien avec les jambes. Autrement, ils deviendraient vite épuisés et cette ascension serait leur tombeau. Aucun membre du groupe ne parla. Chacun se concentrait sur ce qu'il devait faire, réalisant froidement qu'une petite erreur de leur part signifierait la mort. Tous habillés de noirs, ils se mirent à grimper en silence comme des araignées. Leur ascension était lente et silencieuse. Chaque mouvement devait être aussi agile que précis.

Namara avait maintenant escaladé huit étages quand il commença à sentir la sensation de vertige s'installer en lui. À cette hauteur, une chute était mortelle. Il se ferma les yeux en se plaquant contre le verre pour se calmer. Il sentait son souffle court sur la vitre et des gouttelettes de sueur perler le long de ses tempes. *C'était en fait un combat contre lui-même qu'il livrait et il ne devait plus penser à la chute, mais seulement à grimper davantage, un pas à la fois.* Il pouvait voir les lumières de la ville se refléter dans les vitres de l'immeuble rendant l'expérience encore plus étrange. Un léger vent d'altitude semblait souffler et danser autour de lui comme une invitation au plongeon fatal. En plus du vent se joignaient les bruits de la rue, sirènes, klaxons et véhicules. Une vraie symphonie macabre. Dans un effort mental inouï, Namara réussit à se concentrer sur sa respiration et il ne pensa plus à rien d'autre. Son cœur se mit à battre moins fort et il sentit qu'il reprenait le contrôle de lui-même. Guerra le suivait de quelques mètres derrière lui. Namara l'entendit crier :

— Oh, merde !

Il tenta de voir ce qui se passait en dessous de lui, mais cela lui était difficile étant donné qu'il devait rester collé contre la paroi le plus près possible, les pieds posés sur le rebord, large de trois centimètres.

— Quoi ! Qu'est-ce qu'il y a, James !

— Je vais tomber, bordel !

Du coin de l'œil, Namara crut voir que Guerra avait perdu pied et qu'il avait chuté d'un étage. Il semblait se tenir à un des rebords de fenêtre des deux mains, les bras tendus et les pieds se balançant dans le vide.

— Oh ! Merde ! Accroche-toi ! cria Namara, se rendant compte de sa totale impuissance à aider son ami.

Une tentative ratée de Namara se traduirait par une mort certaine pour les deux. Il se prépara à entendre le cri de mort d'un grimpeur en chute libre. Mais rien ne se passa. Toujours du coin de l'œil, il lui sembla discerner Guerra se tirant avec les mains. De toute apparence, il s'était trouvé un appui pour les pieds. Il se colla à la vitre, haletant.

— Ça va aller ! entendit Namara

— Tu peux continuer ?

— J'ai un autre choix ?

Il resta immobile à regarder Guerra. Après environ une minute, Namara le vit recommencer à grimper et cela lui donna du courage également pour continuer son ascension. Namara prit une profonde inspiration, s'étira pour agripper un rebord et il se tira avec ses pieds comme une araignée ayant maintenant comme unique but d'atteindre le sommet. Sa vie en dépendait. Il leva la tête et il vit l'immensité du mur de verre au-dessus de lui. Trois ombres noires bougeaient en haut de lui. *Stone, Ming Mei et Shinsaku s'en sortaient bien.* Un léger coup de vent se mit à tournoyer autour de lui.

— Tout cela n'est qu'un test ! Si je me suis rendu à huit étages, se rendre à vingt n'est pas plus difficile, marmonna Namara.

Il continua ses manœuvres silencieuses dans la nuit en écoutant la ville qui lui chantait des incantations, échos de la vie qui se déroulait sous ses pieds.

Maki les attendait sur le toit. Le dernier à atteindre le toit fut Guerra, qui resta couché sur le sol, complètement épuisé.

— Félicitations à tous. Heureuse de voir que nous avons tous atteint le sommet ! dit Stone qui avait encore le souffle haletant.

— Oui, en effet… Félicitations ! Cette ascension était un test et vous l'avez réussi. Vous avez accompli le plus difficile en cette nuit et vous êtes en vie. Que cette ascension soit un gage de confiance en vous-même. Vous pouvez grimper ce que vous désirez maintenant. Vous savez que rien ne peut vous en empêcher. Éliminez la peur et vous serez indestructibles! dit Maki d'un ton calme.

— Je suis affamée! Et si nous descendions pour manger un peu? demanda Ming Mei.

— Bonne idée! rétorqua Namara. Je meurs de faim également!

睡眦

— Mais, enfant de putain de merde, qu'est-ce que…, cria Namara en se dirigeant vers la salle de bain en crachant dans sa main.

Tous riaient aux éclats, l'ayant vu avaler par mégarde une grosse cuillerée de wasabi que Shinsaku avait dissimulé dans son assiette.

— Je vais mourir! cria Namara tout en avalant de l'eau dans la salle de bain à quelques mètres de la table où tous mangeaient.

Guerra, qui riait aux éclats, frappa la main de Shinsaku pour le féliciter de son coup réussi.

— Je suis bien content… Il n'est pas facile à attraper, mais nous l'avons finalement eu! dit en riant Guerra.

— Vous ne perdez rien pour attendre! répondit la victime en buvant sans s'arrêter. Ce truc brûle comme du feu!

Ce geste de camaraderie était, pour eux, une façon d'éliminer le terrible stress qu'ils venaient de vivre. Tous savaient qu'ils avaient vu la mort de près en cette nuit. Ces épreuves faisaient en sorte qu'ils devenaient de plus en plus unis comme groupe.

— Vous n'êtes pas corrects. C'est infect, le wasabi, intervint Kamilia. Tu veux appeler les pompiers? cria-t-elle à Namara.

— Très drôle! rétorqua Namara.

Kamilia prit une gorgée de café qu'elle recracha tout de suite.

— Dégoûtant! Vous avez mis quoi dans mon café, bande d'idiots! cria-t-elle en s'essuyant la bouche.

Tous se mirent à rire à nouveau. En remplissant de wasabi l'assiette de Namara, Shinsaku avait cru bon de mettre une bonne poignée de sel dans le café de Stone. Guerra jubilait.

— Rien. Pourquoi? demanda Shinsaku avec un air insouciant.

— Toi, tu ne perds rien pour attendre! rétorqua-t-elle.

— Sérieusement, je crois qu'il est temps de prendre un peu de repos. Je suis certain que Maki nous prépare d'autres trucs aussi tordus alors nous ferions mieux de dormir quelques heures, dit Guerra.

— Oui, je suis d'accord, dit Ming Mei, qui se leva, de table.

Chapitre 31

L'intensité de leur entraînement se continua comme l'avait craint le groupe. Maki les mit à l'épreuve dès le lendemain en les faisant s'infiltrer et ramper dans les bouches d'aération de l'immeuble. À tour de rôle, il les faisait entrer dans les canalisations qui n'offraient d'espace que pour une seule personne et encore. Le tout devait se faire en silence et le travail de Maki consistait à courir dans l'immeuble pour suivre le membre du groupe qui rampait dans les bouches d'aération. Au moindre bruit, Maki forçait le fautif à recommencer. Maki alternait les scénarios. Quelquefois, il prenait les membres individuellement et d'autre fois, ils devaient travailler en groupe. La répétition de cet entraînement était une tâche épuisante, mais il leur précisait :

— Si je suis l'ennemi et que je suis capable de vous repérer, cela veut dire la mort pour vous ! Vous devez être silencieux, imperceptible et invisible. Vous recommencerez tant que vous n'en serez pas capable !

Lorsque le groupe atteignit son standard d'efficacité dans les tuyaux d'aération, Maki passa à une autre facette de l'entraînement. Une fois dans l'immeuble, il leur fallait composer avec les ombres et les lumières ambiantes pour éviter de se faire détecter. Encore une fois, Maki tentait au maximum de les démasquer. Après les ombres, il passa aux caméras de surveillances, au forçage de serrures de tous types, au piratage informatique, au vol d'automobiles, à la filature et à la contre-filature dans les rues de Tokyo. Il leur apprit à comprendre les systèmes électriques et les modifier, et ainsi de suite. Tout était mis en pratique et testé sans relâche par Maki jusqu'à tant qu'ils atteignent un niveau acceptable à ses yeux. Certains se débrouillaient mieux dans certaines sphères que d'autres. Chacun s'entraidait pour que le groupe soit le plus efficace possible même si la tâche était complexe à quelques occasions.

— Tu dois joindre le fil rouge au jaune pour court-circuiter l'ascenseur et l'arrêter de descendre ! dit Guerra.

— Je sais, je sais ! Une seconde ! rétorqua Ming Mei qui jouait avec concentration dans le boîtier de l'ascenseur qui descendait doucement avec Guerra et Shinsaku qui la regardaient à l'œuvre.

Une étincelle et un bruit de décharge électrique se fit entendre et l'ascenseur bloqua tellement brusquement que les trois passagers furent projetés au sol. Les lumières de l'ascenseur s'étaient coupées également, laissant les trois acolytes dans l'obscurité totale d'un ascenseur immobile à plusieurs mètres du sol.

— Aiee! Ça fait mal! cria Ming Mei qui venait de s'électrocuter la main qui dégageait maintenant une odeur de viande brûlée.

— Fallait pas que tu utilises le disjoncteur pour que l'arrêt se fasse doucement! dit Shinsaku.

— J'ai oublié, désolé! Je n'y comprends rien à cette saloperie d'électricité! grogna-t-elle.

— Alors… raison de plus pour recommencer… Allez! dit Guerra.

— Hey, en passant… Tu sais où est passé Stone? Nous ne l'avons pas vue de la matinée, lança Shinsaku.

— Elle doit sûrement être avec Namara. Elle ne tient plus en place quand elle le voit! dit Ming Mei en allumant sa lampe de poche.

— Oui… Un peu comme toi avec moi quand j'entre dans une pièce! dit Guerra.

— C'est cela… Dans tes rêves! dit-elle.

Shinsaku et Guerra se regardèrent en ricanant.

— Oui, en effet… C'est une forte possibilité qu'elle soit avec lui! dit Shinsaku. Alors, laissons-les faire ce qu'ils ont à faire et recommençons encore une fois!

— Essaie de ne pas nous faire frire, brûler ou exploser! commenta Guerra avec un sourire sarcastique au coin de la bouche.

— Très amusant! rétorqua-t-elle en retournant dans le boîtier d'ascenseur qui contenait de nombreux filages, sa mini-lampe de poche à la bouche pour s'éclairer.

睚眦

— Bon… Qu'est-ce que je dois faire! dit Namara d'un ton irrité en regardant l'écran de son ordinateur sur lequel il travaillait depuis la matinée.

— Pas de panique! Va chercher le fichier crypté et transfère-le dans le dossier principal, dit Kamilia qui était assise à côté de lui pour le guider.

Le but de l'exercice était d'infiltrer un réseau crypté en simulant l'attaque du site web d'une entreprise qui contenait tout sur elle, des données personnelles des employés aux secrets industriels de la compagnie. Il n'avait pas d'habileté particulière en informatique et il devait donc se familiariser davantage avec ce qu'il détestait le plus.

— Bon, maintenant… Tu cliques sur le fichier et tu démarres ton insertion dans le réseau. Tu as cinq secondes pour mettre ton écran de cryptage, autrement tu seras détecté comme pirate et tout se bloquera, compris ? dit-elle en le voyant dévisager son écran les sourcils froncés.

— Oui, je crois.

— Bon… Allez !

Il se mit à taper rapidement sur le clavier pour exécuter ce que Kamilia lui avait expliqué. Il se mordillait la lèvre pendant qu'il tentait d'effectuer son opération dans les quelques secondes allouées.

— Merde… L'ordinateur est figé !

— Comment cela, il est figé… Tu es sûr ? demanda-t-elle en portant une attention particulière tout en s'approchant de l'écran.

— Oui ! Ces foutus ordinateurs stupides ! J'ai jamais rien vu de plus imbécile qu'un ordinateur ! Ce n'est pas croyable qu'il faille se servir de cela partout, lança Namara, le visage rouge, complètement énervé par la machine devant lui. En furie, il donna un coup de poing sur le clavier. Il se laissa tomber vers l'arrière de sa chaise et il ferma les yeux pour se calmer. Elle le regardait sans dire un mot pour ne pas l'énerver davantage, mais elle se retenait intensément pour ne pas rire du spectacle qu'il offrait. Elle se mordillait les lèvres pour dissimuler un sourire.

— Tu sais quoi ? Les ordinateurs me détestent ! Combien de chances sur des millions que cet ordinateur bloque juste au moment où j'étais en train de commencer ! grogna-t-il.

— Attends une seconde ! dit-elle en se rapprochant de lui pour s'approprier du clavier. Il sentit son léger parfum lui monter au nez. En l'espace de quelques secondes, l'ordinateur était de nouveau fonctionnel.

— Qu'as-tu fait pour qu'il fonctionne ? dit-il en la regardant d'un air consterné.

— Mais rien… Avec de la douceur, nous venons à bout de tout, dit-elle avec un clin d'œil en effleurant sa main de son index.

睡眦

Un certain matin, Maki leur fit plier bagage en leur expliquant qu'ils quittaient l'édifice définitivement. Le groupe se dirigea vers les montagnes à plusieurs heures de route hors de Tokyo en direction d'un petit village abandonné. Il faisait froid, de la neige couvrait le sol et une dense forêt entourait le village. De petites constructions de bois s'alignaient une à la suite de l'autre. Ce hameau avait dû être encore habité peu de temps auparavant, car il restait encore des fanions arborant des trucs japonais accrochés aux maisons. Certaines constructions avaient servi de maisons, d'autres à des commerces, preuve qu'une véritable vie de groupe avait existé à cet endroit où le temps semblait s'être arrêté.

— Bienvenue dans votre nouvel environnement ! Vous êtes maintenant dans un ancien village ninja désormais inhabité comme vous l'avez remarqué. Jadis, des membres de ma confrérie ont vécu ici avec leurs familles à l'abri dans ces montagnes. Ils vivaient reclus et isolés ici pour s'entraîner loin des yeux curieux. La rigueur du climat et l'isolement faisaient de cet endroit un lieu indésirable et difficilement accessible pour la plupart des gens, donc parfait pour un ninja. Vous vivrez dans ce hameau et vous deviendrez semblables à eux. Ici, tout est fait pour vous entraîner… Vous changerez et vous vous endurcirez, croyez-moi ! lança-t-il d'un ton sec en levant la tête et en fermant les yeux pour sentir les légers flocons de neige.

睡眦

Comme Maki leur avait promis, ils changeaient. Du confort relatif de leur immeuble à Tokyo, ils étaient passés au froid et à l'humidité constante qu'ils devaient endurer nuit comme jour. Le groupe dormait sur des tapis au sol et ils se lavaient avec de l'eau froide. Graduellement, leur corps s'habituait et s'endurcissait. Certains avaient davantage de difficultés à s'habituer au climat, notamment Shinsaku et Kamilia, qui n'avaient jamais vécu une telle expérience. Leur unique source de nourriture était la chasse et la pêche, le feu de bois, la seule source de chaleur et de cuisson. Ils étaient revenus à une époque primitive, au niveau de la nature elle-même pour retrouver leurs instincts primitifs et devenir de véritables prédateurs.

Maki commença leur enseignement en ninjutsu avec les techniques à mains nues. L'art du ninja consistait fondamentalement à contrôler les articulations et à briser les os de son adversaire. Chaque coup donné devait causer un dommage précis à son adversaire. Ces techniques exigeaient une grande connaissance anatomique pour réussir. Les gestes étaient courts, nécessitant peu de dépense énergétique. Le but étant de vaincre le plus rapidement possible l'ennemi. Maki leur enseignait sa méthode en plein air. Il les projetait dans la neige, les frappait, leur tordait les membres sans relâche, les poussant à la limite de ce qui était humainement tolérable dans le but de leur apprendre à travailler et vivre constamment avec la douleur.

En endurer autant leur endurcissait l'esprit et le corps. Le maître les maltraitait suffisamment, mais sans leur causer de véritables blessures. Le soir venu, le groupe tentait de prendre un peu de repos et au matin suivant, malgré les courbatures, les ecchymoses et les entorses, l'entraînement recommençait.

Maki leur fit réaliser qu'il fallait utiliser la nature pour arriver à leurs fins et non lutter contre elle, car elle gagnait toujours. Les techniques de camouflage leur furent enseignées, ainsi que la fabrication de différents poisons et armes empoisonnées. Ils utilisèrent le feu comme technique de guérilla et se familiarisèrent avec plusieurs armes dont le sabre. Maki leur apprit à se fondre à l'environnement et à l'utiliser pour survivre et anéantir son ennemi. Ils passèrent de nombreuses nuits à apprendre comment marcher silencieusement, grimper et se déplacer comme des félins. Après quelque temps, ils étaient devenus endurcis, totalement à l'aise dans cet environnement hostile. Ils étaient maintenant devenus des ninjas. Un soir qu'ils étaient assis à l'extérieur autour d'un feu qui éclairait le paysage hivernal, des milliers d'étoiles illuminant le firmament, Maki prononça une phrase, la dernière qu'ils devaient entendre de lui.

— Il ne reste que les ténèbres à la suite du passage d'un ninja! avait-il commenté en fixant le feu de ses yeux noirs sans donner davantage d'explications. Le groupe était allé dormir sans se rendre compte qu'il allait disparaître pendant leur sommeil. Tout ce qu'ils virent de lui le lendemain matin, c'était, dans la neige, de faibles traces de pas qui s'éloignaient du village.

睡眦

— Maki s'est tiré! courut dire Ming Mei aux autres qui étaient encore endormis.

— Quoi, comment cela, il s'est tiré! Tu es sûre? demanda Stone à moitié endormie.

— Ouais, je suis certaine. Ses affaires ne sont plus à l'endroit habituel. Sa cabane est vide. Il a disparu! rétorqua-t-elle d'un air déconcerté.

— Pourquoi aurait-il quitté sans nous dire au revoir, cela n'a pas de sens! lança Guerra.

— Oui, il y a un sens… Son travail est terminé, notre entraînement est maintenant complété comme il nous l'avait promis, dit Namara, qui était encore couché.

— Je pense comme James. Cela n'a pas de sens. Il ne nous aurait pas quittés sans nous le dire. Il est peut-être seulement allé s'entraîner ou bien il a seulement déplacé ses effets personnels. Je vais aller me promener et essayer de le trouver! dit Shinsaku, qui s'habillait.

— Fait comme bon te semble, mais tu ne le trouveras pas… Il nous a quittés! rétorqua Namara.

Shinsaku chercha Maki dans tout le village et ses alentours, mais il dut se rendre à l'évidence, le maître avait bel et bien disparu. Il retourna vers ses collègues qui étaient à l'intérieur en train d'en discuter.

— Tu avais raison, Namara. Maki est bel et bien parti ! dit Shinsaku, qui secouait la neige sur ses chaussures.

— Bon, et maintenant ? demanda Kamilia.

Un silence régna dans la pièce. Tout le monde se regardait, mais personne ne s'aventurait à parler le premier comme s'ils n'avaient pas prévu qu'un tel événement arriverait.

— Je crois que Maki voulait nous dire qu'il était temps pour nous de retourner d'où nous venons, répondit Ming Mei d'un air songeur.

— Retourner à quoi exactement… à nos vies ? Avec ce que nous savons maintenant ? Tu en es capable, toi ? demanda Kamilia en regardant Ming Mei pendant que les autres se contentaient d'écouter la conversation.

— Je n'en sais rien… il semble que nous n'ayons pas vraiment le choix, dit Ming Mei.

— Nous formons un groupe comme jamais il n'y en a eu. Nous avons tous traversé cet entraînement ensemble pour mieux nous quitter chacun de notre côté ? Cela n'a pas de sens, dit Shinsaku en fixant un mur.

— Je sais bien, Shinsaku, mais que veux-tu que je te dise… C'était ce qui était entendu au départ, rétorqua Ming Mei.

Guerra regarda longuement Namara pour voir si ce dernier pensait la même chose que lui.

— Il existe peut-être une alternative, dit Namara qui était assis au fond de la pièce et qui avait suivi la conversation depuis le début.

— Laquelle ? demanda Shinsaku.

— Et bien… Moi et James travaillons déjà sur des contrats offerts indirectement par un employeur…

— De quel genre ? demanda Kamilia.

— Eh bien… dans le même genre que ce qui a motivé notre formation. Notre employeur est le gouvernement, mais nous sommes des travailleurs autonomes, si nous pouvons le dire ainsi. Je me dis que quelques joueurs de plus ne dérangeraient pas.

— Tu dis quoi… Que nous serions des mercenaires ? dit Ming Mei en fixant Namara.

— Oui, précisément ou bien des ninjas, si tu aimes mieux. Une chose que je sais, ensemble nous serions un groupe de mercenaires exceptionnels, une entité comme il ne s'en est jamais vue encore. De plus, nous serions nos propres maîtres, exactement ce qu'étaient les ninjas au départ. Nous prenons les contrats qui nous conviennent, nous frappons, et ensuite nous empochons l'argent. Alors… des volontaires ? demanda-t-il avec un sourire comme celui qui apparut sur le visage de Guerra.

Ming Mei, Kamilia et Shinsaku se regardèrent quelques instants et leur regard fut éloquent, car ils en étaient venus à un accord sans même dire un seul mot.

— Je crois qu'il y a trois volontaires ici, dit Shinsaku en se faisant craquer les os des doigts.

— Excellent ! Je crois qu'il est temps de quitter cet endroit ! dit Namara au groupe.

— Cela semble une bonne idée ! lança Ming Mei.

— Parfait… Alors, dans ce cas… dégageons ! dit Guerra d'un ton enthousiaste en mettant son sac à dos à l'épaule.

Chapitre 32

Plusieurs jours avaient passé depuis la fin de leur entraînement au Japon, et Danny était revenu aux États-Unis pour se reposer et prendre du recul. Kamilia l'avait invité chez elle à San Diego pour visiter la Californie. Danny, qui en était à son premier voyage en sol californien, fut charmé par la ville et la chaleur désertique du sud de la Californie. Il se sentait complètement dans un autre univers. Il était passé de l'humidité glaciale des montagnes japonaises à la douce chaleur californienne en l'espace de quelques jours. Et surtout, il avait appris à connaître Kamilia dans un contexte totalement différent. Il lui semblait que, pour la première fois de sa vie, il pouvait tout dire à une personne comme s'il l'avait toujours connue.

Plus il la contemplait et plus il la trouvait belle avec ses grands yeux bruns et ses longs cheveux qui tombaient le long de son corps mince et bronzé. Il s'efforçait de ne pas tomber amoureux d'elle, car il savait que, dans le présent contexte, les choses n'en seraient que plus compliquées, mais il la désirait de plus en plus intensément chaque jour.

Ce jour-là, il s'était levé et il l'avait cherchée sans la trouver. Elle devait être sortie s'entraîner; alors il était monté sur le toit de l'immeuble où se trouvait une immense piscine avec une vue surplombant la ville de San Diego et l'océan Pacifique. La terrasse était parsemée de palmiers nains dont les branches virevoltaient sous le léger vent océanique. Il trouvait le soleil de midi écrasant et la chaleur intense. Aucun nuage à l'horizon, que le ciel bleu azur et le soleil brûlant. La terrasse et la piscine étaient complètement désertes, alors il en profita pour plonger dans l'eau fraîche. La température de son corps baissa instantanément lorsqu'il fut immergé dans l'eau. *Il aurait pu passer la journée dans cette piscine tellement il s'y plaisait.* La météo annonçait l'arrivée d'une canicule qui faisait rage dans le sud de la Californie depuis quelques jours.

Après quelques longueurs de piscine, il se trempa les cheveux dans l'eau et se les envoya vers l'arrière en prenant ses lunettes de soleil qu'il avait pris soin de déposer sur le bord de la piscine. Il s'adossa contre le rebord et il s'étira les bras pour se cramponner au bord. Se laissant tomber la tête vers l'arrière, il ferma les yeux sans penser à rien. Il se concentra sur le soleil chauffant sa peau parsemée de gouttelettes d'eau.

— L'eau est agréable? demanda une voix qu'il reconnut.

Il vit Kamilia qui lui souriait en déposant sa serviette sur une chaise soleil. Il la contempla alors qu'elle se déplaçait de sa démarche féminine. Ses mouvements étaient légers et gracieux. Elle portait un bikini jaune vif et des lunettes de soleil. Il admira les courbes de Kamilia que son bikini semblait mettre en évidence. *Cette femme frôlait la perfection et il avait tout intérêt à se raisonner. Elle est merveilleuse.*

— C'est le meilleur endroit pour être avec une telle chaleur!

— Oui, cette chaleur est accablante! J'ai deviné que tu serais ici... Je suis allé surfer quelques vagues en me levant.

Elle plongea dans la piscine en allant le rejoindre à la nage. Elle s'accrocha au bord, à côté de lui et elle lui sourit.

— Cela fait vraiment du bien! Tu sembles détendu... Tu as bien dormi? demanda-t-elle.

— Oui, à merveille, et toi? dit-il en lui rendant son sourire.

— Oui. Je n'ai pas voulu te réveiller, tu semblais dormir profondément... Je suis partie tôt!

— Tu vis dans un paradis ici!

— Je suis contente que cela te plaise. Tu es chez toi!

Elle alluma la radio portative qu'elle avait mise sur le bord de la piscine et elle plongea sous l'eau pour nager quelques mètres pendant qu'il la regardait. Elle revint à la nage pour s'immobiliser à quelques centimètres de lui.

— Comment vois-tu cela... Le travail que tu fais? demanda-t-elle.

— Que veux-tu dire...

— Eh bien... Le fait de devoir éliminer des individus pour de l'argent en quelque sorte...

— Il n'est pas seulement question de cela... Chaque contrat est différent et cela n'implique pas nécessairement qu'il faille éliminer quelqu'un...

— Non, je sais bien, mais...

Écoute, James et moi faisons cela depuis déjà quelques années et il n'est pas arrivé une seule fois où nous avons dû éliminer dans le cadre d'une mission des gens qui étaient de parfaits innocents, Kamilia. En réalité, pour être franc avec toi, ils étaient des criminels de la pire espèce, des ordures sans scrupule et je ne les pleurerai pas. Je crois sincèrement que le monde est mieux sans eux et que notre tâche est ingrate, mais nécessaire. Certains individus sur cette planète doivent être mis hors d'état de nuire afin d'éviter des bains de sang, et c'est ce que nous faisons. Que nous soyons payés pour le travail que nous faisons, je n'y vois aucun inconvénient.

— Tu crois que notre groupe sera à la hauteur?

— Oui… Nous en avons tous bavé dans nos vies respectives et je crois qu'il est temps de penser à nous maintenant et de passer à la caisse, une fois pour toutes.

— Tu es prêt à faire de l'argent, peu importe la cause?

— Tu sais… Avec les années, on se rend compte que certaines causes ne sont pas toujours aussi nobles qu'elles le semblent. Les choses que nous croyons blanches ou noires se révèlent parfois être en quelque sorte grises et ceux qui ont versé de leur sang pour défendre une cause sont souvent ceux qui n'en ont rien tiré malheureusement. Bref, il y a des gens de ce monde qui s'emplissent les poches pendant que d'autres versent leur sang pour la même cause! Cela a toujours été et cela ne changera jamais! Tu réalises cela après un moment et tu te mets à réfléchir…

— Donc en bref… Tu ne crois plus en rien!

— Je crois en moi… Je crois en notre groupe… Je crois en ce que j'ai vécu… Et je crois en une cause qui est la mienne. Pour le reste, qu'ils aillent se faire foutre! J'ai dû me battre pour obtenir ce que j'ai et je ne considère pas avoir eu encore ce qui me revenait. Mais les choses vont changer, Kamilia… J'ai bien l'intention de prendre ce qui me revient dans cette vie! dit-il d'un ton posé.

— Tu as vu beaucoup de choses, non?

— En effet, mais je ne regrette rien. Les événements que j'ai vécus m'ont fait grandir, mais plus que tout… ils m'ont réveillé! James et moi, en particulier ces dernières années, nous avons vu beaucoup de choses qui nous ont portés à réfléchir, je crois. Si je dois mourir, aussi bien mourir pour ma cause plutôt que celle d'un autre, pas vrai?

— Tu apprécies beaucoup James, non?

— C'est vrai… Il est comme un frère pour moi… La famille que je n'ai jamais eue probablement. Je lui dois beaucoup et il m'a évité plusieurs balles qui m'étaient destinées pendant toutes ces années!

— Tu as sûrement dû lui en éviter aussi quelques-unes, je crois…

— Quelques-unes, oui…

— Vous vous êtes connus de quelle façon?

— Lorsque j'étais assigné en Colombie pour l'unité antidrogue… C'est lui qui m'a tout montré pratiquement.

— Tu ne t'es jamais marié?

Il se mit à rire, déstabilisé par la question de Kamilia.

— Quelle question!

— Quoi! C'est vrai…

Elle sourit à son tour en le regardant d'un regard intense qui indiquait qu'elle ne renoncerait pas sans avoir une réponse de sa part.

— Franchement, Kamilia… Quelle femme accepterait de vivre une vie semblable…

— Mais as-tu déjà pensé que les choses pourraient être différentes si tu trouvais la bonne personne?

— Honnêtement… Non je n'y ai jamais vraiment pensé. Et toi… Pourquoi une si belle femme comme toi n'est pas engagée?

— Un concours de circonstances sûrement… ou tout simplement parce que je n'ai pas encore trouvé le bon. Si tu trouvais une femme qui accepte ton genre de vie par exemple… tu changerais ta position?

Il comprenait très bien ce qu'elle tentait de lui expliquer de façon indirecte. Le regard de Kamilia avait toutefois changé. Son regard déterminé s'était changé en un regard d'une douceur désarmante, ce qui l'effraya quelque peu. Déjà, à quelques centimètres de lui, elle provoqua quelques petites ondes sur l'eau en se rapprochant de lui. Il sentit ses jambes s'enrouler autour de sa taille et de ses mains, elle lui enlaça doucement le cou. Elle posa ses lèvres doucement sur les siennes. Ils échangèrent un long baiser que tous les deux désiraient depuis un bon moment. Il garda Kamilia contre lui pour la regarder.

— Écoute, Kamilia… Je…

En face de lui, il remarqua l'océan au loin qui se terminait par une ligne d'horizon coupant avec le bleu du ciel.

— Oui, oui… je sais! dit-elle avec un sourire.

Il la serra doucement contre lui et il l'embrassa à nouveau sous le soleil brûlant avec comme unique son ambiant, la radio qui jouait et la légère brise qui soufflait de façon intermittente.

Chapitre 33

Namara n'était pas revenu dans le Quartier chinois depuis des années, mais rien n'avait vraiment changé à ses yeux. Les marchands de poissons continuaient à s'époumoner pour vendre leur marchandise à la masse de gens qui circulait sans cesse dans les rues étroites du quartier. Danny était de retour à New York depuis quelques jours. Il avait décidé de se fondre dans la foule du quartier en cette journée comme il avait l'habitude de faire dans son autre vie pour se remémorer quelques souvenirs.

Il arriva devant le parc où il avait passé de nombreux après-midi à jouer aux dames chinoises et, à son grand plaisir, il vit que de nombreux Chinois y étaient toujours attroupés en cet après-midi comme si le temps n'avait pas atteint cet endroit. Il marcha dans le parc et il se dit que cela pourrait être une bonne idée de jouer une partie pour le plaisir. Il scruta les tables, mais toutes étaient occupées et les joueurs avaient déjà entamé des parties.

Son regard se posa finalement sur une table à l'extrémité du parc qui était abritée sous un gros arbre. Il remarqua qu'un seul Chinois était assis à cette table. Il examina l'homme qui semblait fixer le vide. Le personnage devait être dans la soixantaine avancée et peut-être plus à son avis. Il avait une longue barbichette grise qui descendait presque au niveau de ses pectoraux. Il n'avait pas de cheveux et il portait un petit chapeau noir qui ressemblait presque à un couvre-chef que les guerriers mongols portaient. L'homme avait un teint cireux et une chemise en soie blanche à col mao qui faisait des reflets avec les rayons du soleil. Sa chemise ample et son pantalon noir bouffant lui enlevaient toute forme humaine et cela donnait l'impression qu'il était sorti directement d'une autre époque. Il se demanda si le vieil homme ne dormait pas les yeux ouverts et cela le fit sourire. Il s'avança tranquillement à sa rencontre.

— Bonjour, monsieur, souhaiteriez-vous faire une partie avec un humble adversaire ? dit Namara au Chinois.

— Ai-je l'air si vieux pour que tu me parles de la sorte ? répondit-il calmement.

— Je… euh, non… c'est juste par…

— Oui, je veux bien pour une partie, mais sache que j'ai le cœur aussi jeune que celui d'une écolière. Attends que je sois radoteux pour me parler de cette façon!

Danny se retint de rire en lui faisant signe d'un accord avec la tête. *Il devait être un vieux fou, raison pourquoi il était seul à sa table.* Il se félicita d'avoir pigé le mauvais numéro. L'homme lui fit signe de la main en lui indiquant de s'asseoir sur le banc en face de lui.

— Mon nom est Sanfeng!

— Et moi, Danny!

— Je sais… Tu as vieilli depuis la dernière fois que je t'ai vu.

— Pardon? Nous nous connaissons? Je suis désolé, je ne crois pas que nous nous soyons déjà vus…

— Moi, je te connais. Tu t'es bien battu lors de tes combats, mais tu as disparu et nous ne t'avons jamais revu. Pourquoi?

— Je vois… Un autre spectateur. Pour répondre à ta question, disons que j'ai eu d'autres offres plus intéressantes que d'être le divertissement de vieux riches en manque de sensations fortes!

— Ton Pak Mei était bon. Mais du calibre d'une fillette! ricana Sanfeng.

Namara fut vivement irrité d'entendre ce vieux sénile et rachitique se moquer de ses habiletés.

— Tu veux que je te parle comme à mes amis, eh bien soit: tu vas perdre ton dentier si tu continues!

Sanfeng lui sourit et il commença à bouger un pion pour commencer la partie.

— Tu te débrouilles bien, mais, de toute évidence, tu n'es pas prêt à affronter de vrais guerriers!

— Bien sûr, de toute évidence… Et toi, tu vas m'enseigner quoi, ancêtre, le style prends-ta-marchette-et-bats-toi? demanda Namara, bien déterminé à mettre le vieux en colère et le battre aux dames.

Il bougea un pion.

— Tu dépenses trop d'énergie dans tes mouvements…

— Dis-moi, vieillard, cela fait quoi de porter des couches toute la journée?

Sanfeng était ravi. Il avait réussi à énerver son adversaire et cela le changeait des autres Chinois qui ne parlaient que de ce qui se passait dans le secteur et qui l'ennuyaient éperdument. Il déplaça un pion.

— Je ne sais pas… À toi de me le dire! À te voir bouger, je croyais que c'est toi qui en portais, et qu'elle était pleine! ricana-t-il en replaçant son chapeau.

— Excuse-moi, j'ai mal entendu ce que tu as dit... Tu viens de parler ou tu viens de péter ?

Sanfeng s'esclaffa, son chapeau tomba presque à la renverse.

— Si tu t'entends péter, c'est probablement que tu as les oreilles trop rapprochées du derrière !

Namara fulminait dans son for intérieur. Il bougea un pion, mais il avait plutôt l'envie de le faire avaler à son vis-à-vis.

— Fais gaffe, grand-père, tu vas un peu loin. À force de rire, tu vas perdre ton chapeau de cuisinier ! Tu portes cette coiffure pour abriter le peu de neurones qui te restent ou bien pour cacher ta calvitie ?

Sanfeng riait aux éclats, mais Namara était hors de lui.

— Je suis bien content de te connaître. Tu m'amuses beaucoup ! Rien de mieux qu'une prise de bec pour faire ma journée. C'est la beauté d'avoir quelqu'un qui possède autant de talent pour la conversation. Je te remercie, mon ami !

— Ouais, c'est cela !

— Non, écoute... J'aime bien ton style. Je pratique aussi... mais d'une façon différente que lorsque j'étais plus jeune.

Voyant le bonhomme passer au plus sérieux, Danny se calma un peu et il bougea un autre pion en scrutant le vieil homme.

— Et maintenant, tu fréquentes les combats pour te distraire, c'est cela ?

— Plus ou moins, j'observe les différents combattants, j'apprends...

— D'accord. Tu pratiques quel art, vieil homme ?

— Oh, tu sais... Un peu de ceci, un peu de cela, répondit Sanfeng évasivement en bougeant un pion sur la table.

— Non, allez, sérieusement... Dis-moi...

— Quelquefois, nous appelons cela les dim mak, mais en réalité... Il n'y a pas vraiment de nom à cet art. C'est tellement plus que ne le sont les dim mak et tellement difficile à expliquer, dit-il avec un ton cette fois-ci calme et serein.

— J'ai entendu parler des dim mak, communément appelés les touches de la mort. Certains disent que c'est une légende. Tu sais, Sanfeng, j'ai pratiqué les arts martiaux toute ma vie et jamais je n'ai vu aucun maître ou pratiquant qui a pu prouver qu'ils existaient bel et bien. Ma conclusion : si personne n'a pu le prouver, c'est que ce style est un mythe !

Sanfeng lui sourit en le regardant bouger un autre pion.

— Je t'assure que cela n'est pas un mythe. Tout est vrai. Il s'agit d'un art véritable qui consiste à utiliser les points énergétiques de l'être humain pour le neutraliser. Mais peut-être que cette mystification de cet art ancien a été propagée volontairement pour éviter les questions indiscrètes !

— Et la main empoisonnée ?

— C'est vrai aussi. Nous pouvons frapper un individu qui ne ressentira des effets qu'à retardement, quelques jours, mois ou années plus tard. Tout dépend du contexte et de l'habileté du pratiquant. Cela peut aller de la paralysie à la mort en passant par le développement de maladies.

— Et tu as appris cela comment ?

— Au monastère… J'ai été moine dans un petit monastère près du mont Emei en Chine. C'est à cet endroit que j'ai appris mon art… Là où tout est né !

— Tu as été moine… Et maintenant, tu ne l'es plus ?

— Non.

— Sache que j'ai une petite idée du pourquoi…

Sanfeng sourit à son commentaire.

— J'ai pris la décision de quitter le monastère pour continuer mon entraînement différemment. Je devais voir autre chose pour que mon équilibre soit complet.

— Si tu crois qu'en choisissant New York, tu vas trouver l'équilibre, tu as été mal conseillé, je crois ! ricana-t-il.

— Au contraire ! C'est l'endroit idéal pour vivre de nouvelles expériences, mon ami !

— Je ne comprends pas…

— Le yin et le yang ! J'ai vécu une partie là-bas et maintenant je suis ici pour équilibrer l'autre partie, ce qui me donnera l'équilibre parfait.

— Et c'est en vivant avec les drogués, les prostituées et les hommes d'affaires vaniteux que tu vas y réussir ? dit-il d'un ton amusé.

— Précisément.

Sanfeng sortit un hamburger d'un petit sac de papier qu'il avait déposé sous son banc. Il en prit une bouchée pendant qu'il bougeait un pion. Namara le regarda complètement incrédule, les yeux écarquillés.

— Les moines ne sont pas censés manger que du riz et vivre sur une montagne ?

— Comme tu peux le constater… Non ! J'adore ces hamburgers !

— Ce n'est pas croyable. Tu es plus cinglé que je ne le pensais ! dit-il en secouant la tête.

— Oui, mais nous sommes tous un peu fous.

— Possible, mais je ne te crois pas, vieil homme !

— C'est tout à fait normal, je ne t'en tiens pas rigueur. Tu as peut-être une partie de réponse au fait que les dim mak ont toujours été considérés comme un mythe et qu'ils sont restés dans le secret. Il faut être prêt pour recevoir une telle connaissance et seulement ceux qui ont cette ouverture d'esprit et une ouverture de soi face à l'univers peuvent comprendre la vraie puissance de ce qui nous entoure.

— Ce sont de belles paroles, mais prouve-le…

— Prouver… Que veux-tu comme preuve, mon ami ?

— Je ne sais pas… Prouve-moi que cela existe bel et bien si tu en es convaincu.

— Il ne s'agit pas de prouver, il s'agit de croire ! Les preuves ne sont utiles qu'aux aveugles ou ceux qui ne veulent pas voir. Tu n'as pas besoin de preuve pour voir ce qui t'entoure, mais vous les Occidentaux… Vous avez de la difficulté à voir une mouche passer.

— C'est ce que je disais… De belles paroles…

— D'accord… Tu veux une preuve… C'est d'accord !

Sanfeng se leva et il se plaça debout sur le bout de pelouse en lui faisant signe de se lever pour venir le rejoindre. Namara se leva avec amusement en voyant le petit homme rachitique qui le regardait de ses petits yeux noirs avec sa longue barbe et son petit chapeau. Vraiment, il sortait tout droit d'une bande dessinée.

— Je te mets au défi de me pousser et de me faire tomber. Ne me ménage pas. Fais-moi tomber ! dit Sanfeng.

Danny se dit qu'une seule poussée était suffisante pour l'envoyer planer à plusieurs mètres de distance et le blesser. Un homme de cet âge n'avait plus la constitution nécessaire pour endurer une attaque d'un homme entraîné et jeune. Toutefois, il se dit que c'est lui qui l'avait demandé et que cela pourrait servir de leçon au vieux fou. Il le pousserait pour le faire chuter, mais sans trop y mettre de puissance. Il ne voulait pas avoir la mort de ce vieux fou sur la conscience même si c'était sa volonté.

— D'accord, tu l'auras voulu, Sanfeng !

— Oui, vas-y !

Danny bondit pour lui saisir le bras et le tirer vers l'avant pour le déstabiliser. Il lui attrapa le poignet et le tira dans sa direction. Les pieds de Sanfeng ne bougèrent pas d'un centimètre, ancrés au sol comme un chêne. Danny faillit tomber à la renverse en raison de la résistance implacable qu'il avait rencontrée.

— Mais qu'est-ce que…

Namara baissa sa position et il tenta de toutes ses forces de le tirer à nouveau, mais sans succès. On aurait dit un enfant tentant de déplacer une immense roche. Sanfeng lui sourit, tout en ne bougeant pas d'un millimètre.

— D'accord, je vois… Tu l'auras cherché ! dit Danny d'un ton décidé.

Namara bondit vers l'avant pour lui planter ses deux paumes dans le thorax et le faire culbuter. Il ne toucha jamais Sanfeng de ses paumes. Il sentit un champ magnétique qui le poussa, lui, hors de sa propre portée. Il fut propulsé vers l'avant en perdant pied. Sanfeng lui saisit le bras afin de le retenir et pour l'empêcher qu'il ne tombe. Avec son index et son majeur collé, il frappa Danny au bras et ensuite au niveau des pectoraux. Les deux frappes consécutives se firent sentir comme un éclair, le paralysant sur-le-champ. Danny sentit son souffle se couper et une douleur atroce qu'il n'avait jamais ressentie auparavant l'envahit dans tout le corps. Il était littéralement paralysé de la tête aux pieds et il s'effondra au sol complètement impuissant.

— Aieeeeeee ! Mais qu'est-ce qui m'arrive !

— Je t'ai présenté l'art ultime des dim mak comme tu l'as exigé ! dit Sanfeng d'un ton enjoué et à la fois serein.

— Espèce de vieux mangeur de poisson avarié ! Cela fait mal… Arrête cela tout de suite ! hurla Namara, qui, incapable de se relever, n'en pouvait plus de la douleur qu'il ressentait.

Sanfeng contempla Namara.

— Rien de mieux qu'une bonne douleur pour convaincre un homme, n'est-ce pas ?

— Va te faire foutre ! marmonna Namara.

— C'est toi qui me l'as demandé ! dit-il avec un sourire.

Sanfeng retourna Danny, qui agonisait au sol. Il le plaça sur le ventre et de deux coups de paumes dans le dos, il lui enleva sa douleur. La souffrance de Namara cessa immédiatement. Ce dernier resta sur le dos, complètement exténué par le bref combat, comme s'il durait depuis des dizaines de minutes.

— Bon Dieu, mais qu'est-ce que c'est que cela, dit-il en haletant, toujours sur le dos.

— Je te l'ai dit… dim mak… Mais ce n'est qu'une partie de mon art. Cela n'est qu'une petite démonstration, rien de bien dangereux, ne sois pas inquiet. Tu n'auras aucune séquelle. Tu es un privilégié d'avoir vécu une telle expérience. Je me sens généreux aujourd'hui !

— Tu parles d'un privilège !

Sanfeng se mit à rire en l'aidant à se lever et à s'asseoir sur son banc.

— Alors, convaincu ? demanda Sanfeng qui prit une autre bouchée de son hamburger.

— Je veux comprendre ce que tu fais. Je n'ai jamais rien vu de tel !

Sanfeng prit un regard très sérieux et il le fixa quelques secondes.

— Il faut voir si tu as cette capacité… Je n'en suis pas certain. Toutefois, admettre qu'on ne sait rien, c'est un pas vers la connaissance. Je ne peux refuser un homme qui a le désir d'apprendre. Il n'y a aucun hasard dans cet univers. Si tu as croisé mon chemin, c'est que cela doit être ainsi. J'aurais préféré que tu sois Chinois, mais il faut accepter certaines imperfections, car nul n'est parfait ! Tu n'as qu'à venir me voir, je verrai ce que je peux faire. Tu sais, tu vas devoir apprendre à ne pas te fier à ce que tu vois, mais à ce que tu ressens. Nous en reparlerons un autre moment si tu le veux bien. Chaque chose en son temps. Viens me voir demain matin, nous commencerons. Il y a longtemps que je n'ai pas eu de compagnie pour discuter ! Maintenant, finissons cette partie !

Ils finirent la partie et Danny, vaincu, quitta le parc. Rendu à quelques coins de rue du parc, il resta immobile pour contempler Sanfeng au loin, qui s'était levé de sa table pour pratiquer sa méditation. Il se tenait debout et immobile sous l'arbre, les yeux fermés. Ses mains étaient placées à la hauteur de son cœur comme s'il entourait de ses bras un immense ballon imaginaire.

Il repensa à ce qu'il venait de vivre et il se dit que ce vieil homme avait quelque chose d'étrange. Jamais il n'avait vécu ce qu'il venait de vivre, et il ne pouvait trouver aucune explication rationnelle également. *Peut-être disait-il la vérité.* Il fut subjugué quand il remarqua le mouvement des arbres du parc. Les plus petits oscillaient dans la brise et, à chaque coup de vent, ils semblaient se pencher et danser. Mais prodige, Sanfeng, même s'il ne les voyait pas, s'agitait de la même façon, en synchronie parfaite. C'était comme s'il était devenu un arbre lui-même.

Chapitre 34

L'appartement de Sanfeng était en fait l'arrière-boutique de son commerce d'herbes médicinales, de racines diverses et d'une multitude de feuilles de thé. Tout était bien présenté dans des sachets et des pots. L'établissement comportait de nombreuses étagères et de tiroirs de bois ancien qui montaient jusqu'au plafond. L'endroit était rempli de pots marqués de caractères chinois qui rendaient l'endroit semblable à une caverne remplie de richesses. La boutique était située sous le rez-de-chaussée. On y accédait par la porte d'un immeuble commercial pour ensuite descendre un escalier qui aboutissait sur un long corridor étroit offrant de l'espace à d'autres petits commerces ouverts durant la journée.

L'arrière du commerce de Sanfeng donnait sur un genre d'entre-pôt. C'est là qu'il vivait. La pièce était dépouillée. Au fond se trouvaient une petite cuisinière et une minuscule table en bois. Le local comportait un genre de lampadaire électrique, mais son occupant semblait préférer la lumière des bougies qu'il avait installées un peu partout. Danny ne remarqua ni radio ni télévision. Par contre, il vit de nombreux livres sur des étagères un peu partout. Le reste de la pièce était vide.

— Bienvenue à toi ! dit Sanfeng.

— Merci !

— Tu es venu pour apprendre mon art. L'art des moines du temple Ling Dao. Tu désires apprendre les vrais arts martiaux ?

— Tu veux dire que ce que j'ai appris n'est…

— Réponds !

— Oui, je veux apprendre et comprendre ce que tu m'as fait !

Sanfeng sourit sous les lueurs de ses bougies.

— Très bien, nous commencerons par les dim mak. Sache que ce terme veut dire « presser l'artère » et non « touche de la mort ». Cet art demande une connaissance précise de l'anatomie humaine. Tu devras apprendre comment le corps humain fonctionne en harmonie avec les énergies qui nous entourent. Notre corps comporte des méridiens dont chacun représente un organe du corps humain. Ce sont les mêmes méridiens qui sont utilisés en acupuncture, mais connaître l'acupuncture ne veut pas dire connaître les dim mak! Tu apprendras à toucher des points qui affectent l'organisme, à connaître les canaux d'énergie du corps et à utiliser certains points secrets qui sont des portes pour des coups qui te permettront d'anéantir un ennemi. Mais avant tout, tu dois avoir l'ouverture d'esprit d'admettre qu'il existe une énergie qui nous dirige, sommes-nous d'accord?

— Oui, je veux bien admettre qu'il existe quelque chose qui fait que nous sommes en vie…

— Très bien!

Sanfeng se dirigea vers une de ses bibliothèques pour en ramener deux livres de plusieurs centaines de pages qu'il déposa sur la table directement en face d'où Danny était assis.

— Mais qu'est-ce…, demanda Danny d'un air consterné.

— Ceci est ce que tu dois apprendre en matière d'acupuncture. Ensuite, nous pourrons aller plus loin! dit Sanfeng avec un sourire.

Danny ne prononça pas un mot et il ouvrit un des bouquins pour voir ce qu'il contenait. Chaque page était écrite en petits caractères expliquant dans le détail les points et les méridiens que le corps pouvait contenir.

Il était à la fois fasciné et inquiet de voir la lourdeur de la tâche qui l'attendait. Il n'avait pas réalisé toute l'implication que pouvait exiger l'apprentissage d'un tel art. Il se dit qu'il y arriverait et il commença sur le champ à lire le premier livre attentivement. Cet apprentissage se continua de la sorte quasi quotidiennement, entremêlé de longues discussions sur les points vitaux. Il apprit graduellement comment repérer chaque point sur le corps humain et comment procéder pour effectuer des touches efficaces. Le vieillard lui expliqua les effets que cela avait selon les variantes souhaitées et les utilisations qu'il pouvait en faire en situation de combat. Sanfeng lui donnait des exercices simples pour entraîner la puissance et la vitesse de ses frappes.

— Tes frappes doivent être extrêmement puissantes et précises comme un chirurgien pratiquant une opération à cœur ouvert pour que les dim mak soient efficaces. Seul un artiste martial aguerri et expérimenté peut arriver à accomplir cela.

Il se rendit compte, au fur et à mesure que les jours passaient, de tout ce qu'il ignorait encore après toutes ces années de pratique des arts martiaux et qu'avec Sanfeng, sa connaissance et ses habiletés augmentaient à une vitesse prodigieuse. Il était venu à savoir précisément où se trouvait chaque os, chaque côte, et où frapper pour atteindre un résultat précis, et ce, juste en voyant une personne en mouvement. Il devenait enfin ce qu'il n'avait jamais été, c'est-à-dire un guerrier d'un niveau d'adresse tel qu'il n'existe pas vraiment de mots pour le décrire.

睡眦

Un soir, Danny se rendit chez Sanfeng ; une fois rendu à sa boutique, il le trouva à genoux sur le parquet au centre de la pièce, vêtue d'une longue chemise bleu foncé. Devant lui, il avait déposé un tapis et des plats de nourriture pour le repas. Une autre place avait été mise à son attention. L'élève s'agenouilla face au maître.

— Qu'est-ce qui motive bien tous ces préparatifs et ce repas ? demanda-t-il en désignant les bougies dans la pièce et le repas typiquement chinois que Sanfeng avait pris soin de préparer.

— Nous fêtons un grand moment ! Tu as complété ton enseignement avec moi ! Je t'ai appris tout ce que je pouvais t'apprendre. Maintenant, il est temps pour toi de continuer ton entraînement, mais par toi-même ! dit-il en souriant sous les lueurs des bougies.

— Quoi… Comment cela, terminé… Nous n'avons travaillé que les dim mak !

— Oui, précisément.

— Cela n'était pas eux qui m'ont terrassé quand j'ai tenté de te faire tomber, tu te rappelles ? Pas plus que ce ne sont eux qui ont fait que tes pieds étaient soudés au sol. Tu bougeais comme les arbres au rythme de la brise qui soufflait. Je t'ai vu faire tout cela… Je ne suis pas idiot. Je conviens que l'art que tu m'as appris est puissant, mais il y a autre chose !

— Peut-être…

— Je croyais que tu étais d'accord pour m'enseigner…

Sanfeng but une gorgée de thé chaud sans afficher aucune réaction au commentaire de Namara comme s'il était seul dans la pièce.

— Il y a effectivement plus que cela. Mais comme je t'ai expliqué tout au début, il fallait voir jusqu'où tu pouvais te rendre, quelles étaient tes capacités. Tu es allé au bout de ce que tu pouvais. Il m'est impossible de pouvoir t'enseigner davantage pour ma part, pas dans le contexte actuel.

— Je ne comprends rien de ce que tu m'expliques, bordel !

Sanfeng poussa un soupir comme si Danny n'avait été qu'un enfant qui ne cesse de poser des questions.

— Très bien ! Tu veux savoir, alors je vais t'expliquer ! Notre univers est constitué d'un élément ambiant que l'on appelle le chi. Cette appellation chinoise veut dire en réalité l'énergie universelle que nous retrouvons en toute chose comme toi, moi, cette table, ce plancher. En t'ouvrant à l'univers, tu peux accomplir des choses que la majorité des gens croient impossibles, voire mystiques.

— Et le fait que tu dis ne pas pouvoir continuer signifie que je n'ai pas cette ouverture, vrai?

— Pas nécessairement… Mais tu dois comprendre que, pour atteindre une telle ouverture, seuls l'isolement et le recul peuvent t'amener à aller au fond de toi pour trouver réellement ce que tu peux accomplir. Il serait complètement farfelu de te dire que tu peux réussir dans ce monde occidental qui ne cesse de bouger et dans lequel ton esprit n'est que vagabond. Jamais tu ne pourras comprendre ce que je t'explique dans le monde dans lequel tu vis, Danny. Ce n'est pas un hasard que nous nous sommes croisés et je sens des choses, que tu le croies ou non.

J'ai vu la noirceur que tu portes en toi. Je ne te juge pas, crois-moi… Je comprends. Tu dois aussi comprendre toutefois que les souffrances qui t'habitent finiront par te détruire si tu ne t'en débarrasses pas. Tu dois les éliminer, faire le vide et la paix en toi. Tu fais partie intégrante de l'univers et tu n'en es pas exclu quoique tu puisses en penser. Ce sont les circonstances qui ont fait de toi ce que tu es, mais accepte de faire partie intégralement de ce qui nous entoure. Alors, tu pourras utiliser l'univers selon ta propre volonté par la force de ton esprit. À cette condition seulement, pourras-tu déplacer des montagnes et réaliser des choses inimaginables aujourd'hui. La vraie puissance est au cœur de toi-même. Tu dois te débarrasser de tes œillères et voir! Accepte l'ordre des choses et ta seule limite sera celle de ton ouverture face à l'univers. Peux-tu comprendre ce que je t'explique?

— Oui.

— La raison pour laquelle je suis ici n'est pas un hasard. J'ai passé la majorité de mon temps à creuser au fond de moi, exactement ce qui te manque. Par contre, tu as réussi à devenir puissant dans un monde qui m'est totalement inconnu. Nous sommes de parfaites oppositions en réalité. Je suis le yin alors que, toi, tu es le yang, mon ami! Toutefois, aucun de nous ne peut atteindre l'équilibre en restant dans notre côté respectif. La rencontre des deux permet l'équilibre et, donc, l'invincibilité! Tu as appris à combattre le monde extérieur, à le comprendre, à répondre à son hostilité et à survivre. Toutefois, tu ignores tout de toi-même et de ta force intérieure.

Quant à moi, je suis ici pour tester mon esprit et ma force au travers toutes ces expériences, ces haines et tentations. Chaque nouvelle expérience est pour moi un cadeau, car elle me permet d'atteindre à chaque fois un peu plus ce que nous pourrions appeler la perfection.

Néanmoins, quand je me regarde nu dans un miroir, j'ai tendance à croire que je l'ai déjà atteinte!

— Pf! Tu avais bien commencé, alors je vais faire semblant de ne pas avoir entendu le dernier passage!

Sanfeng s'esclaffa en prenant une bouchée de poulet laqué avec ses baguettes.

— Tu sais, je t'ai dit que j'irais jusqu'au bout et j'irai. Admettons que je suis partant pour suivre le chemin que tu m'expliques… Quelle est la suite?

Sanfeng se leva et il disparut quelques instants pour revenir avec un médaillon fait de bronze sur lequel était gravé un phénix qui crachait le feu. Il le donna à Danny en le déposant dans sa main gauche.

— Eh bien… La suite serait que tu prennes ce médaillon et que tu te rendes en Chine, plus précisément au monastère Ling Dao près du mont Emei. Quand tu trouveras le monastère, donne ce médaillon à un moine nommé Chao Heng. Il saura qui t'envoie! Mais ce chemin, tu dois le prendre seul, je ne peux t'aider. Maintenant, finissons de manger avant que tout ne soit froid.

Il fit un salut à Sanfeng en guise de remerciement et ce dernier lui rendit avec un sourire.

— Merci pour tout, dit Danny.

— Le plaisir est pour moi. Merci à toi de m'accorder ta confiance et d'écouter le vieux fou que je suis. Tu es un être rempli de bonté. Je l'ai vu dès le début, même si tu l'ignores, homme de guerre! Que ta quête te permette de monter jusqu'aux étoiles du firmament afin que tu puisses rayonner d'un continent à l'autre, mon ami! lança-t-il d'un ton rempli de conviction tout en levant son verre.

Chapitre 35

Région du mont Emei, province du Sichuan, Chine.

— Sale macaque! rugit Namara, qui venait de se faire voler sa gourde d'eau par un des singes qui peuplaient la région du mont Emei.

Sachant qu'il devrait marcher de nombreux kilomètres dans la forêt dense de la région pour atteindre le monastère Ling Dao, il s'était équipé de bottes de marche ainsi que d'un sac à dos comportant le strict nécessaire. Voilà plusieurs heures qu'il était arrivé dans cette région montagneuse de Chine où il n'avait cessé de marcher dans des petits sentiers étroits, escaladant tranquillement les hautes montagnes. À son arrivée au mont Emei, il avait rencontré une vieille dame sur le bord d'une petite route de campagne. Cette dernière vendait des œufs durs dans une solution vinaigrée qui bouillait dans un bol sur le comptoir de son cabanon. Il avait pris soin de lui en acheter quelques-uns pour son ascension en pleine forêt. Il savait que cette vieille dame était la dernière possibilité de ravitaillement pour lui. Par la suite, il serait laissé à lui-même et seul dans les montagnes. Ignorant le type d'animaux peuplant la forêt, il avait cru bon attacher sa gourde d'eau à son sac et la laisser pendre.

Le climat avait surpris Namara. La forêt était dense et variée, le climat frais, mais confortable. Une humidité constante régnait dans l'air et un immense brouillard persistait. Il prit un petit sentier qui montait sans cesse. En suivant le sentier qui sillonnait dans les vallées creuses, il réalisa jusqu'à quel point le paysage était merveilleux. Il s'arrêta à plusieurs reprises pour admirer les montagnes qui l'entouraient et dont les sommets disparaissaient dans l'épais brouillard. De nombreux oiseaux planaient et tournoyaient autour des cimes en émettant des cris comme pour lui souhaiter la bienvenue. Plus il marchait et plus il prenait de l'altitude. Après un certain temps, sa respiration devint plus courte en raison de la rareté d'oxygène. Il se rendit rapidement compte qu'il n'était pas aussi seul qu'il ne le croyait dans cette forêt verdoyante et humide. Des centaines de singes sauvages peuplaient la forêt. Ressemblant à des gorilles gris miniatures de la grosseur d'un jeune enfant, ces derniers se déplaçaient en groupe. Quand il s'aperçut de la présence de ces bêtes, il devint inquiet de se faire attaquer. Les singes l'observaient, l'étudiaient et ils le suivaient. Jamais ils ne l'attaquèrent.

Lorsqu'il se cru enfin débarrassé de ses compagnons, il constata la présence d'un nouveau venu qui sortit de son refuge pour se percher sur une branche surélevée, le regardant marcher en se grattant la barbichette blanchâtre. Ne réalisant pas que la gourde attachée à son sac puisse être un objet intéressant pour un macaque, il l'apprit rapidement quand le singe s'élança comme l'éclair pour saisir la gourde. Il tira sa lanière d'un coup sec et l'attache céda. Il faillit tomber à la renverse, mais il réussit à garder son équilibre pendant que le chapardeur criait sa satisfaction, grimpant dans un arbre pour exhiber le trésor qu'il venait de voler.

Namara ne sentait plus ses jambes. Voilà bientôt six heures qu'il marchait et jamais il n'avait cessé de monter. Malgré la fatigue et l'humidité qui avaient détrempé ses vêtements, il continua d'avancer à un rythme régulier. Il arriva sur un plateau entouré de plusieurs montagnes étroites, mais très hautes. Elles ressemblaient à d'immenses stalagmites recouvertes de végétation ayant seulement leurs cimes à découvert et affichant un relief rocailleux. Du plateau, il aperçut un petit monastère camouflé parmi les montagnes. L'habitation consistait de cinq constructions rudimentaires en bois noirci par l'humidité des montagnes. En s'approchant, il vit que les bâtiments entouraient un vaste espace nu recouvert d'un agencement de briques entremêlées les unes aux autres. Seul un immense chaudron de bronze se trouvait au centre de la place. Il pouvait sentir une épaisse fumée d'encens qui sortait de la marmite et montait dans le ciel pour s'entremêler avec l'humidité de l'air ambiante et le brouillard.

Une atmosphère de paix y régnait comme si le temps n'existait plus. L'architecture était massive, sobre et datant sans doute de la Chine ancienne. Au centre de la place se trouvait un petit homme asiatique vêtu d'une longue tunique blanche en train de pratiquer des mouvements d'un style qui était inconnu aux yeux entraînés de Namara. L'homme vint à sa rencontre avec un sourire. Namara lui rendit sa courtoisie et il se présenta au moine en lui donnant le médaillon que Sanfeng lui avait remis. Le moine fit un signe de la tête et il l'invita à déposer son sac au sol pour le suivre.

Ils traversèrent la place pour se rendre à un bâtiment dans lequel des centaines de bougies tremblotaient. Une odeur d'encens se faisait sentir et des pétales de fleurs séchées jonchaient l'endroit. Danny remarqua neuf moines excluant celui qui l'accompagnait, tous vêtus de la même tunique blanche dont le tissu semblait être une sorte de lin. Tous semblaient être en méditation profonde et son guide le dirigea vers un moine qui était assis et en retrait. Ce dernier sembla réaliser la présence du visiteur; le guide lui remit le médaillon et le moine regarda Danny. Ce dernier le contempla longuement et il regarda Danny avec un sourire.

— Comment se porte Sanfeng?

— Il se porte très bien.

— Il y a longtemps que je n'ai pas vu ce vieil ami. Qu'est-il advenu de lui?

— Il vit à New York. Il possède un commerce là-bas.

— New York? demanda-t-il avec amusement. Cela ressemble tout à fait à lui. Vous devez être très spécial pour qu'il vous ait donné ce médaillon et vous êtes très déterminé pour avoir réussi à arriver jusqu'ici. Je me nomme Chao Heng. Et vous?

— Moi, c'est Danny!

— Et tu es ici pour apprendre, c'est cela?

— Oui.

— Très bien. Bienvenue au monastère Ling Dao qui veut dire en chinois « chemin de l'esprit ». Suis-moi, je vais te trouver des vêtements et de la nourriture… Tu dois sûrement avoir faim !

Chao Heng le présenta aux autres moines qui semblaient tous aussi paisibles que lui. Il leur expliqua qu'il habiterait avec eux un certain temps et il fut accepté comme s'il avait toujours été un des leurs.

睚眦

— Respire… Concentre-toi sur ta respiration et chasse ton esprit de toute pensée. Tu dois te détendre jusqu'à ne plus sentir ton corps, dit calmement Chao Heng.

— Je vais devenir dingue, marmonna Namara dont les jambes tremblaient d'épuisement.

— Concentre-toi !

Voilà plus de deux heures qu'il tenait cette position. Il était debout, genoux fléchis, les mains ouvertes à la hauteur du cœur comme s'il avait tenu un immense ballon invisible. Ses jambes brûlaient comme du feu et il ne pouvait s'empêcher de ne penser qu'à cette souffrance.

— Vide ton esprit complètement, murmura Chao Heng, qui pratiquait le même exercice à ses côtés.

— Mais j'essaie !

— N'essaie pas, fais-le…

Cette torture était devenue le quotidien de Danny depuis maintenant un bon moment. Chaque jour, ils allaient dans une caverne à proximité du monastère pour y rester quelques heures à pratiquer ce que Chao Heng lui disait de faire. Ce dernier se gardait bien de fournir quelque explication que ce soit. Ses seuls commentaires, c'était de faire les exercices sans poser de questions. Le silence et la tranquillité étaient ce qui habitait les lieux. L'isolement et le silence étaient brisés à l'occasion par le bruit des oiseaux et des animaux qui vivaient autour d'eux. Danny menait un véritable combat avec lui-même : sans savoir pourquoi il le faisait, il devait le faire à journée longue.

Son corps lui faisait mal à force de rester immobile de longues heures à uniquement se concentrer sur sa respiration. La journée se terminait la plupart du temps autour d'un feu de camp où Chao Heng jouait des chants sur sa flûte sculptée dans une tige en bambou. Tous écoutaient les crépitements du feu mélangés aux bruits ambiants de la forêt. Le firmament brillait de ses milliers d'étoiles comme pour leur montrer constamment à quel point ils étaient petits dans cet univers. Les journées semblaient sans fin pour Danny et il ne comprenait pas la raison de tout cet entraînement. *Sa présence là était peut-être une erreur après tout.*

Il ne sentait rien et il ne comprenait rien. Il voulait être ailleurs. Un soir qu'il était à côté de Chao Heng, il se retint de lui demander la raison de son entraînement, car il ne ressentait absolument rien. Toutefois, il ne le fit jamais, car il savait qu'il ne fallait pas poser de telles questions à des moines chinois. Si on te disait de faire une chose, l'apprenti se devait de faire confiance à son maître. Poser des questions ou bien argumenter pouvait être considéré comme une insulte et il se garda bien de s'y aventurer. Il resta aux côtés de ces moines vêtus de blancs pour vivre comme eux, à s'entraîner comme eux et à apprendre à apprivoiser le silence comme eux.

Chapitre 36

Danny s'efforçait de garder un lien avec la réalité en tentant de savoir quel jour il était, quelle heure il pouvait être dans la journée et depuis combien de temps il était au monastère. Mais au bout d'un moment, il oublia tout cela en lâchant prise. Il commença à s'habituer à ce rythme de vie et il constata qu'il n'avait jamais dormi d'un sommeil aussi paisible de toute sa vie. Tout le stress qu'il avait en lui, ce besoin d'agir et de bouger constamment, s'évanouissait tranquillement. C'est à ce moment qu'il réalisa le poids du bagage qu'il portait en lui de façon inconsciente depuis des années. Pour la première fois de sa vie, il ressentit une paix intérieure et cela lui plaisait. Sa vie commença à changer un jour où il était immobile depuis une heure dans la caverne avec Chao Heng.

Subitement, il se mit à transpirer sans aucune raison. La sueur se mit à imbiber ses vêtements comme s'il venait de faire un entraînement physique intense. Peu de temps après, il se mit à sentir ses jambes geler des orteils jusqu'au bassin. Des tremblements de froid commençaient à secouer son corps. Il commença à s'inquiéter en se demandant s'il ne devenait pas fou.

— Garde ta position, détends-toi et ne t'occupe pas de ce que tu sens. Cela va partir ! lança Chao Heng, qui savait exactement ce que son élève ressentait à l'instant même.

Une étape venait d'être franchie, une porte venait d'être ouverte. Danny le savait et Chao Heng aussi. Ce dernier lui sourit. Les jours suivants furent tous aussi surprenants qu'irréels pour Danny. Lors de ses exercices, son passé se mit à faire surface, la mort de ses parents, celle de Chandra, ses difficultés de jeunesse, la Colombie et tous les traumatismes qui s'étaient succédé dans sa vie. Ses souvenirs enfouis refaisaient surface sous forme de flashs qui arrivaient dans sa tête comme s'il vivait ces épreuves encore une fois.

Son corps réagissait en tremblant et en vibrant. Tout se passait comme un film dans sa tête, comme si tout ce qui s'était caché au fond de lui toutes ces années avait décidé de sortir en vrac. Chao Heng ajouta de plus en plus d'exercices et de techniques secrètes à son entraînement.

Un matin où il allait allumer l'encens dans l'immense chaudron au centre de la place extérieure, le gong qui était relié au chaudron se mit à retentir fortement, ce qui le fit sursauter. *Pas de doute, quelqu'un venait de sonner le gong et il ne l'avait pas vu arriver.*

Mais quand il se retourna, il ne vit personne près de lui. La seule personne visible fut un moine qui s'éloignait au loin en lui souriant. Il n'en croyait pas ses yeux. Ce qui venait d'arriver était complètement irréel et impossible. Ce genre de phénomène se produisit à plusieurs reprises. Alors qu'il pratiquait un jour de beau temps un exercice de concentration sous un immense arbre centenaire, un éclair tomba directement sur l'immense arbre. Un puissant bruit de détonation se fit entendre comme un coup de canon. L'arbre se fendit littéralement en deux, les deux parties s'écroulant de chaque côté de lui et il tomba en un fracas de cassage de branches. Il était vivant, car l'arbre s'était brisé dans le bon angle. Un angle différent, et il serait mort écrasé. Comment un tel hasard pouvait-il se produire au moment exact où il faisait son entraînement. L'éclair avait choisi de percuter cet arbre en particulier, un des millions de la forêt, précisément là où, lui, il se trouvait.

睢眦

Son imagination commençait à lui jouer des tours. En même temps, il ne pouvait nier que les choses qu'il vivait étaient reliées à son entraînement. Il se sentait de plus en plus différent et serein chaque jour. Il voyait le monde qui l'entourait de façon différente et il ne pouvait comprendre pourquoi. Un soir qu'il pratiquait, il sentit une pression sur son épaule droite comme la main d'une personne qui se serait posée pour lui indiquer sa présence. Il se retourna pour faire face à son interlocuteur, mais à son grand étonnement, son interlocuteur n'était pas à portée de main comme il l'avait cru, mais au moins à une centaine de mètres de lui. Chao Heng sourit à Namara en voyant la consternation sur son visage. Le moine lui fit signe de venir le rejoindre près du feu.

— Viens, Danny, nous devons discuter.

— Très bien.

Chao Heng s'assit devant le feu avec sa flûte et il leva la tête pour contempler les étoiles.

— C'est beau, n'est-ce pas ?

— Oui, c'est magnifique en effet.

— Tu as commencé à sentir des choses ?

— Oui.

— Et tu comprends ce que c'est ?

— Non, pas vraiment… Peut-être aurais-je besoin d'explications… Je ne sais pas si je deviens fou ou je ne sais pas quoi…

— Ce n'est pas ton imagination qui te joue des tours, rassure-toi. L'univers te parle… Tu t'es ouvert à celui-ci. Tu te sers de l'énergie universelle et c'est ce qui arrive.

— Oui, mais je ne me sers de rien. Cela arrive soudainement. Je n'ai aucun contrôle sur les événements qui se produisent !

— Pas encore, mais cela viendra, sois patient ! Tu as déjà entendu parler du troisième œil ?

— Oui. C'est ce qu'on appelle le sixième sens en quelque sorte, non ?

— Précisément. La capacité de sentir et de voir des choses que les autres ne peuvent. Des capacités extrasensorielles en quelque sorte. Dans différentes cultures et ce, depuis la nuit des temps, des individus de connaissance supérieure avaient cette capacité du sixième sens. Certains peuples de l'Inde ont cette connaissance depuis des siècles, mais seuls quelques-uns connaissent vraiment le secret du troisième œil. Certains pays ont dissimulé cette connaissance derrière des croyances et des religions. Certaines tribus primitives avaient la capacité, de par la concentration et la force de leur esprit, de baisser leur rythme cardiaque à un tel point que, quand leur pouls était pris, il n'y en avait aucun. Par la relaxation et la respiration, ils baissaient leur rythme cardiaque jusqu'à ce qu'ils soient considérés comme décédés. Ils étaient ce que nous pourrions dire des morts vivants selon un œil extérieur ! L'esprit est plus fort que le corps et la matière. Certains individus ont cette habileté… Ce pouvoir de clairvoyance, d'autres, non. Tu as cette capacité, mais tu l'ignorais jusqu'à maintenant. Sanfeng savait que tu l'avais, tout comme je l'ai vue aussi. Tu sais, Sanfeng était probablement le meilleur parmi nous. Il est celui qui a atteint le niveau le plus élevé. Bien qu'il soit étrange à première vue, je peux t'assurer qu'il est très puissant. Sa présence en Amérique a pour but d'augmenter sa puissance dans sa logique à lui. Je ne suis pas inquiet à son égard, je suis certain qu'il s'en sort bien.

— Oui, mais moi je ne suis pas clairvoyant, je n'ai pas de visions, Chao Heng !

— Certains ont ce don à la naissance et certains l'ont à différents niveaux. Tu n'as peut-être pas de visions précises, mais tu auras la capacité de sentir et de voir certaines choses. Tu pourras aussi accomplir des choses que toi-même ignores. Seul le temps te permettra d'atteindre ce niveau.

— Pourquoi cela m'arrive… Pourquoi moi ?

— Parce que tu as quelque chose à accomplir. Il n'y a pas de hasard dans l'univers. Tu fais partie intégrale de celui-ci. Tu dois apprendre à l'écouter quand il te parle, car il te parle bel et bien. Tu dois ouvrir ta perception à l'invisible et remettre en question ce que tu avais tenu pour acquis. Quelquefois, la réalité est différente de ce que nous croyons. Et…

— Et quoi…

— Tu devras faire la paix avec toi-même. L'univers t'a mis durement à l'épreuve en te mettant des obstacles dans ta vie. Tu as beaucoup souffert de cela, mais tu dois comprendre que ces épreuves étaient nécessaires pour devenir ce que tu es. Ces épreuves ont façonné la force de ton esprit et ta volonté. Tu ne pourrais être ce que tu es, en n'ayant pas vécu ce que tu as vécu. C'est cela que tu dois comprendre. Laisse aller tes souffrances qui t'étouffent. Ne leur en tiens pas rigueur, elles t'ont été nécessaires. Sers-toi de ce que tu as vécu avec sérénité et fais en sorte que cela devienne une puissance invincible qui te protégera contre les forces obscures qui existent et que tu rencontreras !

— Oui, maintenant… Je comprends.

Il avait effectivement compris. Il sentait la transformation qui s'était effectuée en lui et la paix intérieure qui l'avait envahie comme jamais auparavant et, pour la première fois, il avait compris un certain sens à son existence.

— Parfait ! Maintenant, écoute et respire.

Namara ferma les yeux en prenant une grande respiration et il écouta l'immensité du moment.

睚眦

Le bois des environs n'était pas idéal pour faire du feu en raison de l'humidité qui régnait dans l'air et au sol. Ses fibres étaient imbibées d'eau. Danny s'était éloigné du monastère pour aller chercher des morceaux plus secs en forêt. Un léger brouillard volait dans l'air et au travers de la végétation. Il avait les bras pleins de bois et il s'apprêtait à revenir au monastère quand il vit un buisson face à lui bouger. Il entendit de sourds grognements qui lui firent palpiter le cœur. Jamais il n'avait entendu semblable son. Ce dernier était profond, sauvage. Il déposa le bois doucement au sol en évitant le plus possible de se faire entendre. À peine après qu'il eût déposé sa charge, un immense tigre de Chine lui fit face à moins d'un mètre de distance. L'immense bête était orangée avec de grosses rayures noires partout sur son corps musclé et élancé. Ses yeux étaient jaunes et une lueur sauvage y perlait. Le cœur de Namara battait la chamade et il était certain que son heure était arrivée.

Comment se faisait-il qu'un tigre puisse être dans cette région ? L'animal s'avança furtivement vers lui jusqu'à être à une distance de quelques centimètres. Namara restait debout, immobile. Un seul coup de patte de la part de l'animal et avec ses griffes acérées, il le viderait de son sang en quelques secondes. La bête continua d'émettre de profonds grognements et tourna lentement autour de lui, comme pour le sentir. Son manège terminé, l'animal se laissa soudainement tomber à ses pieds comme s'il avait été un des siens. La stupéfaction de Namara était totale, impossible de comprendre ce qui se passait. Mais une chose était certaine à ses yeux, le moment présent tirait tout simplement de la magie. Il devrait être mort à cet instant. Une carcasse emportée par le fauve loin dans la forêt. Au lieu de cela, il savait que, pour une raison qu'il ignorait, le tigre ne lui ferait aucun mal. L'animal, parmi les plus féroces et les plus sauvages du règne animal, le respectait, à son grand étonnement. Comme si le puissant animal l'avait toujours connu. Il se calma et il se pencha pour parler au tigre.

— Merci ami de ne pas m'égorger ! Tu arrives de quel endroit, toi ?

Le tigre le regardait sans bouger.

— Bon, je crois que je vais y aller… J'espère que tu ne m'en voudras pas ?

L'animal se leva du sol pour s'asseoir. Danny sentit en s'éloignant que le tigre le fixait. Tout en marchant, il se retourna pour regarder à quelques reprises l'animal qui le dévisageait toujours calmement. Il se demandait s'il n'avait pas rêvé, mais, après s'être retourné trois fois et avoir vu le puissant félin le fixer, il se dit que son imagination ne lui jouait aucun tour cette fois-ci. Il retourna tranquillement vers le monastère.

睚眦

Avec un peu de tristesse, Namara quitta Chao Heng et le monastère pour retourner à la vie ordinaire après un certain temps. Il avait l'impression de laisser une partie de lui-même en quittant cet endroit. Mais plus que tout, il retournait transformé et plus lucide qu'il ne l'avait jamais été de sa vie. Il repensait à ce que Sanfeng lui avait dit. Il l'avait conduit tranquillement jusqu'à ce monastère, jusqu'à sa destinée. Maintenant, il était prêt à affronter son futur… grâce à Sanfeng. Chao Heng lui avait dit de continuer son entraînement. Sa perception et sa capacité augmenteraient graduellement avec le temps.

— En temps et lieu, tes habiletés seront comparables à pouvoir sentir des couleurs ou de goûter des odeurs, dit Chao Heng d'un ton paisible.

Chapitre 37

À l'aube de l'an 2016, Manhattan, New York, États-Unis.

— Il nous faut discuter de l'offre qu'Andy nous a faite à Montréal et prendre une décision ! dit Namara, qui était assis au bout de la table et accompagné de toute son équipe.

Un silence régna dans la pièce quelques instants, puis Ming Mei prit la parole :

— Il n'y a qu'une chose qui me dérange dans toute cette histoire. Qui sont les instigateurs de tout cela et dans quel but ?

— Oui, elle a raison, dit pensivement Shinsaku.

— Et si le but de cette société secrète n'était pas aussi noble qu'il ne nous le déclare ? demanda Kamilia.

— Allons ! Nous avons effectué des contrats pour la CIA... Vous croyez sincèrement que les buts de nos interventions étaient ceux qu'ils nous ont fournis ? Il faut se réveiller, mes chéris ! dit Guerra sur un ton sarcastique.

— Ouais, d'accord, j'en conviens, mais tout de même... Je trouve cela étrange, rétorqua Kamilia.

— Écoutez, je ne peux pas répondre à ce que je ne sais pas moi-même. Ce que je sais par contre, c'est qu'Andy Bane est un type honnête et que je me fie à son jugement. Je sais que c'est mince comme certitude, mais c'est tout ce que nous avons. Nous devons décider si oui ou non nous en faisons partie. Dites-vous seulement une chose... Et si tout ce qui a été dit est vrai ? Et s'il existait réellement une telle société qui régit notre monde comme nous le connaissons et que cette offre était pour nous la possibilité de faire une différence réelle dans ce monde ? Vous ne pensez pas que cela en vaudrait la peine ?

— Je suis curieux... Pourquoi est-ce si important pour toi de savoir si le travail que tu vas accomplir est pour la bonne cause ou non. Tu vas encaisser le fric en fin de compte ! lança Guerra.

— Justement, James... C'est ce que nous avons toujours fait... Encaisser l'argent sans se poser de questions et sans se préoccuper de rien... Sans se soucier si nos actions n'ont pas servi à protéger les véritables individus que nous voulions tant anéantir. C'est exactement comment Maki nous avait perçus! rétorqua Namara.

— Quoi, tu crois que ce que nous avons fait était mal? demanda Guerra.

— Non. Je crois que nous avons fait ce qui était correct jusqu'à maintenant avec les moyens que nous avions. Toutefois, je crois aussi que nous pourrions faire davantage. Si ces individus mystérieux sont bien ce qu'ils disent être, cela nous amène des moyens hors du commun et une perspective complètement différente. Par le fait même, nous pouvons devenir une entité secrète pouvant accomplir l'impossible. Nous pouvons devenir quelque chose de tout autre en fin de compte… Quelque chose au-dessus de pratiquement tout! Je crois que nos actions présentes ne signifient que des dommages minimes à l'ennemi qui nous entoure, que les véritables criminels s'en tirent et restent terrés dans leur abri. Ce que je dis, c'est que nous pourrions faire une différence réelle pour une fois et tant qu'à encaisser l'argent, James, aussi bien l'encaisser pour une bonne cause et selon nos règles! Faisons une surprise à ceux qui se croient intouchables et allons les traquer pour faire changement! dit Namara avec conviction.

— D'accord, d'accord… Mais pour Maki je ne te suis pas!

— Je n'ai jamais dit pourquoi Maki nous avait choisis, mais nous nous sommes tous demandé pourquoi il nous avait approchés et entraînés sans aucune explication. N'est-ce pas? rétorqua Namara.

— Oui et? demanda Kamilia d'un ton curieux.

— Par tradition, les Japonais n'auraient jamais transmis une telle connaissance à des étrangers, qui plus est à de parfaits étrangers *occidentaux*. N'est-ce pas Shinsaku?

— En effet, cela ne fait aucun sens! répondit-il.

— L'entraînement que Maki nous a laissé est une vengeance. Il nous a toujours détestés et notre création est en fait une vengeance de l'Orient envers l'Occident. Maki nous a étudiés attentivement. Il a vu nos capacités martiales et notre potentiel. Il a été plus brillant que nous l'avons soupçonné, car il a vu au fond de nos âmes la souffrance que nous portons et la haine que nous avons. Il l'a remarqué immédiatement et il s'est servi de cela pour faire de nous de véritables machines à tuer, prédestinés à détruire et à propager le chaos de retour chez nous. Il nous a créés comme instrument pour détruire l'Occident! De toute évidence, il souhaitait sa destruction et notre création était une façon parmi tant d'autres à son plan pour causer le maximum de dommages. Tout comme un animal sauvage qui urine périodiquement sur un rosier. À la longue, même s'il est résistant, le rosier finira par mourir et sécher s'il reçoit de ce charmant mélange à fréquence régulière!

— Je n'arrive pas à y croire… Nous ne sommes pas du tout cela, rétorqua Ming Mei.

— Pas encore… Mais lui le croyait ou du moins, il croyait qu'en raison de notre passé, nous finirions par devenir mauvais.

— Je crois que c'est cet enfoiré de Maki qui est le plus détraqué si tu dis vrai ! dit Kamilia.

— Très bien, alors dis-nous ce que tu en penses ! lança Shinsaku.

— Je crois que cette occasion qui s'offre à nous est une libération. La libération de nos souffrances que nous portons tous depuis des années et qui, de toute évidence, nous aurait amenés éventuellement à nous détruire ou à sombrer. Pour ma part, j'en ai assez ! Cette offre est une chance pour nous tous de changer notre voie qui était tracée et de faire mentir les enfoirés comme Maki qui nous ont sous-estimés. Prouvons-leur que tout ce que nous avons vécu aura servi à quelque chose.

— Merde… Tu as vu le Messie ou quoi ? C'est sûrement dû à ton foutu voyage dans les montagnes en Chine. De toute manière, je te suis, tu le sais ! dit Guerra.

— Je crois qu'il ne s'agit pas de suivre cette fois-ci, James. Vous devez prendre cette décision pour vous-même et faire ce que vous croyez juste ! Je crois que ce moment est décisif pour chacun de nous. Nous devons prendre une décision quant à nos vies.

Un long silence se fit entendre et chacun se regarda.

— Nous sommes tous avec toi, dit Kamilia.

— C'est entendu dans ce cas ! Maintenant, il va falloir se trouver une couverture officielle pour camoufler l'existence de notre groupe et, tant qu'à y être, nous permettre de générer quelques profits.

— Nous ouvrons un restaurant et cela sera en quelque sorte notre quartier général, dit Ming Mei.

— Et pourquoi pas une salle d'entraînement où nous pourrions nous entraîner, dit Shinsaku.

— Non, vous n'y êtes pas du tout. Ce qu'il nous faut, c'est un bar ! lança Kamilia.

— Je n'ai pas l'envie de servir de la bière à des ivrognes toute la soirée, rétorqua Ming Mei.

Kamilia se mit à rire au commentaire de Ming Mei.

— Je crois que vous ne comprenez pas. Ce qu'il nous faut, c'est une boîte de nuit, un mégabar dont nous serons les propriétaires ! dit Kamilia d'un ton décisif.

— Je vais t'avouer que je n'affectionne pas particulièrement ce genre d'endroit. Pourquoi il nous faut un tel établissement ? demanda Namara.

— La réponse est simple. Nous nous attaquerons aux criminels, à la corruption, au pire du pire, n'est-ce pas ? Il y a un proverbe qui dit… Pour combattre l'ennemi, il faut le garder près de soi. En ayant une boîte de nuit connue et branchée, cela va attirer quoi vous pensez ?

— Des femmes, de l'alcool, de l'argent, du glamour ! Merci mon Dieu ! rétorqua Guerra.

— Précisément James ! Et avec cela viennent aussi la corruption, la criminalité, la drogue et tout ce qui suit ! Nous allons nous servir de tout cela pour nous dissimuler tel un caméléon et dissiper tous les doutes possibles. De plus, nous pourrons déplacer des sommes d'argent importantes pour notre groupe en utilisant le bar comme couverture… Les gros investissements dans cette industrie sont nombreux, ce qui nous permettra d'éviter de nous faire poser constamment des questions embarrassantes sur la provenance de notre argent… Vous saisissez cette fois ? dit Kamilia.

— Intéressant… Et de plus, Kamilia, tu t'y connais pour gérer ce type d'endroit pas vrai ? demanda Shinsaku.

— Oui. Vous avez la femme d'affaires qu'il vous faut à cette table, rétorqua-t-elle en lui faisant un clin d'œil.

— Enfin, il y a un dieu qui a entendu mes prières… À moi les femmes et la grande vie ! dit Guerra.

— Ce que tu peux être prévisible, James, parfois, dit Ming Mei en levant les yeux au ciel.

— Moi aussi, je t'aime ! rétorqua-t-il en faisant signe de lui souffler un baiser avec sa main.

— Connard, marmonna Ming Mei.

— Bon, bon… D'accord, dit Namara en les interrompant d'un ton impatient. Il va falloir trouver un lieu pour ce bar.

— L'endroit le plus branché est Miami, à mon avis. Cette ville nous est étrangère à tous, meilleure façon de commencer une nouvelle vie. Personne ne nous y connaît. Vous avez tout ce qu'il faut à Miami… La chaleur, l'océan, l'argent, le glamour ! De plus, où les plus grands et les plus corrompus vont-ils en vacances ? demanda Shinsaku.

— À Miami évidemment, lança Ming Mei.

— Exact. C'est un incontournable ! rétorqua Namara

Tous acquiescèrent en guise d'accord.

— Et comment allons-nous appeler cette boîte de nuit ? demanda Guerra.

Personne n'avait d'idées et tous se regardèrent.

— Je sais, j'ai trouvé ! Nous l'appellerons « L'Entrejambe », lança fièrement Guerra.

Namara éclata de rire.

— Vous ne pouvez pas être sérieux quelques instants! rumina Ming Mei.

— Libération! lança Kamilia d'un ton pensif.

— Pardon? demanda Shinsaku.

— Danny a dit que cette offre était pour nous une libération… Un second souffle, une nouvelle vie… Alors… Le nom de notre établissement sera… Libération! dit Kamilia en scrutant tout le monde autour de la table.

Tous se regardèrent avec un sourire en guise d'accord.

— D'accord… La question qui tue… Pour ouvrir un tel endroit, cela prend de l'argent… Même beaucoup d'argent. Où va-t-on trouver cet argent… Là est la question, s'interrogea Shinsaku.

— Andy t'a dit que l'argent n'était pas un problème et que nos amis de l'ombre nous financeraient sans problème, vrai? demanda Guerra à Namara.

— C'est ce qu'il m'a dit en effet. Je m'en occupe, je vais lui parler! dit Namara.

睚眦

— As-tu complètement perdu la tête? hurla Andy au téléphone.

— Quoi… Quel est le problème? demanda calmement Danny.

— Le problème? Tu veux savoir le problème? Merde! Tu veux refaire ton adolescence que tu n'as pas fait ou quoi?

— Du calme… Nous avons discuté et nous en sommes venus…

— Non, non, non! C'est hors de question. Ne crois pas que je vais leur demander une telle chose! Une discothèque à Miami! Non, mais, franchement, vous croyez que vous allez être financés pour vivre comme des millionnaires et faire la fête?

— Non, cela n'est pas du tout la raison et tu le sais!

— Danny… Écoute…

— Non, c'est à toi de m'écouter cette fois! Ne crois pas que nous allons tout risquer pour ces charmants dirigeants de l'ombre pour les aider à accomplir leurs volontés sans que cela leur coûte quelques investissements et sans rien demander. J'en ai fini de devoir risquer ma vie constamment parce que nous manquons de moyens. Ils veulent du travail professionnel sans bavures? De toute évidence, ils ont les meilleurs pour cela, mais ils vont devoir payer le prix pour avoir une telle équipe et les résultats qu'ils désirent. Je n'ai rien d'autre à ajouter. De toute manière, si je me rappelle bien, tu m'as dit qu'ils nous financeraient tout, peu importe ce que cela coûterait ! Nous en sommes maintenant là ! Nous avons besoin d'une façade solide pour ne pas éveiller quelque soupçon que ce soit et pour être en contact avec les individus influents qui contrôlent le crime. Nous parlons de passer de l'autre côté du miroir et pour cela, ce n'est pas en nous ouvrant une bibliothèque de quartier que nous allons y parvenir !

— En effet, ils disent qu'ils financeraient tout, mais bon… Votre plan consisterait en quoi ?

Il expliqua en détail à Andy le plan qu'ils avaient concocté avec ce qu'il comprenait et la raison de tout ce qui avait été décidé.

— Tu vas devoir nous faire confiance comme nous t'avons fait confiance sur ce coup… C'est à prendre ou à laisser ! Faut-il te rappeler que c'est toi qui es venu à nous ?

— D'accord, Nom de dieu… C'est entendu ! Je vais leur en parler et voir ce que je peux faire ! marmonna Andy.

— Je vais attendre ton appel.

— En passant, préparez-vous, car vous pourriez avoir du travail très bientôt.

— De quoi s'agit-il ?

— Je ne veux pas t'en dire trop pour le moment, j'en suis à me documenter sur la question et à faire mes propres recherches. Tout ce que je peux te dire, c'est de vous préparer. Cette histoire en est une d'horreur tout simplement. J'en ai des frissons seulement qu'à y penser. C'est de la vraie merde.

— Ne t'en fais pas, nous y sommes habitués.

— Je vous rencontrai à New York si tu n'y vois pas d'inconvénient. Je vais te recontacter pour déterminer le moment exact.

— D'accord. D'ici là, une réponse de la part de nos amis est souhaitable…

— Tu ne lâches jamais, toi !

— Non, en effet ! C'est ce qui fait mon charme !

— Ouais, tu parles !

— Donne-moi de tes nouvelles quand tu seras prêt !

— Oui, à bientôt ! dit Andy en raccrochant le combiné.

Quatrième partie

Et il y eut guerre dans le ciel. Michel et ses anges combattirent contre le dragon. Et le dragon et ses anges combattirent, mais ils ne furent pas les plus forts, et leur place ne fut plus trouvée dans le ciel. Et il fut précipité, le grand dragon, le serpent ancien, appelé le Diable et Satan, celui qui séduit toute la Terre, il fut précipité sur la Terre, et ses anges furent précipités avec lui.

Apocalypse 12 : 7-9

L'enfer est vide, et tous les démons sont ici.

WILLIAM SHAKESPEARE

J'entendis la voix du Seigneur, disant : qui enverrai-je, et qui marchera pour nous ? Je répondis : me voici, envoie-moi.

Esaïe 6 : 8

Chapitre 38

San Matanza, Mexique.

— Tu as vu Jovanna? demanda Barbara d'un ton de panique à sa voisine qui vivait à quelques pas de chez elle.

— Non, je ne l'ai pas vue! Elle était censée venir ici? demanda sa voisine sur le porche de la maison.

— Oui, elle devait venir voir Abigail. Je lui ai dit de venir à pied directement ici compte tenu de l'obscurité. Cela fait maintenant deux heures qu'elle est en retard. Je suis morte d'inquiétude!

— Abigail, viens ici! cria sa mère.

Une jeune fille d'une quinzaine d'années arriva de la cuisine d'un pas calme. Elle avait des écouteurs sur la tête et de la musique incompréhensible tonnait d'un bruit étouffé. Ses longs cheveux noirs et son teint basané étaient des traits typiques d'une jeune mexicaine de la région.

— Oui, qu'est-ce qu'il y a? demanda-t-elle d'un ton nonchalant en regardant sa mère qui était dans l'entremise de la porte.

— Jovanna est-elle venue ici ce soir?

— Non, maman, je ne l'ai pas vue. Pourquoi?

— Elle devait venir te voir et sa mère la cherche maintenant!

— Je t'assure qu'elle n'est pas venue ici!

Le logis où se déroulait la scène était une vieille cambuse dont l'extérieur était fait de tôle à moitié rongée par la rouille. L'intérieur de la maison était bien tenu, mais l'endroit était une manifestation de la grande pauvreté qui régnait dans la région. Plusieurs dizaines de maisons de la sorte étaient construites le long d'une route de gravier. Les rues et les quartiers étaient des bidonvilles situés en plein milieu du désert où de nombreuses familles vivaient depuis toujours. Le secteur était composé majoritairement de familles qui travaillaient dans les usines de la ville comme ouvriers sous-payés. Leurs maigres salaires et les longues heures travaillées permettaient à peine la survie de leurs proches.

Barbara travaillait comme ouvrière dans une manufacture de chandails où elle passait de longues journées pour ne revenir que le soir tard et s'occuper de sa fille unique de treize ans. Jovanna était tout pour elle et, malgré les difficultés financières que la mère éprouvait, elles réussissaient ensemble à vivre correctement. Barbara tentait d'être une bonne mère malgré ses longues absences de la maison pour le travail. Elle disait constamment à sa fille de revenir directement à la maison lorsque les classes étaient terminées et toute sortie à la nuit tombée était formellement interdite en raison de tout ce qui se passait dans cette ville.

Jovanna, au début de l'adolescence, avait argumenté à quelques reprises, rétorquant qu'elle voulait sortir avec ses amies, mais Barbara avait été formelle. Aucune sortie, même si d'autres parents le permettaient. Elle avait expliqué à Jovanna qu'elle faisait cela pour son bien, car elle tenait à elle. Jovanna avait compris et elle n'argumentait plus. Sa meilleure amie, Abigail, restait sur la même rue qu'elle. Les deux étaient constamment ensemble et la permission de sortir le soir était accordée uniquement pour aller chez Abigail. Le trajet était d'environ quatre cents mètres entre les deux maisons.

Bien que Barbara n'aimait pas du tout la laisser marcher cette distance, elle ne pouvait pas l'enchaîner au domicile constamment. Elle avait concédé de lui laisser marcher le trajet le soir occasionnellement pour aller chez son amie. Les maisons du quartier avaient l'eau courante et l'électricité, mais il n'y avait aucun lampadaire dans les rues, les rendant sombres lorsque la nuit était tombée. Il ne restait que la lumière des maisons comme source d'éclairage pour les endroits publics.

— Oh, mon Dieu! dit Barbara à mi-voix, comme dans une lamentation. Ses yeux s'étaient remplis de larmes.

— Peut-être est-elle allée chez une autre amie et tu as mal compris, dit la mère d'Abigail.

— Non, c'est impossible! Elle avait uniquement la permission de venir ici le soir. Jamais, elle n'aurait fait le contraire, je connais ma fille. Quelque chose d'horrible vient de se passer, je le sens! Mon Dieu… Jamais je n'aurais dû la laisser sortir! dit-elle en pleurant, complètement en état de choc.

— Calme-toi, Barbara! Il faut appeler la police.

— La police! Tu sais aussi bien que moi qu'elle s'en fiche de ce qui se passe ici! Mon Dieu, pas mon enfant!

Barbara s'écrasa à genoux, en pleurs, sur le pas de la porte. L'impact sur les vieilles planches du porche les fit craquer légèrement. La mère d'Abigail la prit par les épaules et elle la releva.

— Nous allons marcher et cogner aux portes, je suis sûre qu'elle va bien. Elle a probablement décidé de désobéir et d'aller ailleurs!

Les deux femmes frappèrent à toutes les portes de toutes les maisons dans la rue. Elles allèrent à tous les endroits que Jovanna avait l'habitude de fréquenter durant la journée, mais ils ne la trouvèrent pas. Personne ne l'avait vue et il n'y avait aucune trace d'elle. Barbara avait vu juste, sa fille venait d'être une autre victime, une disparition de plus dans la ville de San Matanza. Les habitants cachaient un terrible secret depuis une dizaine d'années maintenant. Les jeunes filles et les jeunes femmes de la région disparaissaient constamment. Personne ne connaissait une description du ou des agresseurs. Personne n'avait été témoin de rien depuis toutes ces années. Les enlèvements se faisaient de façon intermittente. Et parfois il s'agissait d'enfants en bas âge qui disparaissaient et, d'autres fois, il pouvait s'agir de jeunes femmes d'une vingtaine d'années.

Les autorités estimaient que le nombre de disparitions dans la ville s'élevait à plusieurs centaines de femmes. Plusieurs d'entre elles étaient retrouvées mortes dans le désert quelques semaines après leur enlèvement. Les corps avaient été jetés dans le désert et souvent, ils étaient en état de décomposition avancée lorsqu'ils étaient découverts. Après autopsie, il avait été démontré qu'elles avaient toutes été violées. Des traces de violence ainsi que de torture avaient été constatées sur les corps. Aucun enfant n'avait toutefois été retrouvé vivant ou mort. Le public réclamait une enquête afin de trouver le meurtrier, mais il n'en sortit rien de valable des autorités policières locales qui affirmèrent n'avoir aucune piste solide. Après un moment, les disparitions se mirent à augmenter et la population se mit à crier au scandale et pressa les autorités ainsi que les médias de trouver le ou les coupables de ces crimes horribles.

La police réagit en disant avoir instauré une escouade spéciale afin de résoudre les meurtres de San Matanza. Encore une fois, plusieurs mois s'écoulèrent. Aucun résultat ne sortit de cette escouade et les meurtres continuèrent. Plusieurs éléments étranges commencèrent à surgir, entre autres le fait que certaines scènes de crime pouvaient avoir été contaminées intentionnellement et que certains indices pouvaient avoir été détruits selon certains citoyens de l'endroit. Plus les années passaient, plus les meurtres continuaient. L'hypothèse que ces crimes n'étaient pas l'œuvre d'un seul tueur, mais bien de plusieurs qui agissaient ensemble devint plus plausible. Plusieurs groupes de citoyens en aide aux familles de victimes se mirent à faire des pressions extérieures en clamant au monde entier qu'il s'agissait tout simplement d'un crime contre l'humanité. Selon ces groupes, il s'agissait d'un réseau organisé qui opérait à San Matanza. Ils maintenaient cette théorie en mettant en évidence qu'après toutes ces centaines de disparitions, jamais il n'y avait eu un témoin de quoi que ce quoi. Cela était pratiquement impossible à moins que les tueurs ne travaillent en groupe, qu'ils soient puissamment organisés et qu'ils achètent systématiquement le silence des yeux indiscrets.

Les médias tentèrent de savoir de quoi était constitué ce réseau fantôme. Certains affirmèrent que le réseau était de connivence avec la police, d'autres, qu'il s'agissait d'un puissant cartel qui avait corrompu les autorités, que cela était la raison de tout ce silence et de cet aveuglement. On amena la thèse d'une secte qui tuait et qui vendait ces femmes pour de l'argent, mais aussi pour leur plaisir. Les raisons motivant le choix des victimes qu'ils tuaient et celles qu'on ne revoyait jamais restaient inconnues. Pour la majorité des habitants, il existait trop de détails bizarres et inexplicables pour que tous ces meurtres soient l'œuvre d'une seule personne. Toutes les hypothèses furent émises à propos de ces meurtres odieux, mais, encore une fois, aucun indice ne permit de confirmer quoi que ce soit.

Les autorités étrangères et les organismes internationaux commencèrent à vouloir s'ingérer dans la situation, mais leur aide fut poliment refusée par le gouvernement sous prétexte que le problème appartenait au Mexique et que des intervenants étrangers n'étaient pas les bienvenus.

Cela serait la preuve que le pays n'était pas en mesure de régler ses propres problèmes. Par peur d'un conflit politique et diplomatique, les ressortissants étrangers, prêts à s'y mêler en constatant l'aberration de la situation et en voyant ces familles pauvres prises en otage, se rétractèrent un à un. Les enfants et les jeunes femmes venaient toutes de familles provenant de la classe ouvrière, ce qui voulait dire de façon implicite qu'ils n'avaient pas les moyens d'aller plus loin pour obtenir des réponses. Plusieurs familles tentèrent de faire leurs propres enquêtes avec les moyens du bord, mais encore une fois, ils eurent des sourires polis et des mots de sympathie des autorités avec l'affirmation que l'enquête était toujours en cours et qu'ils prenaient tous les renseignements au sérieux. Évidemment, personne ne reçut jamais de nouvelles, encore moins les organismes d'aide aux familles des victimes qui tentaient de mettre de la pression sur les autorités au nom des familles qui n'avaient pas la force morale ni financière de se battre.

Au cours des années, les meurtres qui sévissaient à San Matanza devinrent une malédiction pour la ville. Tous les habitants avaient peur dès la tombée de la nuit et tous les parents craignaient le pire constamment pour leurs enfants. Puis, lorsque les enlèvements cessaient un certain temps, tous se demandaient si les meurtriers avaient été arrêtés et si le cauchemar était terminé. Toutefois, au bout d'un moment, on voyait une nouvelle photo d'enfant ou de jeune femme dans les journaux et à la télévision indiquant que la malédiction planait toujours sur eux. Les habitants détestaient discuter de ces meurtres, car cela était devenu une sorte de honte pour eux, une preuve de leur impuissance à défendre leurs femmes et leurs enfants, une preuve de leur pauvreté, une preuve de l'indifférence des autorités envers eux. Tous évitaient le sujet le plus possible et continuaient à vivre en priant que ces monstres n'atteignent jamais un des leurs.

Chapitre 39

Elle ne savait pas depuis combien de jours elle était enfermée ni où elle était. Tout ce dont elle se souvenait, c'était la sensation de se faire étrangler par une personne qui l'avait assaillie par l'arrière alors qu'elle marchait en direction de la maison de son amie. Puis elle s'était évanouie et plus rien, le noir. Elle s'était réveillée dans cette petite pièce sale et construite en béton armé. La pièce ne comportait aucune fenêtre. La seule source de lumière était le filet de lumière qui s'échappait sous la porte d'acier renforcée. La pièce était vide, mis à part un vieux matelas jeté sur le sol, maculé de taches de sang séché et qui sentait l'urine. Jovanna était terrorisée par cet endroit et ce qui était en train de lui arriver. Son seul contact avec l'extérieur était les bruits qu'elle entendait en provenance de l'extérieur de sa cellule. Elle entendait différentes voix d'hommes qui parlaient et qui riaient. D'autres bruits de portes s'ouvrant et se fermant régulièrement en émettant un bruit métallique fracassant à chaque fois lui glaçaient le sang dans les veines.

Cela devait faire plusieurs jours qu'elle était dans ce donjon et l'endroit devenait de plus en plus horrible à ses yeux. Bien qu'elle n'avait été témoin d'aucune horreur jusqu'à maintenant, elle savait qu'elle n'était pas seule, car elle entendait constamment des hurlements et des pleurs de femmes qui semblaient toutes près d'elle. Entendre les lamentations des autres victimes était suffisant pour la faire éclater en sanglots. Elle pleurait en silence tout en se cachant dans un coin de la pièce en tentant de ne plus entendre les pleurs et les lamentations des autres. Elle réalisa qu'elle ne sortirait probablement pas vivante de ce trou lorsqu'elle se mit à entendre la voix d'une femme qui devait être dans une pièce près d'elle. La femme, qui semblait plus vieille que Jovanna de par sa voix, se mit à pleurer et à hurler. Elle entendit les voix de plusieurs hommes qui riaient. Les cris de la femme glacèrent le sang de Jovanna lorsqu'ils devinrent de véritables hurlements comme ceux que l'on pousserait à l'article de la mort. Il ne s'agissait plus des hurlements de peur, mais de souffrance. Elle tenta de se boucher les oreilles en pensant à sa mère et à sa maison, mais elle ne pouvait pas s'empêcher d'entendre les cris d'horreur de cette femme qui devait être en train de subir quelque chose d'horrible. Ces hurlements et ricanements durèrent une vingtaine de minutes, suivis d'un silence de mort. Jovanna n'entendit plus jamais la voix de cette femme. Bien que ne sachant quel sort exact elle avait subi, Jovanna savait que cette femme était morte de la pire façon imaginable.

Elle inspecta la pièce où elle était enfermée. Les murs, le plafond et le plancher étaient en béton. La porte de la pièce était en acier. Il lui était impossible de fuir de quelque manière que ce soit, elle était prise au piège. La jeune fille n'avait plus assez de larmes pour exprimer son désespoir. Elle voulait retrouver sa mère, sa maison, ses amies, la chaleur de son foyer. Tout cela ne pouvait être réel. Elle voulait que sa mère vienne la chercher et elle se demandait si quelqu'un savait où elle était et si on viendrait la chercher bientôt. Elle priait pour que tout cela cesse tel un mauvais rêve où elle se réveillerait, bien à l'abri chez elle. Mais il n'en était rien. Tout ce qui lui arrivait était bien vrai. Elle priait pour que les voix d'hommes qu'elle entendait n'entrent jamais dans sa cellule, qu'ils l'épargnent, mais il n'en fut pas long pour que ses espoirs ne se dissipent lorsqu'elle entendit la porte de sa cellule s'ouvrir en claquant. Son cœur se mit à battre à tout rompre. Elle se blottit dans un coin pour se cacher. Tout ce qu'elle entendait était les battements de son cœur. Un Mexicain d'une trentaine d'années entra doucement dans la pièce. Ce dernier portait une moustache et arborait un chapeau de cow-boy sali par la poussière. L'homme était de stature moyenne et il portait des vêtements plutôt désuets et sales. Il sourit en silence quand il vit la petite fille au coin de la pièce. Il brisa le silence pour lui dire d'un ton sec en espagnol:

— Viens par ici, petite!

Jovanna, qui était incapable de faire quoi que ce soit, resta où elle était tout en priant pour que cela cesse. L'homme s'avança près d'elle et de sa main gauche, il la saisit à la gorge d'un mouvement sec. Il la leva de terre et du revers de la main droite, il la gifla. Un bruit de claquement sourd se fit entendre et elle alla s'effondrer complètement à l'autre bout de la pièce. Confuse et en larmes, elle releva la tête pour regarder son agresseur à nouveau. *Une fillette de sa beauté et de son âge vaudrait sûrement un bon montant d'argent.* Il était certain de la vendre, mais il était impératif de la garder en vie. *Par contre, rien n'empêchait de s'amuser avec elle entre-temps.*

— Si tu es gentille, petite, et que tu te laisses faire, je ne te tuerai pas compris? lança-t-il d'un ton menaçant en la pointant du doigt.

— Oui… Oui, monsieur! dit-elle en sanglots dans un murmure. Où suis-je, monsieur? S'il vous plaît, je veux m'en aller! Je veux voir ma mère! dit-elle en suppliant et en pleurant.

L'homme transpirait abondamment et il laissa paraître un rictus sur son visage qui ressemblait à celui d'un dément. Des éclairs de folie transperçaient les yeux de l'homme qui souriait toujours.

— Ne pleure pas, il est temps de s'amuser un peu, petite fille ! dit l'homme qui s'avança vers elle tout en commençant à baisser la fermeture éclair de son pantalon.

Chapitre 40

Manhattan, New York, États-Unis.

Namara contempla les piles de documents qu'Andy avait apportées et qui jonchaient la table autour desquelles ils s'étaient rassemblés. Andy et son équipe avaient pris le temps de se connaître davantage autour de cette table. Voilà un bon moment qu'ils discutaient en consommant quelques bouteilles de bière dont les corps morts étaient éparpillés un peu partout.

— Alors, Andy, qu'as-tu pour nous ? demanda Namara, qui décida de passer au vif du sujet. Les traits d'Andy devinrent un peu plus tirés et son visage changea d'expression, indiquant que le ton de la discussion allait prendre une autre direction.

— Très bien… Je vous explique. Depuis environ dix ans, des femmes sont tuées dans la ville de San Matanza au Mexique. Les victimes sont toutes des Mexicaines dans la vingtaine et également de très jeunes filles allant de cinq ans jusqu'à dix-huit ans. Leur seul point en commun, c'est qu'elles proviennent toutes de la classe ouvrière et qu'elles sont jolies. Je me suis documenté sur le sujet et j'ai tenté de mettre la main sur tous les dossiers de police, les photos des scènes de crime, les données sur le sujet, les rapports d'autopsie, et j'en passe. J'en suis rendu à quatre cent cinquante-trois victimes et le nombre augmente toujours. Vous avez une photo de chaque victime ainsi que leurs renseignements spécifiques dans ces documents que je vous fournirai. Toutes les hypothèses ont été émises sur l'identité de ces tueurs, rien n'a été trouvé au fil de toutes ces années. Plusieurs tentatives de toutes parts de trouver les coupables ont été effectuées, mais sans succès. Les meurtres continuent. Cette histoire a été médiatisée à plusieurs niveaux, mais, encore là, rien n'a changé. Nous sommes dans un mystère complet. Plus il y a de gens qui tentent de résoudre ces crimes et plus la confusion grandit. Les dossiers de police des meurtres que j'ai vus sont incomplets et il n'y a aucun suspect potentiel qui soit crédible. Je ne peux dire si c'est en raison du manque de formation de la police à cet endroit ou bien si cela a été fait délibérément. Encore une fois, c'est un mystère. En gros, votre mission consisterait à trouver le ou les responsables de ces meurtres et faire ce qu'il faut pour régler ces horreurs une fois pour toutes. Quand vous lirez en détail tous les documents sur cette table, vous aurez tous les renseignements nécessaires sur le sujet. Certains ont été rendus publics, mais la plupart sont de nature confidentielle. Maintenant, posez vos questions ! dit Andy, assis confortablement dans un fauteuil à l'extrémité de la table.

— Que disent les rapports d'autopsie ? demanda Namara.

— En gros, qu'elles ont toutes été agressées sexuellement et qu'elles ont été torturées avant leur mort… Pour celles qui ont été retrouvées bien entendu !

— De quel genre de sévices il est question ?

— Les tortures divergent. Certaines ont eu les seins coupés, pour d'autres ce fut des lacérations partout sur le corps à l'aide d'une arme blanche. Certaines avaient des traces de brûlures, chez d'autres, ce sont les organes génitaux qui ont été mutilés.

— Et en ce qui concerne les enfants ? demanda Ming Mei.

— Nous ne savons pas, car aucun enfant parmi les disparus n'a été retrouvé. Nous ne savons pas ce qu'ils font avec eux pour le moment…

James intervint.

— San Matanza est une ville pauvre à la frontière des États-Unis. Elle est contrôlée par les cartels de la drogue et le niveau de criminalité y est élevé. Serait-il possible que les meurtres de ces femmes ne soient pas reliés et que cela s'agisse de plusieurs meurtriers qui tuent séparément dans cette ville ? Sachant que leur force policière est inadéquate, les meurtriers de partout viennent dans cette ville pour trouver des proies faciles… Simple, non ? Cela expliquerait pourquoi ils n'ont pas réussi à trouver de coupables ni de pistes valables.

Le peu d'indices que nous avons est à l'effet contraire, répondit Andy. Les marques de tortures sont similaires sur pratiquement tous les corps retrouvés. Celles qui ont été attachées avec de la corde l'ont été en utilisant toujours le même type de nœud. La façon dont les corps ont été disposés et le choix de sites où ils furent déposés sont quasiment similaires. Ce sont tous des éléments circonstanciels qui indiquent qu'il s'agit d'un même individu. Ceci n'a pas été rendu public, et pour cause. La disposition des corps, les nœuds, le type d'endroit où sont trouvés les corps, les blessures. La concordance de ces éléments ne peut être un hasard, donc cela indique un lien entre eux. Désolé, James !

— Avons-nous la description d'un suspect ? demanda Shinsaku.

— Une seule suspecte, une femme qui se ferait appeler Shanti. Selon un rapport de police, elle aurait été aperçue dans des maquiladoras, ces usines de travail à grande échelle et bas salaires. Cette Shanti travaillait souvent là où certaines disparues travaillaient. Après une disparition, apparemment, cette mystérieuse femme disparaît pour aller travailler dans une autre usine. Il se peut qu'elle soit une guetteuse pour les tueurs, que son travail consiste à repérer des femmes, ce qui m'amène à émettre l'hypothèse que certaines victimes pourraient être choisies à l'avance selon certains critères. Une seule photo d'elle a été prise, provenant d'une caméra de surveillance d'une usine. Il s'agit d'une brunette, mais impossible de distinguer vraiment son visage, la qualité de la photo est mauvaise comme vous le constaterez. Elle est toujours introuvable au moment où nous discutons, non identifiée, et il est impossible de confirmer qu'il s'agit à coup sûr d'une suspecte. Bref, il s'agit d'une piste qui n'a mené à rien jusqu'à maintenant. Mis à part cela, je n'ai rien trouvé qui peut permettre de nous mener à une piste vers le meurtrier. Personne n'a rien vu, personne n'a rien entendu. C'est complètement insensé.

— Oui, complètement ridicule ! Plus de quatre cents femmes sont disparues sur une période de dix ans dans le même secteur, et personne n'a été témoin de rien. Cela ne fait aucun sens ! rétorqua Shinsaku.

— Vrai, c'est pourquoi nous faisons appel à vous ! Il faut se dire que l'agglomération où les disparitions ont lieu la plupart du temps se trouve en plein désert. Il n'y a pas âme qui vive à des kilomètres à la ronde. Il est facile de se dissimuler dans un tel paysage… Tout comme il est tout aussi facile de disparaître !

— Oui, ou bien cela indique qu'il ne s'agit pas d'un seul meurtrier, mais de plusieurs qui agissent de façon organisée, dit Kamilia.

— Oui, en effet… C'est une possibilité. C'est ce que je veux de vous, que vous trouviez des réponses !

— Quelle est l'hypothèse la plus probable sur les auteurs de ces meurtres ? demanda Shinsaku.

— Il y en a plusieurs ! Une secte, un cartel, un meurtrier seul, plusieurs meurtriers, la police elle-même, un réseau impliquant les forces douanières et plusieurs gens influents dans ce pays. Leurs buts peuvent être le trafic de femmes, l'esclavagisme sexuel, les meurtres rituels, le trafic d'organes, un réseau de pédophiles en ce qui concerne les enfants et j'en passe. Faites votre choix ! Toutes les possibilités sont valables, mais rien ne peut être prouvé. Là est le problème. Il n'y a pas de réelle collaboration avec les autorités mexicaines. Tous ceux qui ont tenté de se mêler de cette histoire en sont ressortis frustrés et les mains vides. Le mystère est total et les meurtres continuent. La population locale est prisonnière du laxisme des autorités.

Kamilia se mit à fouiller dans la pile de documents non publics et à regarder les photos de scènes de crime qu'Andy avait réussi à obtenir par divers moyens. Son regard se posa sur le corps d'une femme couchée sur le côté dans le sable du désert. La morte, à moitié ensablée, devait être dans le début de la vingtaine ; elle avait les yeux à moitié arrachés des orbites et son corps, encore d'allure humaine, était maculé de sang. Sa gorge était ouverte sur une largeur de cinq centimètres.

— Qui peut faire ce genre de choses, c'est horrible ! dit-elle avec dégoût en lançant la photo sur la pile.

Elle sortit un dossier dans lequel Andy avait mis une photo de chaque victime lorsqu'elles étaient vivantes. Le dossier était épais comme un dictionnaire. Toutes étaient jeunes, jolies et pour la plupart souriantes. La majorité était de jeunes femmes mexicaines dans la vingtaine.

— Mon Dieu, il y en a tant ! dit Kamilia en tournant page après page.

— Oui, en effet. Votre mission est de vous rendre à San Matanza, d'identifier les meurtriers et faire en sorte que justice soit faite. Votre présence là-bas est secrète. Tout ce que vous ferez doit rester caché, compris ? demanda Andy.

— Et pour le financement dont nous avions parlé ? demanda Namara.

Andy sortit un papier de sa poche et il le plaça en face de Namara, que ce dernier déplia.

— Tu ne le sais pas encore, Danny, mais tu as ouvert un compte bancaire à la First National. Le numéro qui est inscrit est ton numéro de compte. Tout l'argent dont vous pouvez avoir besoin y a été déposé. Les fonds sont disponibles depuis le début de notre réunion. Si jamais vous deviez avoir besoin de plus, ce qui m'étonnerait... eh bien, vous n'avez qu'à m'en aviser.

— Je te remercie, Andy. Toutefois, il devra y avoir une légère rectification en ce qui concerne le compte. Kamilia plutôt que moi s'occupera de gérer les fonds, donc elle devra avoir accès au compte en tout temps.

— Aucun problème, je vais m'occuper de ce détail.

Namara glissa le papier jusqu'à Kamilia et elle en prit possession avec un demi-sourire.

— Combien y a-t-il présentement dans ce compte ? demanda Kamilia.

— Eh bien... Je te laisse la surprise ! rétorqua Andy.

— Cela sera avec un grand plaisir ! dit-elle en rigolant.

— J'aimerais revenir sur notre discussion précédente, coupa Ming Mei.

— Vas-y.

— Il n'y a pas d'empreintes retrouvées, aucun résultat d'ADN ?

— Non. Je vous rappelle qu'il s'agit de San Matanza… Je crois que je ne peux pas être plus clair !

— Avons-nous des restrictions quant à la façon de mener la mission ? demanda Namara.

— Vous évitez toute implication avec la police locale, les douaniers ou toutes formes d'autorité que ce soit. Il est possible que certains agents ou gens d'influence là-bas soient de connivence. Nous n'avons aucune preuve, mais nous devons considérer cette possibilité comme une certitude. Donc, la discrétion en tous points. Si vous devez vous montrer, faites-le avec discernement. Si jamais les auteurs de ces crimes s'apercevaient de la raison de votre présence, votre mission sera compromise. Pour le reste, il ne tient qu'à vous de décider de votre plan d'action.

— Cinq étrangers qui arrivent dans cette ville et qui posent des questions sur les meurtres… Il ne sera pas difficile au moindre criminel de nous repérer même si nous sommes discrets, rétorqua Shinsaku d'un ton décisif.

— Tout dépend… Cette histoire a été passablement médiatisée, donc les habitants sont habitués à voir plusieurs étrangers à San Matanza poser des questions sur les meurtres pour se documenter et faire des reportages. Tout tient à la façon dont nous allons aborder les gens, je crois, dit Namara.

— D'accord, alors nous nous y prenons comment ? demanda Guerra.

— Ce que la population a vu le plus fréquemment, ce sont des étrangers qui posent des questions pour faire un reportage ou bien écrire un article. Les habitants doivent être même fatigués de se faire questionner par ce type d'individus pour en avoir vu trop au cours des années. Je propose donc de leur envoyer le même profil de journalistes intéressés à la question qui veulent sensibiliser l'opinion publique sur ce qui arrive dans cette ville… Vous connaissez la chanson. De cette manière, nous pourrons déambuler sans trop éveiller de soupçons ! dit Namara.

— J'opte pour cette idée. Je crois qu'en effet nos choix sont limités et que c'est la meilleure option, dit Shinsaku.

— Nous partons quand ? demanda Guerra.

— Nous devons lire attentivement tous les dossiers qu'Andy nous a apportés d'abord. Nous devons connaître tous les détails pertinents. Ensuite, nous irons visiter ce charmant coin de pays ! répondit Namara.

— Et pour le bar ? demanda Ming Mei.

— Je propose que Kamilia aille directement à Miami pour commencer la mise en place, si elle est d'accord ? suggéra Namara. Elle viendra nous rejoindre.

— Aucun problème, je m'en occupe, dit-elle.

— Parfait, alors… Les dés sont jetés, dit Guerra en donnant une légère claque sur la table, tel un juge qui viendrait de cogner avec son marteau pour signifier que la cause avait été entendue et le verdict, rendu.

Chapitre 41

San Matanza, Mexique.

— Eh! Merde! Ce motel pue la moisissure! marmonna Ming Mei, qui jeta ses bagages sur le bord d'un vieux lit courbé d'usure. Le tapis de la chambre était déchiré à certains endroits. Le papier peint de couleur foncée, constellé de taches douteuses, était tout aussi désuet que le reste de la chambre. Un petit téléviseur vieux d'une vingtaine d'années au moins se trouvait sur une table de bois. En face du téléviseur se trouvaient les deux lits face à une minuscule salle de bain.

— C'est parfait! dit Namara en se claquant les mains, satisfait de son choix.

— Tu rigoles? Il doit y avoir des dizaines de cafards dans cette pièce et probablement des punaises dans les lits! marmonna Ming Mei.

— Eh bien… Tu auras des amis pour dormir, c'est bien, non? dit Namara avec sarcasme.

— Je déteste cet endroit, il y fait une chaleur écrasante et il y a du sable partout!

— Tu vas arrêter de râler? dit Shinsaku. Je viens d'inspecter la chambre, il n'y a aucun cafard!

— Je ne râle pas! dit-elle.

— Toi et Shinsaku prendrez cette chambre, moi et James avons celle d'à côté!

— Quel est le plan maintenant que nous y sommes? demanda Shinsaku.

— Le plan est simple. Nous sommes des journalistes et nous voulons nous documenter sur la question. Nous déposons nos bagages ici et, ensuite, nous allons faire du tourisme au centre de la ville. Habillez-vous comme… eh bien, comme un journaliste s'habillerait, voilà!

— Wow, quel plan! Je suis tout excitée! dit Ming Mei avec sarcasme.

— Je sais que c'est mince pour le moment, mais il faut faire du repérage et commencer par le début. Nous ne sommes pas d'ici, alors il faut parler aux gens de l'endroit. C'est eux qui vont nous permettre de nous intégrer et nous amener à ce que nous voulons savoir. Ouvrez l'œil et ne négligez aucun détail, compris? dit Namara en essuyant la sueur qui lui perlait sur le front.

— Ouais, compris! rétorqua Ming Mei.

— Je ne pensais pas que cette ville était aussi près de la frontière américaine. À peine quelques kilomètres nous séparent du Texas! dit Shinsaku, qui s'étendit sur le lit.

— Oui, cela explique la guerre de la drogue qui règne ici. C'est l'endroit parfait pour transporter la drogue vers les États-Unis. Les douanes américaines et la Drug Enforcement Administration ne cessent de trouver des tunnels creusés par les trafiquants pour passer sous la frontière avec leurs marchandises! C'est le paradis des transporteurs de drogue ici! Ce motel est parfait, car nous sommes légèrement en retrait de la ville, ce qui nous permettra de rester discrets. Nous allons nous séparer en équipe de deux rendus sur les lieux. Vous partirez de votre côté, moi et James allons voir également ce que nous pouvons trouver.

睡眦

La chaleur était insupportable dans la ville de San Matanza où soleil, émanations d'essence et odeur de déchets s'entremêlaient en un cocktail malodorant. Les automobiles circulaient dans toutes les directions et les piétons encombraient les trottoirs. San Matanza était une ville historique où de nombreux monuments avaient été conservés donnant une atmosphère ancienne à la ville dans un monde moderne mexicain où toutes les grandes entreprises américaines étaient présentes. Ces dernières avaient pignon sur rue par l'intermédiaire de nombreux commerces érigés sur les artères. La ville était un mélange des cultures mexicaine et américaine. Des milliers de gens y fourmillaient principalement en raison de la proximité de la frontière. De nombreux Américains y venaient pour trouver tout ce qu'ils désiraient à bas prix et en toute discrétion. Elle était la ville de tous les vices pour les étrangers en quête d'anonymat. De nombreux bars de danseuses érotiques étaient établis partout dans la ville.

Dès la tombée de la nuit, la ville prenait une allure complètement différente avec l'arrivée des travailleurs du sexe, des tenanciers de bars, des chansonniers mexicains et, surtout, des fêtards. Les bars étaient nombreux, mais plutôt désuets comme la plupart des établissements commerciaux de la ville. Ils étaient contrôlés par les différents cartels de la ville selon les secteurs. La nuit, de violents affrontements prenaient place dans les rues entre gangs rivaux pour le contrôle du territoire. Le commerce de la drogue était le principal enjeu, mais plusieurs autres activités illégales étaient lucratives à cet endroit, entre autres la prostitution. Le commerce ne cessait jamais à San Matanza, de nuit comme de jour. Seul le type de commerce changeait selon l'heure de la journée.

Namara n'avait pas expérimenté de chaleur aussi intense depuis la Colombie. James et lui étaient vêtus avec un veston et une chemise comme s'ils étaient des comptables en pause du midi. Ils tentaient de trouver des endroits où il y aurait des gens qui pourraient les aider à trouver ce qu'ils cherchaient. Ils étaient entrés dans plusieurs boutiques de vêtements, restaurants et autres endroits publics d'intérêts. Se présentant comme des journalistes américains arrivés pour faire un reportage sur les meurtres non résolus, l'accueil des habitants restait distant et froid. La plupart du temps, ils se faisaient répondre qu'ils n'étaient pas au courant des détails. Les commentaires se limitaient au fait qu'il s'agissait d'une tragédie et qu'ils avaient peur pour leurs proches.

Quand d'autres questions suivaient, on leur faisait comprendre poliment qu'ils ne désiraient pas discuter davantage du sujet et que, soudain, ils devenaient dérangeants. Namara et Guerra n'insistaient pas outre mesure. Ils restaient polis et courtois en laissant leurs coordonnées au cas où ils se souviendraient de quelque chose. Cela faisait plusieurs heures qu'ils déambulaient de la sorte sans plus de résultat.

— Cela va être plus difficile que nous ne le pensions ! dit Guerra, qui prit une bouchée de burrito farci qu'il fit descendre avec une gorgée de bière.

— Ouais, mais il fallait s'y attendre. Il va falloir faire preuve de créativité.

— Je veux bien, mais comment, mon vieux ? Nous sommes des étrangers et nous voulons des renseignements sur des meurtres où il est possible que les autorités soient impliquées. Les gens sont apeurés. Pour eux, nous sommes aussi attirants qu'une horde de morpions sortant tout droit du derrière d'un cadavre !

— Pour me couper l'appétit, tu es parfait ! Continue quand même mon lapin, ajouta Namara en avalant une bouchée de son propre burrito.

— Ils sont vraiment bons ces trucs-là, tu ne trouves pas ?

— Oui en effet, ils sont excellents. Écoute, je sais ce que tu penses, mais nous n'avons pas d'autres choix, il faut continuer. Peut-être aurons-nous de la chance !

— D'accord. Eh, Namara, c'est quoi, le truc vert ? dit-il en montrant un ingrédient dans son burrito.

— De la purée d'avocat.

— Quoi? Il n'y a pas d'avocat dans les burritos! C'est n'importe quoi!

— Bien… C'est que ceux que tu as mangés auparavant n'étaient sûrement pas authentiques, James! Nous sommes au Mexique. C'est eux qui les ont inventés… Alors, dis-toi que s'il se trouve ici de l'avocat dans les burritos, eh bien, c'est que ça doit faire partie de la recette d'un vrai burrito!

— Là n'est pas la question, c'est bizarre, voilà tout! Tiens en attendant, prends-toi une bière, elle est excellente par cette chaleur!

Chapitre 42

Ils entrèrent dans une taverne où une télévision surélevée diffusait à plein volume un match sportif. La température y était plus fraîche qu'à l'extérieur, mais de peu. L'endroit était construit entièrement de bois à commencer par les murs. Une dizaine de tables et de nombreuses chaises meublaient l'établissement dominé par un comptoir-bar derrière lequel un vieux barman faisait son travail comme s'il était un zombie. Une odeur de tabac et d'alcool imprégnait l'endroit. Une quinzaine de clients regardaient le match.

Tous étaient de vieux Mexicains, la plupart portant fièrement le chapeau de cow-boy. Namara constata que tous les yeux étaient maintenant rivés sur eux sans qu'aucun ne dise un mot. Il décida de briser le silence en éclaircissant le son de sa voix.

— Bonjour, je me nomme Erick Vandal et je suis journaliste au *Chicago Globe*. Moi et mon collègue, Arthur Mcdermott, faisons un article sur les meurtres de San Matanza et nous aimerions avoir des renseignements qui pourraient nous éclairer sur ce qui se passe !

— D'où venez-vous exactement déjà ? demanda un vieil homme au fond de la salle.

— De Chicago. Nous sommes des journalistes, monsieur, et nous aimerions sensibiliser nos lecteurs sur ce qui se passe ici. Peut-être pourrons-nous amener de nouveaux éléments à l'enquête qui pourraient permettre de résoudre ces meurtres une fois pour de bon ! dit Namara, qui tentait de parler assez fort pour que sa voix porte jusqu'au fond du bar.

— Des journalistes américains, hein ? Vous n'êtes pas les premiers à venir ici pour faire un article !

— J'en suis conscient, monsieur, mais je me disais que peut-être si nous parlions de cette histoire davantage, plus grandes seraient les chances pour que la communauté internationale fasse pression auprès des autorités mexicaines pour résoudre les meurtres. Il est possible que certains indices inconnus des autorités ou oubliés puissent aider à l'enquête si vous aviez la gentillesse de nous parler, vous ne croyez pas ?

Un silence de mort s'ensuit et personne dans le bar ne pipa mot. Debout près du bar, Namara et Guerra continuèrent à fixer les clients.

— Où étiez-vous depuis toutes ces années, monsieur Vandal du *Chicago Globe*? demanda un vieil homme à la peau ridée et basanée qui portait un chapeau beige et une chemise à carreaux. L'homme était assis près du bar à quelques mètres de Danny et James.

— Vous êtes monsieur…

— Mon nom est Silvio, jeune homme, et j'ai vécu à San Matanza toute ma vie!

— Enchanté, monsieur. Sachez que notre présence ici est pour aider. Nous aimerions en savoir plus sur cette histoire tout simplement…

— Vous savez combien de personnes comme vous sont venues ici depuis dix ans?

— Et bien… je m'en doute un peu, monsieur.

— Des dizaines de journalistes de partout sont venus ici pour faire des articles. Des organismes de toutes sortes ont tenté d'intervenir. Même votre fameux FBI a voulu s'occuper de cette histoire compte tenu de la proximité de la frontière et que cela pouvait impliquer des Américains. Ils n'ont rien trouvé. La police d'ici ne leur a pas laissé le champ libre. Ils ont fini par retourner chez eux. Ici, la police fait ce qu'elle désire. Tout a déjà été dit plusieurs fois sur ces meurtres, mais cela n'arrête rien. Vous n'y changerez rien non plus sans vouloir vous offenser. Vous voulez écrire un article sur les meurtres de San Matanza? Alors, lisez tout ce qui a été écrit depuis dix ans sur le sujet et vous aurez tout ce dont vous avez besoin sans déranger personne.

— Selon vous, Silvio, seulement entre vous et moi, qui sont les meurtriers et pourquoi ils n'ont jamais été arrêtés?

Le vieux Sylvio releva son chapeau de cow-boy pour fixer de ses yeux noirs Namara pendant que tous les autres clients du bar étaient retournés au match.

— C'est l'œuvre du diable lui-même, cher monsieur le journaliste… Voilà pourquoi!

— Que voulez-vous dire exactement?

— Je veux dire qu'une malédiction plane sur nous et sur cette ville. Le diable lui-même a décidé d'arrêter ici pour faire la fête un peu et fumer quelques cigarettes, voilà! Vous comprenez maintenant? Je prie tous les jours pour que cela cesse, mais il semble s'y plaire ici, il y a élu domicile.

— On dit que la police pourrait être impliquée dans ces meurtres, vous y croyez?

— Je ne suis qu'un ancien camionneur et un vieillard vous savez, je n'en sais rien. Tout ce que je sais, c'est que la police a choisi d'ignorer plusieurs détails depuis le début, à partir de ce que les habitants de cette ville pouvaient savoir. Je ne peux dire si la police est impliquée, mais cette histoire l'embarrasse de toute évidence. Personne ne peut arrêter ce mal. L'idéal pour plusieurs familles serait de quitter la ville, mais ils n'en ont pas les moyens.

— Vous parlez de Satan… Faites-vous référence à une secte qui serait l'auteur de ces meurtres?

Le vieil homme se mit à rire en secouant la tête.

— Jeune homme… Est-il vraiment important de savoir s'il s'agit d'une secte ou non? Moi, la seule chose que je sais, c'est que des centaines de femmes et d'enfants sont morts ici sans que personne ne sache qui sont les coupables. Personne n'a pu les arrêter après tout ce temps. Je n'ai pas besoin d'en savoir davantage. À mes yeux, il est clair qu'il s'agit de l'œuvre du diable. Ce qui me chagrine le plus, vous savez, c'est de me rendre compte que Dieu nous a de toute évidence oubliés ici. Êtes-vous croyant, monsieur Vandal?

— Non désolé, je ne le suis pas.

— C'est dommage, car, si vous l'aviez été, je vous aurais suggéré de prier pour nous si vous voulez vraiment nous aider!

— Je comprends, mais peut-être aussi que certains détails ont été oubliés et que nous pourrions trouver de nouveaux indices. Vous ne pensez pas?

— Si je vous donnais raison et que vous trouviez des indices permettant d'identifier les coupables, pensez-vous qu'à vous seuls, vous seriez capable d'arrêter ces monstres? Ils n'ont pas de visage et ils tuent en toute impunité ici depuis des années. Si jamais vous vous rapprochez suffisamment du mal en question pour l'identifier, vous deviendrez vous-même une victime de plus, tout simplement, voilà la vérité. Quand vous regardez l'abîme, sachez qu'elle vous regarde elle aussi! Il y a des portes qu'il ne faut pas ouvrir! Retournez chez vous, monsieur Vandal, et écrivez votre article. Ce n'est pas avec votre crayon et votre beau costume que vous pourrez arrêter ces individus. Vous ne saurez rien de plus des habitants de cette ville, car ils tiennent à la vie et à celles de leurs proches. Vous n'êtes pas d'ici et vous n'êtes pas un Mexicain… Vous ne pouvez pas comprendre.

— Et si jamais je n'en avais rien à faire du diable et que je veuille ouvrir ces portes quoiqu'il arrive… Que me suggéreriez-vous?

Sylvio soupira et il but une gorgée de tequila.

— D'accord… Eh bien, si vous êtes suffisamment fou pour ouvrir ces portes et que vous ne tenez pas à la vie, alors j'aurais tendance à vous suggérer une visite chez des gens qui ont perdu des proches dans ces meurtres. Par exemple, des gens qui ont cherché à savoir qui serait le meurtrier de leur enfant. Qui aurait un plus profond désir de trouver la vraie identité de ces monstres que les autres qui ont subi la perte d'un être cher, vous ne croyez pas, monsieur Vandal ?

— Oui, je suis d'accord. Et comment je fais pour prendre contact avec ces familles qui pourraient me donner des renseignements ?

— Il existe quelques centres d'aide à San Matanza pour les familles qui ont perdu des proches lors de crimes violents. Ces organismes humanitaires ont supporté les membres de familles qui ont perdu un proche dans la tragédie qui vous intéresse. Ils ont fait des pressions au nom des familles auprès des autorités pour que la situation se règle. Vous savez, ils ont fait de bonnes choses. Des marches ont été organisées pour amasser des fonds, ils ont fait de la propagande à l'étranger pour dénoncer ce qui arrivait dans cette ville. Ils ont fait ce qu'ils pouvaient avec les moyens qu'ils avaient, mais cela n'a pas été suffisant. Certains intervenants en sont venus à connaître très bien le dossier avec les années. Plusieurs de vos copains journalistes sont déjà passés là-bas sûrement, mais bon si vous y tenez…

— Oui, j'y tiens !

Le vieil homme sortit un crayon de la poche de sa chemise et il se mit à écrire une adresse sur une petite serviette crasseuse qui traînait sur la table. Il tendit le carré de papier à Namara.

— Une certaine Renata à cet endroit pourra peut-être vous aider davantage !

— Je vous remercie beaucoup, Silvio, pour votre temps ! dit Namara en lui serrant la main.

— Bonne chance, jeune homme, dit-il en faisant un signe avec son chapeau.

Namara et Guerra firent demi-tour pour prendre la sortie quand Silvio poussa un sifflement strident. Namara se détourna, le vieux était debout derrière sa table.

— Soyez très prudent. Faites attention où vous mettez les pieds, monsieur Vandal ! Ici, vous n'êtes pas à Chicago, vous êtes au Mexique… Ne l'oubliez pas, compris ?

Namara lui fit un signe de la tête en guise de remerciement et il s'engouffra dans la porte pour disparaître.

Chapitre 43

— Puis-je voir votre carte d'accréditation ?

— Certainement ! dit Namara en lui tendant sa fausse carte du *Chicago Globe*, qu'Andy lui avait procuré. Il avait été étonné de voir à quel point la carte semblait authentique. Une petite photo était apposée sur la carte plastifiée certifiant que monsieur Erick Vandal était un journaliste accrédité du journal en question. Renata scruta la carte quelques instants avant de lui remettre.

— Très bien, monsieur Vandal. Que puis-je faire pour vous aider ?

Renata était une femme légèrement rondelette d'une trentaine d'années. Ses longs cheveux noirs bouclés descendaient jusqu'aux épaules. Elle portait une robe couleur jaune vif en coton. Son allure était conservatrice, mais sa personnalité latine démontrait une joie de vivre et une chaleur qu'on ne pouvait ne pas remarquer lorsque l'on entrait dans le centre d'aides aux victimes de San Matanza. Le petit local au cœur de la ville était étroit et vieillot. Trois bureaux jonchaient la place qui ne comportait aucune fenêtre. Les murs étaient tapissés d'affiches de prévention de toutes sortes. Il y régnait une chaleur étouffante brassée à l'aide de deux ventilateurs géants qui tournaient à vitesse maximale au fond du bureau. Namara était assis de façon inconfortable sur une chaise de bois, face à Renata assise derrière son bureau.

— Et bien, par où commencer… Je m'intéresse à un dossier que vous connaissez probablement très bien.

— C'est possible. De quoi s'agit-il ?

— Des meurtres de femmes qui surviennent à San Matanza.

— Ah. Je vois. Et vous avez fait tout ce chemin de Chicago jusqu'ici pour en savoir plus sur cette affaire.

— Oui, précisément. Je fais un article sur ces meurtres non résolus en espérant sensibiliser les gens à l'étranger sur ce qui se passe ici.

— Vous n'êtes pas le premier journaliste qui vient ici et vous n'êtes pas le dernier qui fera un article sur ces meurtres. Qui vous a recommandé à moi si ce n'est pas trop indiscret ?

— Un vieil homme rencontré au hasard dans la rue. Il m'a dirigé vers vous en me disant que vous connaissiez bien le dossier.

— En effet, j'ai travaillé avec beaucoup de gens d'ici qui ont perdu un proche dans cette histoire. Vous savez, ici nous tentons d'aider toutes les personnes qui ont été victimes de crimes violents de toutes sortes. Je vous ferai grâce de tous les cas que nous pouvons rencontrer.

— Je suis certain que vous faites un excellent travail.

— Nous tentons de faire notre possible pour aider, mais en toute honnêteté nous manquons de moyens financiers et de personnel. Mais vous, ce sont les meurtres de ces femmes… Très bien. Plus de quatre cents femmes, y compris des enfants, ont été tuées ici depuis dix ans. Elles proviennent toutes de la classe ouvrière et elles ont toutes subi la torture et le viol, en tout cas chez les femmes dont les corps ont été retrouvés. En ce qui concerne les enfants, aucun n'a jamais été retrouvé, ce qui…

— Oui, je suis au courant de ces faits. Je me suis documenté sur la question.

— Très bien. Dans ce cas, si vous connaissez tous ces détails, qu'attendez-vous de moi?

Namara se redressa sur sa chaise inconfortable et il garda le silence quelques instants.

— Je me dis qu'il est impossible qu'autant de femmes soient disparues et tuées depuis dix ans sans que personne n'ait rien vu. Êtes-vous d'accord avec cette idée?

— Oui… de toute évidence. La police a bâclé de nombreuses enquêtes et la majorité des scènes de crime ont été contaminées. Tout cela sans parler des témoins possibles qui pourraient peut-être identifier les coupables, mais qui se taisent par peur de représailles!

— Ou bien des détails que des habitants auraient notés, mais qui ont été ignorés par tous…

— Comme je vous dis, tout est possible, monsieur Vandal, mais les éléments non consignés dans les dossiers ont probablement disparu depuis longtemps, car il y a des meurtres qui datent déjà depuis de nombreuses années. Il est peu probable que vous réussissiez à trouver de nouvelles pistes. Ce que nous savons, c'est ce qui a été documenté.

Namara se racla bruyamment la gorge.

— Je vais être clair si vous me le permettez. Avec tous les proches de victimes que vous avez rencontrés depuis toutes ces années, se peut-il que certains aient tenté de faire leur propre enquête pour trouver les meurtriers?

— Possible, mais je ne pourrais pas vous dire le fruit de leurs recherches si jamais il y en a eu, car le centre s'est toujours gardé de vouloir mener une enquête pour résoudre les meurtres. Nous sommes un organisme d'aide aux victimes, et non la police. Notre tâche ici consiste depuis dix ans à mettre de la pression sur les organisations mandatées à mener une telle enquête visant l'arrestation des coupables. De toute évidence, nous avons échoué. Je n'ai jamais cherché à obtenir des renseignements ou à mener une enquête parallèle, car l'existence de notre centre est un service de soutien. Les renseignements que j'ai sont ceux qui ont été rendus publics.

— Je comprends votre position. Par contre, j'aimerais pouvoir discuter avec des proches qui auraient mené une telle enquête, qui n'auraient pas été interviewés et dont vous vous souviendriez. J'aimerais leur poser quelques questions.

Renata se pencha vers l'avant en se croisant les mains sur son bureau pour dévisager son interlocuteur. Un regard suspicieux se lit sur son visage pendant quelques instants.

— Vous ne ressemblez pas à un journaliste, monsieur Vandal…

Namara sentit qu'il devait tenter une stratégie différente s'il voulait obtenir ce qu'il désirait.

— Ah non? Eh bien… je vous comprends. En temps normal, ils sont beaucoup moins beaux, je suis tout à fait d'accord avec vous.

Le regard suspicieux de Renata disparut et elle se mit à rire bruyamment et jetant la tête légèrement vers l'arrière.

— Oh, franchement! Ce qu'il ne faut pas entendre! Je vois que vous êtes tous aussi humbles, vous, les journalistes!

— Oui, je sais… L'humilité est aussi une autre de mes nombreuses qualités! Il n'est pas facile d'être aussi parfait de nos jours!

— Je vous comprends, nous sommes peu dans cette situation!

Renata, qui avait répondu vivement aux propos sarcastiques de Namara, se mit à rire de plus belle avec ce dernier, ravie d'avoir trouvé quelqu'un partageant son sens du sarcasme.

— Ohhh, vous, alors! Je dois dire que vous êtes amusant! Vous ne le semblez pas à première vue, mais vous l'êtes! Bon d'accord, Erick… Je peux vous appeler Erick?

— Bien sûr.

— Je veux bien vous donner un coup de main pour votre article. J'ai vu beaucoup de gens vous savez au cours des années, mais je me rappelle un homme en particulier…

— Ah oui… Qui est-ce?

— Le père d'une jeune fille qui a été assassinée. Son corps avait été retrouvé dans le désert sur le bord d'une route si ma mémoire est bonne. Il y a de cela environ trois ans.

— Et pourquoi cet homme vous a-t-il marqué ?

— Et bien, il était tellement déterminé à retrouver les meurtriers de sa fille. Il disait que la police ne voulait pas résoudre ces meurtres et qu'il découvrirait qui a tué sa fille par lui-même. Il est venu me voir à quelques reprises pour me demander des conseils et pour me transmettre certains renseignements. Comme je vous l'avais expliqué, j'ai toujours refusé de m'impliquer dans ce domaine. Je lui avais conseillé de transmettre les renseignements à la police ou d'attendre que d'autres organisations décident d'enquêter sur les meurtres. Il m'avait dit que la police ne l'avait pas pris au sérieux. Puis, je ne l'ai jamais revu.

— Vous avez toujours son adresse ?

— Je ne sais pas… Il faudrait que je vérifie. Son nom était Armando si ma mémoire est bonne, et sa fille se nommait Cecilia. Elle n'avait que dix-sept ans. Quelle tristesse !

— J'aimerais rencontrer cet homme.

— À certaines conditions.

— Lesquelles ?

— Premièrement, je dois le retrouver et, deuxièmement, je vous donnerai ses coordonnées s'il veut bien vous parler. Je vais lui téléphoner en premier lieu, nous nous comprenons ?

— Oui parfaitement, dit-il en lui faisant un clin d'œil pendant que des ventilateurs qui soufflaient se faisaient entendre doucement au fond du bureau.

Chapitre 44

Danny coupa le moteur de l'automobile quand il arriva devant l'adresse en question.

— Je crois que nous y sommes, dit-il.

— Ce n'est pas croyable que des gens puissent vivre dans des endroits pareils, rétorqua Guerra en sortant du véhicule.

La résidence de Armando Marquez était en fait une petite maison en bois décoloré, abîmée par les années et les bourrasques du désert. Un vieux camion était garé dans l'entrée, et un petit chien, enchaîné à la maison jappait pour avertir de la présence d'intrus. Le paysage ambiant n'était que sable à des kilomètres dans toutes les directions où Namara portait le regard. Des dizaines de mètres séparaient la maison de ses voisins. Un homme de petite stature, qui se berçait sur une chaise, se leva pour venir à la rencontre des visiteurs. L'homme, qui devait approcher la cinquantaine, était frêle et de petite taille. Habillé sobrement d'une chemise foncée et d'un pantalon de coton, il vint à leur rencontre en souriant.

— Vous êtes messieurs Vandal et Mcdermott ?

— Oui exactement… Et vous êtes monsieur Marquez ?

— Oui.

— Bonjour ! dit Namara avec un sourire. Armando tendit la main et Namara la lui serra en retour. Il fit de même avec Guerra.

— Vous avez de la force dans les mains, vous faites quoi dans la vie ? demanda Guerra.

— Oh, je travaille dans un entrepôt de pièces pour moteurs de bateaux depuis de nombreuses années. Je dois transporter de lourdes pièces assez souvent, vous savez.

— C'est très aimable de nous recevoir, dit Namara, qui observa attentivement l'homme qui semblait prématurément usé par la vie. Sa peau bronzée était fort ridée. Son dos était légèrement courbé. Il était l'image d'un homme qui avait travaillé dur toute son existence pour survivre, mais sa voix ne comportait pas d'amertume.

— Renata m'a expliqué la raison de votre présence. Sachez que j'apprécie grandement votre intérêt. Entrez, je vais vous présenter à ma petite famille.

Ils entrèrent dans la cuisine, la pièce principale, dans laquelle une femme, debout, leur sourit. Deux jeunes filles d'une quinzaine d'années étaient à ses côtés.

— Voici ma femme, Manuela, et mes deux filles… Adriana et Izabelle !

— Enchanté ! Je me nomme Erick Vandal.

— Et moi, Arthur Mcdermott dit Guerra en leur faisant un signe de la main avec un léger sourire.

Au fond de la pièce, une vieille dame regardait la scène. La dame était frêle et ridée. Sa peau était cireuse comme si le temps était en train de la momifier.

— Voici ma mère, Lucinda. Elle habite avec nous, dit Armando.

— Enchanté, madame, dit Namara.

— Enchanté, monsieur Vandal. Nous sommes ravis d'avoir de la visite. Peu de gens viennent nous visiter. Tenez, asseyez-vous et prenez ma chaise, dit-elle.

— Non, je vous en prie, madame, restez assise. Nous sommes suffisamment assis comme cela. Je suis très heureux que vous ayez accepté de nous recevoir.

La vieille dame lui sourit en lui tapotant la main.

— Vous êtes chez vous ici. D'où venez-vous ?

— De Chicago.

— Vous avez fait un long voyage. Vous devez être fatigués. Vous nous ferez l'honneur de rester pour le repas du soir ? demanda-t-elle.

Namara se retourna vers Guerra comme pour que ce dernier vienne l'aider à se sortir d'une situation embarrassante.

— Et bien… je… C'est que…, dit Namara avec hésitation.

— S'il vous plaît, messieurs, cela serait un immense plaisir pour nous si vous restiez pour manger à notre table. Ma femme fait la meilleure nourriture du village. Vous verrez, rétorqua Armando.

Guerra sourit à Namara en lui faisant un léger haussement d'épaules.

— Très bien… Dans ce cas, c'est d'accord à la condition que nous vous aidions à préparer le repas, dit Namara.

— Merveilleux ! dit Armando.

睚眦

— Allez monsieur Mcdermott, vous en reprendrez encore un peu ? demanda Manuela qui était ravie de l'appréciation que James portait à ses talents de cuisinière.

— Oui, volontiers ! dit-il en lui tendant son assiette.

Namara n'était plus capable d'avaler quoi que ce soit. Sa ceinture protestait, alors que Guerra, qui avait mangé le double de ses portions, continuait à manger.

— Fais en sorte que je n'aie pas à te porter jusqu'à l'automobile lorsque nous sortirons d'ici ! dit Namara à Guerra. Adriana et Izabella se mirent à rire à la suite du commentaire.

— Votre nourriture est délicieuse, dit Guerra.

— Je suis très heureuse que cela vous plaise, dit Manuela.

Namara n'avait pas passé un moment aussi agréable depuis long-temps. Tous avaient parlé de chacun et les Mexicains s'étaient montrés curieux de savoir qui étaient les deux visiteurs américains. Namara leur avait raconté une fausse histoire qu'ils avaient écoutée avec attention. Cela lui déplaisait de devoir raconter des mensonges à cette famille qui les avait si bien accueillis, mais il savait qu'il n'avait pas d'autres choix.

Puis, Armando leur avait parlé des mœurs mexicaines et de com-ment les choses se passaient ici. L'ambiance était agréable et, pendant un instant, il avait presque oublié la raison de sa présence en ces lieux. Il regarda tous les gens à cette table et il réalisa à quoi cela pouvait res-sembler d'être en famille, chose qu'il n'avait jamais connue jusqu'à ce soir.

Il avait passé une excellente soirée et il s'était régalé sans même s'at-tendre à une telle invitation. Assis à la table, il regarda autour de lui pour constater la misère dans laquelle ils vivaient. Ces gens n'avaient rien, et pourtant ils les avaient accueillis comme s'ils avaient été des membres de leur propre famille. Ils avaient été prêts à quasiment tout donner pour des gens qu'ils ne connaissaient que depuis quelques heures. Il vit au loin une photo d'une jeune fille qui n'était pas à la table. Il en vint à la conclusion qu'il devait s'agir de celle de Cecilia. Une sensation de tris-tesse l'envahit pendant qu'il les entendit tous rire d'un commentaire qui lui avait échappé. Quand il tourna son regard vers la table, il vit que Lucinda le regardait observer la photo. Elle lui sourit en silence et ce dernier lui rendit en retour.

— Vous avez une famille merveilleuse, Armando, dit Guerra.

— Je vous remercie.

Armando prit une grosse enveloppe qu'il déposa sur la table face à lui. Il sortit plusieurs photos de familles sur lesquelles Cecilia était présente.

— Cela fait déjà trois ans qu'elle nous a quittés. Elle avait dix-sept ans quand elle a été tuée. C'était l'aînée de mes trois filles. Elle travaillait dans une usine de chaussures à San Matanza trois jours par semaine. Elle prenait l'autobus pour retourner à la maison le soir venu et elle faisait une autre partie du trajet à pied. Un soir, elle a quitté son lieu de travail et nous ne l'avons plus jamais revue.

— Que s'est-il passé ensuite ?

— Trois semaines plus tard, ils m'ont avisé qu'ils venaient de retrouver un corps en bordure d'une petite route en plein désert. Ils croyaient que cela pouvait être ma fille.

— Vous avez vu le corps ?

— Oui… Je me suis dirigé immédiatement sur la scène de crime. J'ai vu le corps qui était en état de décomposition. À ce moment, il m'a été impossible d'identifier si le corps était bien celui de ma fille. Ils ont fait une autopsie sur le corps et ils ont confirmé qu'il s'agissait bien d'elle.

— À ce moment, vous avez tenté de retrouver les meurtriers ?

— Oui, je suis retourné voir l'endroit où son corps a été retrouvé pour y trouver des indices. Je suis allé questionner ses collègues de travail, ses amis et les gens du quartier qui pouvaient savoir ce qui s'était passé.

— Vous ne faisiez pas confiance à la police ?

— Ma fille n'est pas la première à s'être fait tuer et j'ai vu comment ils avaient traité les autres meurtres. Le cas de ma fille n'a pas été différent de celui des autres…

— Et qu'avez-vous trouvé ?

— Des gens qui savaient que j'étais le père de Cecilia m'ont dit des choses, probablement par compassion. Ils m'ont fait promettre de ne jamais révéler leurs noms. Ces gens craignent pour leur vie et jamais je ne dévoilerai qui a pu me transmettre ces renseignements.

— Je comprends très bien. Ce que nous cherchons, ce sont des pistes qui pourraient nous mener à des suspects potentiels. Nous croyons que des détails ont été ignorés dans ces enquêtes et que des gens tels que vous n'ont pas été interrogés adéquatement.

Armando soupira et fixa le mur en silence comme s'il était perdu dans ses pensées.

— La description d'un suspect est revenue à quelques reprises… Un Mexicain d'une trentaine d'années qui aurait une figure de loup tatouée sur un bras. Une rose ornerait son autre bras. Cet homme a été vu, rôdant dans les parages peu de temps avant certaines disparitions. Entre autres, celle de ma fille, mais ces mêmes détails sont revenus dans le cas d'autres jeunes filles. À un moment donné, je suis devenu obsédé pour retrouver cet homme. Je me suis mis à fréquenter les bars et tous les endroits qui pourraient me mener à lui, mais sans succès. J'ai parlé à beaucoup de gens, vous savez, et tout ce que j'ai réussi à savoir, c'est qu'il existerait un groupe qui se ferait appeler les Démons du désert…

— Et en quoi consisterait ce groupe ? demanda Namara, qui prenait des notes dans son calepin.

— Probablement des truands qui se sont affublés de cette manière. Ils seraient dans la drogue et tout ce qui est illégal. L'individu qui m'avait transmis cette information m'avait précisé qu'ils avaient la réputation d'être sans scrupule.

— Qu'avez-vous trouvé par la suite ?

— Rien. Je n'ai jamais rien trouvé prouvant l'existence des Démons du désert. Peut-être est-ce seulement une rumeur ou une légende urbaine que certains Mexicains s'étaient amusés à propager autour d'une bouteille de tequila pour agrémenter leurs soirées. Je n'en sais rien, mais moi… Je n'ai jamais réussi à trouver quoi que ce soit. Si un tel groupe existe, alors il se fait très discret, vous pouvez me croire. Ils ne doivent recruter que ceux qu'ils connaissent, ils restent cachés.

— Avez-vous trouvé autre chose ?

— Il ne s'agit pas d'un seul individu. Il s'agit d'un groupe bien structuré.

— Qu'est-ce qui vous fait dire cela ?

— Écoutez bien ce que je vais vous dire. Comme je vous ai expliqué, j'étais sur la scène de crime quand ils ont retrouvé ma fille. Elle a été retrouvée sur le ventre, la figure dans le sable comme toutes celles qui ont été trouvées. Après autopsie, il a été démontré qu'elle a été torturée et violée. Quand j'ai vu le corps de ma fille sur le bord de cette route, elle était habillée. Les vêtements qu'elle portait ne lui appartenaient pas. Elle n'a jamais possédé les vêtements qu'elle portait. Les vêtements qu'elle avait sur le corps n'étaient pas les siens !

— Vous êtes certain de cela ?

— Absolument, je connaissais ma fille. Jamais elle n'a possédé les vêtements qu'elle avait !

— Donc…

— Donc, cela veut dire que les vêtements que les meurtriers ont mis à ma fille appartenaient sûrement à une autre victime. Ils gardent leurs victimes ensemble dans un endroit secret. Ils les déshabillent, les dépouillent de leurs vêtements et ils les gardent en vie un certain temps. Puis, après avoir tué ma fille, ils ont pris des vêtements au hasard. Ils l'ont habillée et, ensuite, ils se sont débarrassés du corps. Pas un homme seul ne pourrait faire tout cela. Ils ont certainement un endroit pour les tenir captives ensemble. Ils ont également la tranquillité pour les garder en vie pendant une longue période. Ils ne sont pas inquiets qu'une fille puisse se sauver ni que des gens puissent être alertés.

— C'est intéressant comme point de vue.

— Une autre chose… Selon l'autopsie, quand le corps a été retrouvé, la mort datait d'environ quatre jours. Ma fille était portée disparue depuis plus de trois semaines, ce qui indique qu'ils l'ont gardée vivante tout ce temps dans un endroit inconnu. Et ce n'est pas tout…

— J'écoute…

— J'ai réussi à avoir plusieurs photos de différentes scènes de crime par une personne dont je tairai le nom également. J'ai étudié ces photos attentivement. Par la suite, je suis retourné sur le lieu où le corps de ma fille a été retrouvé. La plupart des meurtres ont été signés par les meurtriers…

— Vous faites référence aux coupures en forme de triangle faites au couteau sur les corps?

— Précisément, Erick. Cela a une signification!

— Oui, mais ce ne sont pas tous les corps qui portaient cette marque. Tous les corps ont subi des traces de violence, mais certaines n'avaient aucun signe distinctif ou symbole sur leur corps. C'est le cas de votre fille si je ne me trompe pas. Tous les corps n'ont pas été signés.

— C'est ce que vous croyez, mais vous faites fausse route! Comme tout le monde le sait, les dossiers sont incomplets. Ceux qui disent que certains corps ont été abandonnés sans cette marque, eh bien c'est qu'ils n'ont pas vu ce qui a été laissé.

— En ce qui concerne Cecilia… Quelle trace les meurtriers ont-ils laissée?

— À environ trois cents mètres de l'endroit où le corps a été trouvé, il y avait une petite cabane faite en bois. La petite hutte était à l'abandon, mais j'y suis entré et j'ai trouvé le signe…

— Vous avez trouvé un symbole de triangle?

— Non. Sur une planche on avait dessiné une croix avec de la suie de bois, mais pas une croix ordinaire. La base de cette dernière se continuait pour faire un demi-cercle.

— Comme un genre de point d'interrogation inversé, c'est cela?

— Exactement! Ce symbole veut dire quelque chose pour eux, j'en suis convaincu.

— Vous ne pensez pas que cela puisse être un symbole qui aurait été dessiné avant que le corps de votre fille n'y soit déposé?

— Non, je ne le crois pas. J'aimerais pouvoir remonter le temps et retourner inspecter les scènes de crime, Erick. Je suis certain que nous serions étonnés de retrouver ce même symbole aux abords d'où les corps ont été retrouvés. Les meurtres ont une signification pour eux et ces marques sont leur signature. Toutefois, vous ne trouverez aucun de ces renseignements dans les dossiers. Vous avez réussi à obtenir les photos de scènes de crime des meurtres?

— La plupart, oui.

— Faites le test vous-même. Vous en viendrez à la même conclusion que moi.

— Et quelle sera cette conclusion ?

— Toutes les filles ont été retrouvées sur le ventre, la figure contre le sol. Nous sommes d'accord ?

— Oui, en effet.

— Avez-vous pris le temps de regarder dans quelle orientation les corps étaient disposés ?

— Non.

— Bien sûr que non, vous n'étiez pas sur les lieux et vous n'auriez pas pu trouver cela uniquement avec les photos. Par contre, moi, je connais les lieux et j'ai vu plusieurs endroits où les filles ont été retrouvées. Toutes sans exception avaient la tête en direction de l'est !

— Vous voulez dire que les meurtriers auraient positionné les corps de sorte que leur tête pointe vers ce point cardinal ?

— Exactement. Toutes sans exception sont comme cela. Il peut arriver des hasards, mais, que cela se produise toutes les fois, il ne peut s'agir d'un hasard.

— Quel serait le but de cela ?

— Là est toute la question. C'est exactement ce que je me suis demandé. Prenons une rose des vents qui indique les points cardinaux, d'accord ?

— Oui, d'accord.

— Superposons un cadre d'horloge sur cette rose des vents… L'est correspondrait à quel chiffre sur le cadran ?

— Au chiffre trois.

— Exact. Et combien y a-t-il de coins sur un triangle Erick ? dit Armando avec un sourire narquois.

— Trois !

— Drôle de hasard, n'est-ce pas ?

— Merde, murmura Namara.

— Oui, comme vous dites.

— Donc, le chiffre trois a une signification pour eux. Ils jouent avec nous si je comprends bien… Ceci est un indice qu'ils nous laissent selon vous ?

— Ils ne jouent pas. Ils ne laissent pas ces symboles comme le ferait un tueur en série qui chercherait à se faire prendre ou bien qui aimerait jouer avec la police. Je crois que les meurtres ont une signification précise et que les symboles laissés sont pour authentifier ce rituel. Ce sont des meurtres rituels Erick, j'en suis convaincu. Toutefois, je n'ai pas réussi à trouver la signification pour le reste. C'est tout ce que j'ai découvert. Et maintenant, vous savez tout ce que je sais.

— Je vous remercie infiniment. Cela amène une autre perspective maintenant. Nous pouvons confirmer certaines hypothèses !

— Qu'allez-vous faire maintenant ?

— Tenter de trouver les coupables.

— Vous croyez pouvoir les trouver ?

— Oui.

— Comment ?

— Je ne sais pas encore.

— Si jamais vous les trouvez, promettez-moi que vous me direz qui ils sont. Je dois savoir.

— Je vous le promets.

Namara et Guerra firent leurs adieux à la famille Marquez qui resta sur le porche de la maison quelques instants pour les regarder partir. Au moment d'embarquer dans leur automobile, Lucinda s'approcha de Namara pour lui parler.

— Vous savez, je suis vieille, mais je suis encore lucide. Je vous ai vu regarder la photo de ma petite-fille. Qui que vous soyez, monsieur, promettez-moi que vous trouverez ceux qui ont fait cela, dit-elle en lui touchant la main de ses doigts difformes.

Namara fixa Guerra quelques instants, puis il regarda cette famille qui était debout à les regarder. Il se dit qu'il n'oublierait jamais cette image qui le suivrait à jamais.

— Je vous le promets !

Lucinda lui sourit en lui serrant la main. Ils montèrent à bord de leur véhicule en silence pour s'éloigner de la maison. Namara était perdu dans ses pensées. Il savait qu'il ne pourrait plus revenir en arrière désormais, car il avait donné sa parole.

Chapitre 45

— Oui, je t'écoute, Danny, dit Andy d'une voix éloignée qui se faisait entendre du combiné.

— Salut, Andy. Nous avons trouvé des pistes intéressantes, mais je vais avoir besoin de ton aide pour vérifier certains détails, car d'ici je ne peux rien faire, dit-il en changeant le combiné d'oreille.

— D'accord, de quoi est-il question ?

— J'ai des détails sur un suspect potentiel qui pourrait être impliqué dans les meurtres. Le père d'une victime a fait des recherches et, à plusieurs reprises, cet homme aurait été vu près des lieux juste avant une disparition. Il ne correspond à aucun suspect interrogé dans les dossiers que tu nous as transmis.

— OK. Tu as quoi comme description ?

— Il s'agit d'un homme d'une trentaine d'années. C'est un Mexicain. Il aurait une face de loup tatouée sur un bras et sur l'autre bras, un tatouage de rose.

— Et c'est tout ?

— Oui, c'est tout. Je sais que c'est peu, mais au moins nous avons quelque chose !

— Écoute, je vais faire des recherches. Il va falloir que je vérifie les banques de données des corps policiers et des centres correctionnels pour voir si un individu correspondant à ce que tu me dis n'aurait pas été incarcéré ou déjà arrêté pour quelque chose. Cela te va ?

— Oui, merci Andy. Peut-être que cela nous donnera quelque chose…

— Je te recontacte.

— Très bien, ciao ! dit-il en remettant le combiné téléphonique sur son boîtier rudimentaire sur la table de chevet de sa chambre.

Namara s'étendit sur son lit pendant que les autres restaient assis pour relaxer.

— Nous n'avons pas grand-chose, dit Guerra.

— Je sais bien ! Il va falloir tenter autre chose, rétorqua-t-il.

— Tu penses à quoi ? demanda Shinsaku, qui regardait la télévision.

— À tenter une expérience, mais je ne tiens pas à en parler tout de suite. Ming Mei, tu peux tenter de trouver ce que veut dire ce symbole de croix avec un demi-cercle et ce que pourrait signifier un triangle?

— D'accord, je vais voir ce que je peux faire.

— Merci!

— Je me demande comment se débrouille Kamilia jusqu'à maintenant, dit Shinsaku.

Namara se leva soudainement de son lit pour se diriger vers la porte et mettre ses chaussures.

— J'ai manqué un épisode ou quoi? Où vas-tu à une heure pareille? demanda Ming Mei.

— Tenter une expérience. Je dois vérifier certaines choses! dit-il en prenant les clefs du véhicule dans sa main.

— D'accord, nous venons avec toi, dit Shinsaku en se levant du divan.

— Non, je dois faire cela seul! Autrement, cela ne fonctionnera pas. Ne vous inquiétez pas, je ne serai pas long!

— Fais gaffe quand même! dit Guerra.

Namara referma la porte et un moteur se mit en marche. Le son du véhicule s'éloigna tranquillement dans la nuit.

Chapitre 46

South Beach, Miami, Floride, États-Unis.

— Oui, cela doit être livré dès mercredi au plus tard, dit Kamilia en raccrochant le combiné téléphonique.

— Où doit-on déposer les fauteuils, mademoiselle Stone ? demanda un ouvrier qui était en train d'aménager l'endroit qui deviendrait *Libération*.

— Mettez-les au deuxième étage pour le moment ! répondit-elle.

— Bien, madame !

— Désolée, je suis à vous maintenant ! dit Kamilia au journaliste d'un quotidien local qui était assis au bar avec elle pour rédiger un article sur l'ouverture.

L'établissement était rempli d'ouvriers qui étaient à l'œuvre pour y aménager la discothèque qui devait ouvrir ses portes très bientôt. Elle avait trouvé ce bâtiment parfait, situé directement sur Ocean Drive au cœur de South Beach. L'immeuble que Stone avait acheté donnait directement sur la plage où des centaines de gens déambulaient tout comme sur Ocean Drive. Cette célèbre rue alignait de grands hôtels, des boîtes de nuit huppées et des restaurants tous plus raffinés (et coûteux) les uns que les autres. Les voitures luxueuses se stationnaient tout partout le long de cette rue. De nombreuses célébrités fréquentaient ce lieu où richesse, mode et style étaient omniprésents. Sous le chaud soleil de Miami, il était clair que le centre se trouvait à South Beach, où la vie nocturne était connue dans le monde entier. Les prix pour un simple local dans ce quartier étaient faramineux, mais, quand Kamilia avait vu le chiffre qu'indiquait le relevé bancaire du compte que Namara lui avait refilé, elle réalisa que l'argent ne serait plus du tout une préoccupation à partir de ce jour.

Elle acheta ce vaste immeuble dont la hauteur du plafond se comparait à celle d'une église. Cet espace serait l'endroit idéal pour y aménager le club *Libération*. Architectes et designers avaient rivalisé d'ardeur pour planifier le plus bel établissement du genre à cet endroit. Les ouvriers, fournisseurs et corps de métier s'agitaient en une véritable tour de Babel.

Kamilia gérait plusieurs choses en même temps et elle ne dormait plus beaucoup depuis que le reste du groupe était parti. Même si elle était habituée à gérer ce type de projet, celui-là était de toute évidence le plus important qu'elle n'avait jamais eu à administrer à partir de presque rien, plans, budgets, contrôle de la qualité, etc.

Elle avait confié la tâche de faire la publicité pour l'ouverture à des contacts personnels qu'elle avait acquis dans le milieu au cours des années. Elle leur avait donné carte blanche ainsi que les fonds nécessaires pour que la promotion se fasse à grande échelle et atteigne les échelons les plus élevés. Elle s'était toutefois gardé la tâche de recruter le personnel elle-même. À cause de la fonction réelle de cet endroit, elle avait fait installer de l'équipement de surveillance à la fine pointe de la technologie occidentale : le groupe n'aurait rien à envier à la CIA.

Le club consisterait en un immense rez-de-chaussée où une piste de danse et de nombreux comptoirs-bars occuperaient l'espace. Le deuxième étage serait réservé à des loges pour ceux et celles qui préféreraient — et croiraient — ne pas être vus, alors que le troisième serait un penthouse réservé au groupe de commandos. Ne faisant pas les choses à moitié, elle prit également soin de placer dans le garage souterrain quelques bolides à quatre et deux roues ! Deux bateaux de course leur appartenaient également à la marina tout près. Il lui fallait prévoir toutes éventualités et elle ne laissait aucun détail au hasard.

Malgré son horaire chargé, elle s'inquiétait du sort du groupe qui était au Mexique depuis déjà quelques semaines. Elle n'avait eu aucune nouvelle d'eux et elle se demandait si tout allait bien. Elle se maudissait un peu de devoir rester à Miami et de ne pas être avec eux, mais elle savait que sa tâche était tout aussi essentielle. Ils devaient avoir un endroit à eux pour mener à bien leurs opérations et elle y veillerait.

— Alors, vous êtes la propriétaire ? demanda le journaliste d'un air décontracté.

— En réalité, nous sommes cinq actionnaires provenant d'un peu partout. Nous avons décidé de nous rassembler pour créer un club qui représentera bien la ville de Miami !

— De toute évidence, il semble que cela soit un projet de plusieurs millions à regarder l'endroit que vous avez acheté. Me feriez-vous la faveur de donner l'exclusivité à notre journal et nous dire le montant exact que vous avez investi pour votre projet ?

— Nous ne tenons pas à préciser le montant exact de l'investissement, mais dites-vous que notre objectif est de nous classer parmi les endroits les plus branchés de Miami, sinon le plus branché, et nous y arriverons ! dit-elle d'un ton enthousiaste.

— La compétition est féroce ici. Pouvez-vous m'expliquer un peu quel sera votre concept, mademoiselle Stone?

— Eh bien, avant tout, il s'agira d'un club discothèque, qui comme vous le voyez, pourra contenir un grand nombre de clients. Vous aurez accès à de nombreux bars au rez-de-chaussée ainsi qu'à une immense piste de danse. Le deuxième étage comportera des salons privés ou semi-privés pour les clients qui désirent une ambiance plus tranquille pour passer la soirée ou s'ils désirent inviter des gens pour une soirée privée.

— Je vois et qu'est-ce qui fera de votre club un endroit unique?

— J'ai l'intention d'aménager l'endroit comme un jardin zen. Quand vous viendrez passer la soirée au *Libération*, vous vivrez un mélange de sérénité et d'électricité festive propre à la vie nocturne. Venir passer la soirée ici sera une expérience unique, croyez-moi! Notre établissement se veut sans prétention et la clientèle ciblée est de tous âges, toutes catégories. Mais quand vous viendrez passer la nuit chez nous, vous retrouverez le style, le glamour, la fête et le bon goût. Bref, le *Libération* sera à l'image des chaudes nuits de Miami! dit-elle en souriant.

— Prévoyez-vous un style musical particulier?

— Eh bien, il y aura différents courants musicaux de style populaire en passant de la musique des années 80, 90 jusqu'à maintenant.

— L'ouverture officielle se fera bientôt, semble-t-il?

— Oui, en effet, et je compte faire un événement de grande ampleur pour l'ouverture, bref à l'image de ce que sera notre réputation partout! Je ne peux révéler l'identité de notre invité de marque, mais vous ne perdez rien pour attendre.

— Et comment comptez-vous devenir parmi les clubs les plus prestigieux de Miami?

— J'ai déjà beaucoup d'expérience depuis plusieurs années dans ce domaine et soyez assuré que vous retrouverez la meilleure qualité au niveau du service. Vous cherchez un cocktail particulier ou vous avez une demande particulière? Vous trouverez tout ce dont vous voulez au *Libération*!

— Moyennant un bon montant d'argent, il va sans dire? dit-il avec un sourire en prenant des notes dans son calepin.

— Bien entendu, dit-elle d'un ton charmeur. Nos clients seront les plus sophistiqués du jet-set mondial… pour eux, seule compte la qualité, pas le prix.

— Pourquoi le nom *Libération*?

— Eh bien, disons que nous avons tous, nous les actionnaires, eu des périodes difficiles et la création du club est en quelque sorte notre salut, l'aboutissement de notre travail depuis plusieurs années, bref notre libération, dit-elle en mentant. Et nous voulions que notre club constitue aussi une libération des tracas et soucis quotidiens de ceux qui fréquenteront notre boîte.

— C'est original! rétorqua-t-il, toujours le nez plongé dans son calepin.

— Tout à fait. Serez-vous présent pour l'ouverture?

— Eh bien, il serait sûrement intéressant que le journal puisse être présent et couvrir l'ouverture.

— Bien entendu. Vous ne serez pas déçu et qui sait… Peut-être même impressionné! dit-elle, tout sourire, en lui remettant un carton d'invitation.

Chapitre 47

Namara roulait dans la nuit depuis un bon moment. Il avait quitté le motel et le groupe pour se diriger vers le quadrilatère où la plupart des corps des victimes avaient été retrouvés dans le désert. Ce secteur était pratiquement inhabité. Une immense étendue désertique parsemée de petites routes cahoteuses. La nuit venue, l'obscurité était totale et il était déconseillé de venir y flâner, de toute évidence en raison de la réputation que cet endroit avait acquise. Il avait quitté les dernières lumières de la ville depuis plusieurs minutes et il s'était engouffré dans la noirceur sans trop savoir où il se dirigeait. Il roulait à basse vitesse en raison des ornières béantes de la route. Il lui fallait porter attention pour voir où il circulait pour ne pas s'enliser. Après avoir estimé être bel et bien rendu dans le quadrilatère en question et s'être assuré qu'il était seul, il arrêta le véhicule, puis il coupa le moteur.

Un silence total se fit entendre, et il resta dans le véhicule pour réfléchir. Seul, au milieu de nulle part, il pensa à Sanfeng et à Chao Heng. Il était temps de vérifier ce qu'il avait appris. Il ouvrit la portière et il sortit du véhicule. Il fut accueilli par le souffle chaud du vent du désert sur son visage. Il regarda dans toutes les directions, mais il n'y avait que lui, le vent et l'obscurité totale. Il quitta la route à pied pour s'engager dans le désert. Il sentit ses pieds s'enfoncer dans le sable au fur et à mesure qu'il s'éloignait. Il avait pris soin de mettre ses bottes, car il savait que le désert était rempli de créatures plus ou moins amicales. Il souhaitait ne pas marcher sur un nid de vipères, mais comment faire en pleine obscurité. Après avoir marché quelques centaines de mètres, ses yeux s'habituèrent graduellement à la noirceur et c'est à cet instant qu'il eut subitement conscience qu'il était arrivé à l'endroit qu'il cherchait. *Les lieux étaient lugubres et il sentait une ambiance malsaine y régner.* Il se demandait si cela était une bonne idée de se retrouver ici, mais il n'avait pas d'autres choix. Il devait essayer. Il arrêta sa marche quand il fut certain d'être assez éloigné. Il prit de profondes inspirations pour se détendre, ferma les yeux et il se plaça comme Chao Heng lui avait enseigné en plaçant les paumes de ses mains au niveau du cœur et il commença à vider son esprit de toute pensée. Il laissa le vent danser autour de lui.

Il finit par perdre le sens du temps et de l'orientation pour entrer en méditation profonde. Il se concentra à diriger son esprit profondément dans le sol. Il sentit l'énergie de la Terre l'aspirer comme s'il avait mis les pieds dans un sable mouvant. Puis, ayant atteint le stade qu'il désirait, il se dirigea vers l'inconnu. Il se mit à concentrer son esprit sur les victimes de ces meurtres. Il y plaça toute son intensité en se servant de l'énergie des lieux pour s'ouvrir à quelque chose dont il n'était pas certain de connaître la finalité. Rien ne se passa au début et il entra encore plus profondément en méditation, presque en quasi-sommeil.

Des images des victimes se mirent à défiler dans sa tête ainsi que des sensations reliées à ces crimes. Il entendit soudainement un hurlement à la mort comme si une femme s'était mise à crier à quelques centimètres de lui. Son cœur tentait de défoncer sa poitrine. Il se força à rester les yeux fermés, se rendant bien compte qu'il était impossible qu'une femme se trouve près de lui. Jamais il n'avait éprouvé pareille sensation et il se demanda si son esprit ne venait pas de lui jouer des tours. Il se força à se détendre.

Soudain, il entendit un autre hurlement qui lui glaça le sang. Il sentit son corps vibrer comme s'il se faisait électrocuter. Les extrémités de ses membres lui semblaient brûler. Des images se mirent à défiler comme un film dans sa tête. Il se mit à voir des scènes, mais comme s'il regardait par les yeux de quelqu'un d'autre. Il n'était plus en possession de lui-même. Il se mit à se sentir emmuré, étouffé. Les cris et les lamentations se faisaient plus intenses. Il vit tout à coup une petite église blanche semblable à une mission espagnole. La vision était d'une clarté telle qu'il lui sembla qu'il se trouvait lui-même à quelques mètres de cette église. Il pouvait constater que trois cloches se trouvaient dans le clocher de la mission. Puis l'église disparut et il ne vit plus que du vert. Il entendit un bourdonnement qui se rapprochait comme le battement d'ailes d'un colibri. Le bruit s'éloignait et se rapprochait de lui. Puis tout tourna au rouge et il vit un objet tourner. Une sorte d'hélice, mais il avait du mal à distinguer l'objet. La chose sembla s'approcher de lui et soudainement, se changea en tête d'homme.

Les cris de terreur s'amplifièrent et il remarqua que l'homme avait le visage complètement tatoué de plusieurs motifs qu'il ne pouvait pas distinguer avec précision. L'apparition avait le crâne rasé et il remarqua, ahuri, qu'elle avait les orbites des yeux tatoués, ce qui leur donnait l'apparence des cavités d'un crâne. L'homme était tellement tatoué qu'il avait l'apparence d'un squelette, d'un démon plutôt que d'un humain.

Le fantôme était silencieux, mais un horrible rictus animait son visage. Une sensation de terreur envahit Namara, il n'avait jamais éprouvé un tel sentiment d'effroi. Les hurlements se mélangèrent au bruit des cloches et au bourdonnement qui grandissait… Puis plus rien. Le bruit du vent et le silence.

Il se rendit compte qu'il transpirait abondamment et se sentait en train d'étouffer. Avec un incroyable effort mental, il réussit à se remémorer les instructions de son maître. Tranquillement, il reprit ses esprits pour se rendre compte que ce qu'il venait de ressentir et de voir émanait d'une personne autre que lui. Il venait incroyablement de ressentir ce que les victimes avaient éprouvé. Namara décida de retourner au véhicule. Il se sentait complètement épuisé comme s'il avait couru un marathon. Il lui sembla sentir une énergie ambiante, mais maléfique, et il pressa le pas. Arrivé au véhicule, il s'assit et il resta immobile de longs moments pour reprendre ses esprits et modérer son rythme respiratoire.

— Merde! Je suis en train de devenir cinglé ou quoi, se dit-il en mettant le contact.

Il fit demi-tour et il quitta les lieux en se remémorant ce qui lui était arrivé et, cette fois, il se convainquit facilement qu'il n'était pas cinglé. Il avait vu la face du Mal!

Chapitre 48

— Encore un peu de café ? demanda la jeune serveuse à Namara.

— Oui, merci ! répondit-il en souriant.

Il regarda le liquide noir et fumant couler dans sa tasse. *Il n'y avait rien de plus réconfortant que cette odeur de grains torréfiés.* Le groupe était assis à une table banquette en demi-cercle. Le restaurant, ouvert toute la nuit, était majoritairement occupé par des camionneurs qui venaient de traverser la frontière mexicaine en provenance des États-Unis. Ils arrêtaient à ce *diner* qui avait l'air de sortir tout droit des années cinquante. On y servait un peu de tout à un prix relativement bas, ce qui plaisait aux voyageurs. L'arrière du restaurant était un grand parc de stationnement réservé aux camionneurs qui désiraient y dormir pour la nuit. Les membres du groupe avaient décidé de casser la croûte à cet endroit pour faire le point sur le dossier depuis le début. Namara n'avait pas parlé de ce qu'il venait de vivre dans le désert aux autres membres du groupe. Il avait préféré y réfléchir quelques jours et en discuter lorsque le moment serait propice. Il venait de le faire.

— Ce n'est pas ton esprit qui t'a joué un tour ? demanda Guerra tout en piquant ses frites avec sa fourchette.

— Je sais très bien ce qu'est une illusion, James, et je peux te dire que cela n'en était pas une ! J'ai vu ces images comme je te vois en ce moment. Ce que j'ai ressenti… Il n'y a même pas de mots pour le décrire, dit-il en prenant une gorgée de café pendant que tous l'écoutaient attentivement.

— Qu'est-ce que cela pouvait vouloir dire d'après toi ? demanda Ming Mei.

— Je crois que ce que j'ai vu est en fait ce que certaines victimes ont vu de leurs yeux. Je n'étais pas moi-même. J'ai ressenti une terreur comme jamais de toute mon existence. Les images étaient trop réelles pour que cela soit une illusion. Je crois que cette église existe bel et bien, tout comme l'homme au corps tatoué. Pour le reste, il doit sûrement y avoir un sens, mais je ne suis pas capable de l'expliquer pour le moment !

— Tu vas m'expliquer un truc, Namara. Comment as-tu fait pour avoir de telles visions ! Je n'y comprends rien ! dit Guerra.

Namara réfléchit sur ce qu'il allait dire, car ses amis ignoraient ce qui s'était passé entre lui et son maître chinois.

— Écoutez, cela possède un lien avec certaines techniques de réflexion, si je peux expliquer cela ainsi. Pour expliquer le concept d'une façon simple, cette méthode permet de concentrer sur les énergies qui nous entourent. C'est ce que j'ai essayé… Je me suis branché aux flux d'énergies qui se trouvaient à cet endroit. Je ne pensais pas que cela puisse être aussi puissant toutefois.

— Donc, si je comprends bien, cela t'a permis de voir des séquences reliées à ces meurtres ?

— En gros, oui. C'est ce que je pense, mais je n'en ai pas la certitude absolue. C'était la première fois que je ressens de pareilles choses.

— Écoute… Excuse-moi mon vieux, mais je crois que tu étais probablement fatigué et que tu as eu une illusion, rétorqua Guerra.

Shinsaku, qui écoutait la conversation, brisa le silence.

— *Mushin no shin !*

— Je te demande pardon ? demanda Guerra.

— Cela veut dire en japonais : sans idée, sans esprit. Certains samouraïs affirmaient que le niveau ultime dans les arts martiaux consistait en la maîtrise de soi par l'immobilité mentale. Les maîtres de ces techniques auraient développé d'incroyables pouvoirs de toutes sortes par le biais de cette pratique. La clairvoyance fait partie de ces pouvoirs !

— Tu sais, Shinsaku, il y a des jours où cela me prend toute ma concentration pour pisser sans éclabousser le siège de toilette ! Je ne suis pas certain de te suivre, mais quel est ton point ? demanda Guerra tout en continuant de mastiquer.

— Je crois que Namara a trouvé le chemin de l'invisible. Il a ouvert ce que les maîtres appelaient son troisième œil ou bien développé son sixième sens, si tu préfères ! Nous ne devons pas négliger ce qu'il a vu. Tu dois prendre cela au sérieux, James ! Je crois qu'il s'agit en effet de renseignements qu'on a laissés à notre attention et qu'il ne s'agissait pas d'hallucinations !

— Bon, bon… D'accord. Eh, merde. Dans quelle histoire je me suis encore mis les pieds !

— Et pour la croix, tu as trouvé quelque chose ? demanda Namara à Ming Mei.

— Oui, j'ai trouvé quelque chose. La croix dont la base se continue en demi-cercle est un symbole satanique. Vous savez, dans le catholicisme, le ciel comporte ses anges. Il en est de même pour l'enfer. Il existe une hiérarchie parmi les démons. L'étude de cette hiérarchie fait partie d'une branche de la théologie que nous appelons la démonologie. Les satanistes connaissent bien ces détails et certains vont vouer un culte à un démon plutôt qu'à un autre selon ce qu'ils désirent et ce qu'ils prônent.

Ce que vous devez savoir par contre, c'est que l'enfer comporte plusieurs démons qui ont tous leurs particularités, ainsi que quatre princes des ténèbres. Certains spécialistes pensent qu'ils ne sont que trois, que Lucifer serait devenu Satan. Enfin. Ces derniers, qu'ils soient trois ou quatre, sont ceux qui gouvernent. Ils se nomment Lucifer, Satan, Bélial et Léviathan. La croix avec le demi-cercle représente un point d'interrogation inversé qui met en doute la puissance et la suprématie de Dieu. Si nous considérons que Lucifer (ou Satan) est le chef suprême de l'Enfer, il en reste trois immédiatement sous lui. Cette croix symbolise le couronnement des trois principaux princes des ténèbres sous Lucifer, c'est-à-dire Satan, Bélial et Léviathan! Le triangle peut parfois être utilisé par des satanistes comme un symbole représentant les trois princes correspondant aux trois extrémités du triangle. Bon, je crois que vous me voyez venir avec le chiffre trois. Cela expliquerait pourquoi les corps sont toujours disposés vers l'est. Ce point cardinal correspond aussi au chiffre trois sur un cadran. Le chiffre trois est un symbole significatif pour les satanistes, car, encore une fois, il représente les trois princes des ténèbres, mais il fait aussi référence à la Sainte Trinité. Bref, ils disposent les corps dans cette position comme une provocation envers Dieu et la Sainte Trinité. La croix en demi-cercle symbolise le couronnement et la domination des trois princes des ténèbres sur la Terre! dit-elle d'un ton grave.

— Beau travail, les choses commencent à se concrétiser sur l'identité des meurtriers! dit Namara.

— Donc, c'est tout ce que nous savons pour le moment? demanda Guerra.

— Peut-être pas, rétorqua Namara d'un ton pensif.

— Allez... Dis-nous... Tu as trouvé quelque chose d'autre?

— Eh bien, lorsque j'étais là-bas, j'ai remarqué un détail... le vent du désert. Il y avait un fort vent chaud qui soufflait du désert et qui tournoyait tout autour de moi sans arrêt, tout le temps que j'ai passé là. Je le sentais sur mon visage... Je l'entendais siffler, dit-il. Namara semblait perdu dans ses pensées en regardant le reflet noir de son café fumant.

— Oui, il y a régulièrement des vents ici, c'est fréquent... Et alors?

— Voilà. J'ai fait des recherches ces derniers jours. J'ai repris une quarantaine de dossiers de victimes et j'ai noté toutes les dates auxquelles elles avaient été enlevées. J'ai visité un site d'archives météorologiques qui avait répertorié les températures quotidiennes et je suis remonté en arrière jusqu'à environ cinq ans pour San Matanza. Parmi les dossiers que j'ai pu consulter, j'ai noté que, toutes les journées où une femme avait été enlevée, il y avait immanquablement de forts vents à San Matanza. Je sais bien que le vent n'est pas rare dans le désert, mais il existe tout de même des journées où les vents sont moins intenses. Mais, comme je le disais, à chacun des jours d'enlèvement, les vents étaient beaucoup plus forts que la normale. Je ne crois pas que, sur une quarantaine de victimes, il puisse s'agir d'un hasard. Je n'ai pas vérifié la totalité des dossiers, mais je suis certain que lorsqu'on le fera, les résultats seront les mêmes, conclut Namara d'un ton de voix étrange.

— Tu veux dire que les tueurs seraient influencés par le vent du désert? demanda Shinsaku.

— Peut-être pas toujours, mais une chose est claire dans mon esprit… Le vent symbolise quelque chose pour eux, dit Namara.

Ming Mei fronça les sourcils. Soudain, elle ajouta:

— Lors de ma petite recherche, j'ai lu pas mal sur le sujet. Devinez comment est surnommé le démon Bélial dans certains écrits hébreux? demanda Ming Mei.

Un silence régnait et tout le monde fixait Ming Mei.

— Très bien, ne répondez pas tous en même temps! On surnomme Bélial: le démon des vents!

— Donc, les tueurs voueraient un culte à Bélial… Il va falloir se renseigner davantage sur lui, dit Namara.

— Bélial est considéré comme étant le démon le plus dissolu, le plus vil et le plus crapuleux de toutes les entités démoniaques, dit Ming Mei.

— Tout prend son sens quand nous regardons les meurtres. Ils sont à l'image de cette entité, dit Guerra.

— Oui, précisément, lança Namara. Plus nous en parlons et plus je suis convaincu que le groupe des Démons du désert dont Armando a parlé existe bel et bien. Ils sortent les nuits de grand vent pour trouver leur proie. Ils se perçoivent comme des serviteurs de Bélial et ils se glissent dans la nuit comme des anges des ténèbres pour accomplir leur mission. Ils se plaisent à semer la terreur et l'effroi dans cette ville. Ils se voient comme les représentants du mal. Je crois que nous nous rapprochons de plus en plus du but, murmura Namara.

— D'accord. Et maintenant… que faisons-nous? demanda Guerra.

— Il faut que je trouve cette église. Je suis certain qu'elle est reliée à toute cette histoire! dit Namara. Je vais faire des recherches sur les églises à San Matanza et dans les villages environnants. Il se peut aussi que cette mission se trouve sur le territoire américain; alors je devrai aussi vérifier tous les petits villages le long de la frontière de ce côté-là.

— Je vais t'aider dans les recherches, dit Guerra.

Une sonnerie se fit entendre. Il s'agissait du beuglement de plusieurs vaches qui se seraient lamentées en chœur.

— Mais putain, qu'est-ce que…, marmonna Namara en regardant dans toutes les directions. Quand il se rendit compte qu'il s'agissait de la sonnerie de son propre téléphone portable, il le prit dans sa main.

— Toi, espèce de connard, tu as encore tripoté mon téléphone portable! dit Namara à Guerra d'un ton exaspéré.

Guerra se mit à rire de concert avec les autres. Namara dut répondre après qu'un autre chœur de bêlements tout droit sortis de la ferme se soit fait entendre dans tout le restaurant à la grande surprise de plusieurs curieux.

— Allô, oui, répondit-il d'un ton irrité.

— Bingo! Il semble que nous avons un gagnant! dit une voix que Namara reconnut comme étant celle d'Andy.

— Salut, Andy, alors?

— Il se nomme Eduardo Gomez, un citoyen mexicain qui a servi dans l'armée au Guatemala. Il est un ancien soldat des forces spéciales membre d'une escouade de la mort tristement célèbre, le Bezbet, responsable de nombreux massacres de civils survenus au Guatemala. Il a déserté en l'an 2000. J'ai cherché dans les banques de données des pénitenciers et notre charmant ami s'est fait prendre à Mexico en 2001 pour trafic de cocaïne. Il a fait un peu de prison, puis il fut relâché. En 2004, il est arrêté par le Drug Enforcement Administration, le DEA, à El Paso au Texas lors d'une perquisition. Plusieurs trafiquants sont arrêtés à ce moment, mais faute de preuves, il s'en est tiré. Après cela, notre ami s'est fait de plus en plus discret. Il est un trafiquant connu, affilié au cartel Alvarez, suspect dans plusieurs enquêtes en cours. Mais notre ami a été chanceux jusqu'à maintenant. C'est dans les bases de données carcérales américaines que je l'ai trouvé, car ils fichent les tatouages des détenus. Il a une figure de loup sur le bras gauche et une rose tatouée sur le bras droit. Les chances que notre ami Ed soit l'homme décrit par tes témoins sont plus que bonnes. Et le meilleur… Notre ami semble vouloir se faire de l'argent, car il s'est ouvert un bar de danseuses érotiques au centre-ville de San Matanza. Il ferait dans la prostitution et sûrement dans plusieurs autres commerces lucratifs inconnus pour le moment, peut-être même la traite des femmes? Il semble que notre copain souhaite diversifier ses revenus. Nous avons droit à tout un homme d'affaires! dit Andy avec sarcasme. Intéressant, n'est-ce pas?

— Oui, en effet, c'est impressionnant! Merci, Andy, cela va nous donner un bon coup de main! dit Namara en prenant des notes dans un calepin devant lui.

— Il y a des fois où je me trouve vraiment génial ! Bon, tu as un crayon et un calepin ?

— Oui, devant moi.

Andy lui fournit les coordonnées du bar d'Eduardo Gomez d'un ton satisfait.

— Bonne chasse ! dit-il en raccrochant la ligne.

— Et puis ? demanda Guerra, impatient de savoir ce qui avait été dit au téléphone.

— Je crois qu'il est temps de nous montrer un peu ! dit Namara.

Chapitre 49

Les courbes de Ming Mei se dessinaient nettement sous l'éclairage teinté rouge de la piste de danse sur laquelle de nombreux spectateurs avaient les yeux rivés. La jeune femme se déhanchait lascivement, pour continuer sa prestation autour d'un poteau métallique. Ses gestes étaient fluides et sensuels comme ceux d'une déesse. Le bar d'Eduardo Gomez était rempli de clients séduits par la prestation de Ming Mei qui ne portait que le bas d'un bikini noir, laissant voir ses seins fermes. Tous étaient éblouis par sa beauté.

Elle ondulait sous le rythme d'une chanson populaire. La forte musique se mêlait aux éclats de voix et à la fumée de cigarette qui emplissait le bar. La demi-obscurité de l'endroit était tailladée par les projecteurs placés un peu partout. Les clients ne semblaient pas habitués à voir un spectacle d'une telle qualité et une danseuse de pareille beauté. Ces derniers ne cessaient de lui tendre des billets verts pour qu'elle continue de les éblouir. Shinsaku était assis à une table, soucieux de se fondre dans l'assistance survoltée. Tout comme la majorité des hommes présents, il avait les yeux rivés sur le corps superbe de Ming Mei. De toute évidence, elle avait de l'expérience et un grand talent dans ce genre d'activité. Il ne l'avait jamais perçue de cette façon depuis leur première rencontre, mais il la regardait maintenant comme s'il venait de découvrir une autre femme, complètement différente de son impression originale. C'était elle qui s'était portée volontaire pour approcher Ed en se faisant passer pour une stripteaseuse en cavale, désireuse de se faire oublier tout en gagnant un peu d'argent. Ed l'avait examiné de la tête aux pieds, puis il l'avait mise à l'épreuve en lui disant de faire le prochain spectacle. Si elle s'en tirait bien, il pourrait discuter. Elle avait accepté et, de toute évidence, les clients étaient emballés et ils en redemandaient. Ed regardait le spectacle, la frénésie qui régnait, et il vit l'occasion de faire beaucoup d'argent avec cette fille. Elle n'était pas du tout du même calibre que les autres filles qui travaillaient pour lui.

Son corps était parfait, sa démarche était féline et sa beauté, tout simplement éblouissante. Il n'avait rien vu de tel ni connu une ambiance semblable à celle qui régnait ce soir-là dans son établissement. Lorsqu'elle avait proposé ce plan à Namara, ce dernier avait hésité. Il n'était pas certain que cela était une bonne stratégie, mais elle avait insisté et tous s'étaient entendus pour que Shinsaku entre incognito comme client pour veiller à ce qui ne lui arrive rien à l'intérieur. Namara et Guerra étaient postés dans une automobile à quelques mètres de là et ils observaient le bar en question en attendant la suite des événements.

Ming Mei termina son numéro sur les genoux et elle se releva en reprenant son souffle sous les cris et les sifflements de satisfaction qui se faisaient entendre. Elle sourit en faisant un signe de remerciement à la foule, puis elle disparut dans les coulisses.

Shinsaku la perdit de vue et il se dit que c'était maintenant à elle de jouer. Il resta à sa table en sirotant une bière et en regardant la nouvelle danseuse. Ming Mei arriva à son vestiaire en essuyant la sueur qu'elle avait sur le corps avec une serviette. Après avoir enfilé un chandail, elle se retourna pour apercevoir Ed qui l'observait par la porte à demi ouverte. Leurs regards se croisèrent et Ming Mei se força à lui sourire. Ed était de corpulence assez imposante. Son teint était foncé et il portait plusieurs chaînes en or autour du cou et des bagues aux doigts, des bagues aussi coûteuses que de piètre apparence, remarqua Ming Mei. Il avait une barbe de quelques jours et une chemise foncée lui permettait d'accentuer encore plus l'éclat de ses bijoux. Ses yeux étaient noirs et son visage ne reflétait aucune émotion tout comme les hommes qui l'assistaient dans le bar.

— Viens dans mon bureau, nous avons à discuter, dit-il.

— J'arrive dans quelques instants ! répondit-elle en ramassant ses affaires.

Elle longea les couloirs étroits et crasseux jusqu'au bureau d'Ed. Elle croisa plusieurs stripteaseuses mexicaines pressées qui marchaient d'un pas rapide dans tous les sens. Arrivée à la porte d'entrée, elle cogna trois coups légers pour l'aviser de sa présence.

— Entre !

Ed était assis à son bureau et il se balançait dans sa chaise tout en scrutant Ming Mei de ses yeux froids. Deux autres hommes étaient assis au fond du bureau et ils la dévisageaient sans dire un mot. *Tous semblaient de belles crapules.* Elle n'aimait pas du tout l'idée de devoir être enfermée dans ce petit bureau avec trois types de ce genre. Si les choses tournaient mal, elle les tuerait l'un après l'autre avant de s'enfuir. Sa seule inquiétude était la forte possibilité qu'ils soient armés, et son doute fut confirmé lorsqu'elle vit la crosse d'une mitraillette de type M16 appuyée contre un classeur au fond du bureau, bien à portée de main d'Ed. Elle fut alors certaine que les trois portaient des armes à feu.

— Quel est ton nom déjà ?

— Léa ! dit-elle.

— D'accord… Tu te débrouilles bien, Léa ! Tiens, assieds-toi, dit-il en lui pointant la chaise qui était face à son bureau. Elle obtempéra en lui faisant un sourire.

— Merci, répondit-elle.

— Et tu es de quel endroit déjà ?

— De Chicago. Je suis arrivé à San Matanza avec mes amis, Rick et Arthur. Je veux me faire un peu de fric !

— Que faisais-tu à Chicago ?

— J'étais stripteaseuse et Rick s'occupait de moi. Lui, il vendait un peu de poudre et il me protégeait. Mais disons que les choses se sont compliquées et nous avons dû partir pour éviter les problèmes…

— Quel genre de problèmes ?

— Il commençait à y avoir un peu trop de morts là-bas. Disons que deux gangs rivaux se battaient pour avoir le territoire et nous nous sommes retrouvés entre les deux alors…

— Alors vous avez foutu le camp pour ne pas vous faire éliminer !

— Ouais, on ne plaisante pas avec la mafia là-bas. Rick est un dur à cuire, mais ces mecs-là finissent toujours par te tirer dans le dos tôt ou tard. Nous en avions marre de cette merde alors nous avons décidé de recommencer une nouvelle vie.

— Tu es très bonne, tu sais… Tu peux te faire beaucoup de fric ici si tu veux. Moi aussi, d'ailleurs, si tu deviens une de mes filles.

— J'aimerais bien, mais je ne fais que danser. Aucun attouchement ni prostitution. Je veux que les choses soient bien claires.

Ed pencha la tête vers l'arrière en réfléchissant. Il garda le silence un moment.

— La plupart des filles ici couchent avec les clients et elles sont prêtes à faire des petits extras facilement, tu sais. Mais en même temps, je t'ai vu danser et, en un seul spectacle, tu as fait plus que la plupart des filles ensemble en une soirée. Je sais que tu peux me rapporter pas mal de fric avec ton derrière, alors c'est d'accord ! Tu ne feras que danser. Toutefois, sache que les filles qui dansent pour moi… Eh bien, leur derrière m'appartient. Donc, si c'est ton copain Rick qui s'occupait de ta carrière, tu devras lui dire que c'est maintenant oncle Ed qui prend la relève. Je ne tolère aucune personne autre que moi dans mon univers !

— Rick m'a toujours soutenu tout au long et il continuera. Il m'a sauvé plusieurs fois alors il reste à mes côtés. C'est à prendre ou à laisser.

Eduardo émit un grognement d'insatisfaction en regardant ses deux hommes de main qui restaient impassibles. Il portait une chemise à manche longue et elle ne pouvait apercevoir ses tatouages.

— D'accord, ça va pour le moment. Si tu es intéressée, tu as ta place ici. Viens demain et tu auras ton vestiaire !

— Oui, merci, dit-elle en se levant et en lui serrant la main. Elle se dirigea vers la sortie alors qu'il restait assis en la regardant en silence. Au moment de sa sortie, il s'éclaircit la voix.

— Les filles ici travaillent durement, tu sais. Je m'attends à la même chose de toi. L'argent que je fais m'appartient et quiconque serait tenté de me voler en paierait les conséquences. Je ne sais pas ce que tu faisais réellement à Chicago, ni la raison réelle du pourquoi tu es ici, mais sache que si tu cherches à me baiser, il t'arrivera malheur. Nous nous comprenons ?

Elle se retourna pour lui faire face et elle soutint son regard. Elle garda le silence et elle sut que la menace sournoise qu'il venait de faire était sérieuse. Il ne plaisantait pas.

— Oui, nous nous comprenons. Ne t'inquiète pas, tu peux me faire confiance, tu ne seras pas déçu !

— C'est ce que nous verrons. Sois à l'heure demain et ferme la porte en sortant !

Chapitre 50

Meliza détestait faire des heures supplémentaires, car cela signifiait qu'elle devait revenir chez elle, l'obscurité venue. Elle avait pris le dernier autobus et elle se trouvait seule à l'intérieur. Le chauffeur conduisait machinalement son véhicule. La jeune fille était épuisée de sa journée et elle avait hâte d'être rendue chez elle pour se reposer un peu. Ce qu'elle détestait le plus, c'était de devoir faire une partie, c'est-à-dire plusieurs centaines de mètres du trajet à pied. Elle l'avait effectué à plusieurs reprises, mais chaque fois, son cœur battait à tout rompre jusqu'à ce qu'elle soit rendue à la maison, les portes verrouillées.

Elle regardait la nuit noire par les fenêtres de l'autobus qui roulait sur une rue raboteuse où chaque cahot la brassait sur son siège. *Tout se passerait bien encore ce soir, elle ne devait pas traîner en chemin et elle serait rendue dans quelques minutes.* Le chauffeur la sortit de ses pensées quand il freina à son dernier arrêt. Le cœur de Meliza se mit à battre rapidement lorsqu'elle sortit de l'autobus. Un fort vent la frappa à sa sortie. Une bourrasque fit même lever le petit manteau qu'elle portait ainsi que ses longs cheveux bouclés.

Inquiète, elle jeta un rapide coup d'œil autour d'elle, mais elle ne vit rien d'anormal. Elle était seule. Elle pressa le pas en direction de sa demeure. Elle arriva devant une modeste boutique en bois qui servait de marché de quartier. À cette heure, elle était fermée et barricadée. Seulement une affiche néon rouge clignotait pour indiquer la présence de l'établissement. Le bâtiment était le dernier avant le tronçon de chemin que la jeune femme craignait tant. Elle passa devant le commerce d'un pas rapide et s'engouffra dans l'obscurité. Le vent sifflait dans ses oreilles l'empêchant de bien discerner tous autres sons ambiants.

Soudain, elle crut entendre du bruit derrière elle et elle se retourna brusquement, en panique. Son cœur se mit à battre à tout rompre une fois de plus, mais elle ne vit rien. Elle pouvait apercevoir la lumière rouge de l'affiche néon clignoter au loin, mais personne ne l'avait suivie. Elle ne vit ni homme ni véhicule. Elle se retourna pour reprendre sa marche. À une autre centaine de mètres, elle décida d'arrêter encore une fois pour regarder et se rassurer. Encore une fois, il n'y avait rien d'anormal. Elle était immobile sur le rebord du chemin dans l'obscurité totale. *Il ne lui restait tout juste que la moitié du chemin à faire, tout se passait bien jusqu'à maintenant.*

Elle avait à peine repris sa marche quand elle se sentit tirée violemment vers l'arrière. On la poussait brutalement hors de la route. Elle voulut crier, mais on lui avait mis une main sur la bouche. Une épouvantable terreur la submergea pendant qu'elle se débattait de toutes ses forces. Puis elle sentit un bras entourer son cou et serrer. Elle étouffait, et ne pouvait même pas crier. Ses forces l'abandonnèrent ; tout devint noir devant elle et elle s'évanouit. La route était redevenue déserte. Seul restait le vent qui sembla même se déchaîner.

Dans le désert, à quelques mètres du chemin, deux phares d'automobile percèrent soudainement l'obscurité. Un bruit sourd de moteur étouffé par les bourrasques se fit entendre. Tranquillement, le véhicule sortit du désert pour reprendre la route.

Chapitre 51

— Je ne suis pas certain que cette carte comprend tous les villages mexicains qui peuvent se trouver le long de la frontière, dit Namara, qui examinait avec attention l'immense carte qu'il avait épinglée sur le mur de la chambre.

— C'est la meilleure que j'ai pu trouver en tout cas, dit Guerra, qui naviguait sur Internet à l'aide d'un ordinateur portable. La pièce était un parfait désordre : documents, cartables, livres, cartes, éparpillés un peu partout sur la table, le divan et le lit. Guerra et Namara avaient passé des heures à faire des recherches afin de retracer la petite église blanchie, mais sans succès. Ils n'avaient cessé de boire du café en fouillant de part et d'autre les documents qu'ils avaient réussi à trouver sur les églises et les paroisses mexicaines de la région. Certaines auraient pu ressembler à l'église en question, mais Namara se rappelait précisément de quoi avait l'air l'église et aucune n'était la bonne.

— Si elle n'est pas au Mexique, alors elle doit être sûrement au Texas ! grommela Namara.

— Écoute, nous venons de sortir toutes les églises du Texas et des environs. Tu les as toutes rejetées. Je ne sais pas quoi te dire, mis à part que cette église n'est pas dans les environs…

— Il faut qu'elle y soit ! Elle y est sûrement, dit Namara d'un ton songeur en continuant de fixer la partie supérieure de la carte qui correspondait au côté américain de la frontière.

— Mais écoute, elle n'y est pas, bordel ! Tu le vois bien comme moi, répondit Guerra d'un ton impatient en tapant sur le clavier de façon maladroite avec ses deux index tel un grand pic qui creuserait son nid dans un tronc d'arbre avec obstination.

— Je sais qu'elle n'y est pas, mais il faut forcément qu'elle y soit ! Cette carte est probablement trop vieille !

— Elle date de quelle année ? demanda Guerra.

— De l'année 2005.

— Elle n'est pas si vieille, Danny. Si ton église était dans les environs, nous l'aurions trouvé sur la carte.

Namara s'assit aux côtés de Guerra en buvant une énième tasse de café et en le regardant naviguer sur des sites de tourisme présentant des vidéos amateurs. La page comprenait des vidéos filmées par des touristes à plusieurs endroits au Texas. Ces gens avaient cru bon partager leurs souvenirs personnels de voyage en ligne pour satisfaire la curiosité des internautes. Guerra regardait d'un œil distrait ces vidéos de famille sur trappes à touristes. Las, il cliquait nonchalamment sur le clavier. Ses cheveux étaient ébouriffés et ses yeux étaient rougis par les heures passées devant l'écran. Namara ressentait la même fatigue, mais il bondit soudainement, ce qui fit sursauter Guerra.

— Arrête la vidéo! Arrête, arrête! Recule-la!

— Quoi, mais qu'est-ce qu'il y a?

— Recule! dit Namara en pointant l'écran de son index.

— D'accord, merde! Pas de panique… Je recule! Calme-toi, espèce d'imbécile, j'ai failli faire une crise cardiaque!

Namara se percha sur le rebord de sa chaise pour regarder attentivement la vidéo que Guerra faisait repasser.

— C'est cette église! C'est elle! dit Namara en pointant l'écran de son index d'un ton surexcité.

— Quoi, t'en es certain?

— Oui. C'est bien l'église que j'ai vue!

On pouvait apercevoir une petite église blanche dont le modeste clocher abritait trois cloches, derrière un touriste tout sourire qui jouait au guide touristique. Ils se mirent à écouter attentivement ce que l'individu racontait. Il expliquait à sa femme qui se trouvait derrière la caméra que l'église en question était charmante en raison de son architecture et de sa couleur. Sa femme lui répondit en rigolant derrière la caméra qui bougeait au rythme de ses paroles que le fait de s'être égarés leur avait permis de trouver la jolie ville de Sauvalito.

— Sauvalito… Sauvalito, marmonna Namara en scrutant la carte à nouveau après s'être levé de sa chaise comme un éclair. Tu vois, je te l'avais bien dit… Il n'y a aucune ville de ce nom sur cette foutue carte!

— Attends une seconde, dit Guerra en tapant furieusement sur son clavier pour trouver la ville en question. Tiens, voilà, j'ai trouvé! Sauvalito, Texas. Petite ville du Texas avec une population d'environ deux cents habitants! Regarde, on parle de l'église en question. Elle aurait été construite en 1638 par les frères Franciscains pour convertir les Indiens qui habitaient la région à cette époque. Par la suite, ce territoire est devenu américain. Ce hameau est effectivement en bordure de la frontière mexicaine et pas trop loin de San Matanza! Bref, cette ville est un ancien lieu de conversion au catholicisme qui est maintenant devenu un petit village texan perdu au cœur du désert ! Pas mal pour un soldat, je trouve. Il y a des jours où je me trouve exceptionnel !

— Je dois avouer que tu as fait un beau travail sur ce coup-là !

— Merci ! répondit Guerra avec un petit sourire complaisant.

— Mais je ne suis pas si certain que cela soit un village construit par les Franciscains.

— Comment cela…

— Réfléchis, James. Nous étions incapables de trouver ce village sur notre carte datant de l'an 2005 !

— Oui, et alors, regarde sur cette carte virtuelle, nous voyons clairement le point indiquant Sauvalito !

— Oui, mais de quelle année date cette carte ?

— De cette année-ci, dit Guerra, qui scrutait attentivement la carte sur l'ordinateur.

— Ce village n'existait pas en 2005 et maintenant il est là…

— C'est sûrement l'erreur de celui qui a produit la carte. Il arrive que cela se produise.

— Oui, ou bien, il n'y en avait pas d'erreur en 2005.

— Que veux-tu dire ?

— Tout simplement qu'à cette époque, Sauvalito n'existait pas ! C'est pourquoi ce hameau n'apparaît pas sur la carte !

— En tout cas, il est indiqué clairement ici que l'église en question a été construite en 1638, donc cet endroit devait inévitablement exister !

— Je ne crois pas. Je crois que cette église n'a rien à voir avec les Franciscains ni la conquête des Indiens en 1638. Je crois que ce hameau a été construit de toutes pièces par des inconnus, entre 2005 et maintenant. L'histoire sur les Franciscains n'est qu'une invention pour expliquer l'apparition du village !

— D'accord… Et par qui cela aurait été créé et pour quelle raison ?

— Je n'en ai aucune idée, mais j'ai bien l'intention de le découvrir.

— Tu penses à quoi ?

— À envoyer un autre couple de touristes prendre des souvenirs de voyage…

Chapitre 52

— Tu crois que nous en avons encore pour longtemps avant d'arriver? demanda Shinsaku au volant d'une Buick de location en direction de Sauvalito.

— Nous ne devrions plus être loin maintenant, dit Namara, assis sur la banquette arrière avec Guerra.

— Nous vous déposons bientôt? demanda Ming Mei.

— Oui, bientôt… Mais pas tout de suite… Continuez, dit Namara.

— Tu sais, Shinsaku, tu es très crédible dans ton rôle de touriste, car tu ressembles vraiment à un parfait crétin, ricana Guerra.

— Je te remercie du compliment, dit-il en se concentrant sur la route.

Shinsaku portait un chapeau de type safari et il était vêtu d'une chemise hawaïenne aux couleurs pastel. Il avait pris soin de porter des pantalons mi-courts avec des bas qui lui montaient jusqu'aux genoux. Ming Mei, pour sa part, se trimbalait en jupe estivale mauve et elle portait un appareil photo en guise de collier, tout comme on imagine une touriste orientale. Guerra et Namara étaient, eux, en tenue de camouflage couleur sable pour bien se fondre dans le paysage. Guerra jeta un coup d'œil rapide à Namara qui comprit le signal.

— Shinsaku, ouvre le coffre arrière! dit Guerra.

Le conducteur pressa le bouton d'ouverture du coffre, mais il garda sa vitesse de croisière sur le chemin poussiéreux.

— C'est quand vous voulez les copains, marmonna Shinsaku.

Le silence régna dans l'automobile pendant quelques secondes, puis Guerra le brisa.

— C'est bon, arrête la voiture!

La Buick se rangea sur l'accotement dans un énorme nuage de poussière. Namara et Guerra sortirent du véhicule comme l'éclair pour courir vers son arrière. Chacun sortit du coffre un lourd sac beige de type militaire qu'ils se mirent sur le dos. Ils refermèrent le coffre et ils s'éloignèrent du chemin pour s'enfoncer dans le désert au pas de course.

L'automobile ne s'était immobilisée que pendant quelques secondes ; déjà, elle avait repris sa route.

— Et comment vont-ils faire pour intervenir si les choses tournent mal ? demanda Ming Mei.

— Ne t'en fais pas, ils seront plus près de nous que tu ne le crois !

— Ouais, et maintenant… Quel est le plan pour nous deux ?

— Et bien, nous faisons du tourisme aujourd'hui, ma chérie. Nous allons leur donner la meilleure performance de visiteurs nigauds ! Nous allons nous promener partout et parler aux gens là-bas. Il nous faut voir ce qui se passe à cet endroit. N'oublie pas de prendre constamment des photos, compris ?

— Ne t'en fais pas.

— D'accord. Ah, regarde, je crois que nous arrivons.

睚眦

James et Danny étaient étendus sur le sable chaud depuis un bon moment. Ils s'étaient recouverts chacun d'une toile de camouflage couleur beige pour se fondre dans le décor. Ce camouflage partait de leur chapeau et leur descendait jusqu'au ventre en longs lambeaux. James avait installé une arme longue munie d'une lunette sur son sac en guise d'appui pour son arme s'il devait faire feu. Il avait évidemment pris soin de peinturer son arme à la couleur du désert. Les deux étaient pratiquement invisibles du village.

Tireur d'élite aguerri, James ne laissait rien au hasard dans ce genre d'opération. Il suivait Shinsaku et Ming Mei de sa lunette au fur et à mesure des déplacements qu'ils effectuaient dans le village. Danny, aux côtés de James, observait aussi la scène à l'aide de jumelles. Son rôle consistait à observer attentivement les lieux, noter ce qu'il voyait pour références futures et fournir au tireur les données nécessaires, vitesse du vent et température, pour un tir de grande précision. James se concentrait sur une seule chose, faire feu si la situation tournait au vinaigre pour Shinsaku et Ming Mei.

À la distance où il se trouvait et avec l'arme qu'il avait à l'épaule, il savait que peu d'hommes pouvaient réussir un tir mortel. Heureusement, il n'y avait pas de vent ! Dans la voiture, il avait méticuleusement examiné chacune de ses cartouches de calibre .338. Il s'amusait à leur donner chacune un prénom de femme comme si son chargeur avait été un harem et qu'il n'avait qu'à ordonner à l'une d'entre elles de se loger dans la tête d'une cible pour qu'elle le fasse.

— À quelle distance sommes-nous, tu crois ? chuchota Namara.

— Je dirais à environ deux mille cinq cents mètres, plus ou moins cinq mètres, de distance par rapport à eux[1].

— Bordel… Et tu penses pouvoir atteindre ta cible à cette distance ?

— Cette arme n'est pas une des meilleures et la distance est énorme, mais, au moins, il n'y a pas de vent. Oui, Julie atteindra sa cible à coup sûr si je lui demande, ne t'en fais pas, lança Guerra, l'œil toujours dans sa lunette, montrant du doigt le projectile engagé dans la chambre de l'arme.

睚眦

La chaleur était écrasante et les deux observateurs suaient même immobiles. Ils se disciplinaient à boire régulièrement afin d'éviter la déshydratation. Ils avaient passé la journée à observer Shinsaku et Ming Mei se promener, entrer dans des commerces, puis en ressortir. Le couple avait maintenant fait le tour du village au complet. Le soleil couchant était rouge orangé et éclairait particulièrement le petit village qui obsédait tant Namara. La petite église, le parc attenant, les bancs, les lampadaires, tout était propre et bien entretenu. Un portrait on ne peut plus normal. Ce qui le dérangeait, c'est que la ville était presque déserte, très peu de gens y circulaient.

— Cela rappelle le bon vieux temps, non ? demanda Guerra. Toutes ces conneries ne te manquent pas ?

— Oui, j'avoue. Ce temps me manque aussi… Notre groupe surtout. Je me demande souvent ce qu'ils sont devenus.

— Ouais, c'était le bon temps. Il y a des fois où je me dis que cela tient du miracle que nous sommes encore vivants. Si l'unité avait continué, l'un de nous se serait fait tuer tôt ou tard.

— Non, car nous étions les meilleurs, dit Namara avec un sourire.

— Ouais, tu parles. Mais, c'est foutrement vrai que nous étions les meilleurs !

Un long silence régna. Namara fixait toujours le village avec ses jumelles.

— Allez… Dis ce que tu en penses ! lança Guerra, qui trouvait son acolyte anormalement silencieux.

— Je ne sais pas… L'endroit est anormalement désert.

---

1. Note de l'éditeur : un franc-tireur australien aurait atteint sa cible à 2 815 mètres de distance selon le *Daily Telegraph* (http://www.dailytelegraph.com.au/news/opinion/taliban-remain-in-fear-of-lethal-strikes-writes-chris-masters/story-e6frezz0-1226504862496).

— Oui, mais c'est typique d'un village texan durant le jour. Les gens restent à l'intérieur en raison de la chaleur.

— Ouais, c'est possible, mais nous avons passé toute la journée ici. Le soleil se couche maintenant, la température chute et nous ne voyons pas plus de gens circuler.

— Quoi d'autre…

— Le ranch…

— J'espérais bien que tu en parles !

— Où sont passés les chevaux si c'est un ranch ? En plus, il y a plus de va-et-vient et d'activité à cet endroit que partout ailleurs dans la ville. Nous voyons constamment des hommes, des femmes circuler dans les environs, comme s'ils avaient pour mission de surveiller l'endroit.

— D'ailleurs, Shinsaku et Ming Mei semblent ne pas avoir pu s'approcher de l'endroit passé les barrières.

— Oui ; de la position où ils se trouvaient, ils n'ont pas pu voir le reste des bâtiments. Nous, oui. Tu as remarqué la grande grange en bois derrière ?

— Oui, tu crois qu'ils y cachent quelque chose ?

— Ils semblent surveiller cet endroit pour une raison particulière… même si l'endroit n'est pas accessible au public. As-tu remarqué que cette grange ne contient aucune fenêtre ? Vraiment bizarre.

— Attendons voir ce que Ming Mei et Shinsaku en pensent… Ils ne devraient pas tarder à repartir.

— Ils attendent que le soleil soit couché pour quitter les lieux et prendre la route pour nous reprendre.

— Et moi qui voulais faire travailler Julie !

— Sois patient, James… Sois patient.

Chapitre 53

Le premier arrêt que Shinsaku fit en arrivant à Sauvalito le fut à une petite station-service pour faire le plein d'essence. Un homme mal rasé d'une soixantaine d'années vêtu d'une salopette en denim tachée d'huile à moteur vint se charger de la pompe. Il fixa Shinsaku d'un air méfiant en insérant le bec verseur dans le goulot du réservoir.

— Faites le plein, s'il vous plaît ! lui dit Shinsaku en souriant. C'est une belle ville ici. Nous voulions aller à Reddon, mais je crois que nous nous sommes perdus en cours de route. Nous sommes de Seattle et nous rêvions de visiter le Texas depuis longtemps ; alors, il semble que nous y sommes !

— Vous devez faire demi-tour et reprendre la route 115 pour atteindre Reddon !

— D'accord, merci du renseignement. Toutefois, comme nous sommes ici, je crois que nous allons profiter de cette belle journée pour visiter votre charmant village et peut-être même y passer la nuit. Est-ce qu'il y a un motel dans lequel nous pourrions louer une chambre ?

— Vous ne trouverez pas de motel ici. Il est fermé depuis un bon moment. Le plus proche se trouve dans la ville de Clifford à trente kilomètres d'ici, répondit l'homme en fronçant les sourcils.

— Oh, je vois. C'est dommage. Nous aurions aimé y rester. Ce petit village semble pittoresque. Qu'est-ce que vous nous conseillez de visiter ?

— Vous savez, monsieur… Ce n'est qu'un petit village. Tout le monde se connaît, mais il n'y a rien d'intéressant à visiter pour des touristes. Je vous conseille de continuer votre route vers Clifford, car beaucoup de gens ici n'aiment pas vraiment les étrangers, répondit-il sèchement.

— Ah, oui, je comprends. Il est vrai que cela semble vraiment un petit village. Les habitants doivent être habitués à leur tranquillité, dit Shinsaku d'un ton naïf, tout en s'efforçant de garder le sourire pour sembler le plus stupide possible. Ne vous en faites pas, nous ne resterons pas longtemps et nous nous ferons discrets. Nous aimerions seulement manger un peu avant de partir. Est-ce qu'il y a un restaurant près d'ici ?

— Oui, au bout de la rue, à votre gauche !

— Parfait, nous allons y aller à pied, cela nous permettra de voir votre splendide village en même temps… Avant de continuer notre route !

— Cela vous fera quarante dollars !

— Tenez, monsieur ! Cela fut un plaisir !

L'homme prit l'argent en marmonnant et retourna à l'intérieur du garage. Shinsaku l'interpella juste avant qu'il n'y disparaisse.

— Excusez-moi encore une fois, mais ma femme est une croyante assidue et elle a une passion pour les églises que nous retrouvons dans la région. En avez-vous une ici ?

— Oui, au bout de la rue, tournez à gauche. Vous continuez sur environ trois cents mètres puis tournez à droite sur la rue Melda. Vous ne pourrez pas la manquer !

— Parfait, et merci encore ! dit-il en montant dans la Buick.

Il prit soin de garer l'automobile quelques rues plus loin et ils partirent à pied dans les rues quasiment désertes de Sauvalito. Ming Mei aperçut une femme qui les fixait par la fenêtre d'une petite maison blanche. Un camion avec deux hommes à bord circula en sens inverse dans la rue au même moment. Shinsaku les salua lorsqu'ils les croisèrent, mais les deux passagers ne lui retournèrent pas le salut. Ils se contentèrent de les dévisager pour ensuite disparaître dans une autre rue.

Comme Ming Mei se l'était imaginée, le restaurant était vide. Une grosse femme se trouvait derrière le comptoir. L'endroit était étouffant de chaleur. L'accueil fut aussi froid que celui du pompiste. Ils mangèrent des hamburgers insipides, en simulant une conversation banale sur tout ce qui leur semblait merveilleux en cette escapade de voyage. Ming Mei prit soin de photographier Shinsaku à plusieurs reprises pour avoir les images du resto. Après leur repas, ils continuèrent leur marche dans la ville en prenant soin d'examiner le plus discrètement possible les maisonnettes blanches et les autres bâtiments qu'ils croisaient.

— Est-ce que je suis parano ? J'ai vraiment l'impression que nous sommes observés, demanda-t-elle en marchant d'un pas apparemment décontracté sur le trottoir.

— En effet, j'ai le même sentiment que toi ; alors, restons sur nos gardes.

Shinsaku enlaça la taille de Ming Mei en déambulant pour jouer au couple parfait. À tour de rôle, ils se photographiaient l'un et l'autre devant un quelconque objet ou bâtiment pour avoir le plus de plans différents des lieux. Ils croisaient de temps à autre des véhicules et des piétons qui tous les observaient froidement, sans rien dire. Ils prirent tout leur temps pour faire le tour du village, puis ils décidèrent de terminer par l'église que Namara avait vue dans ses transes. Près des deux grandes portes de bois de l'entrée principale se trouvait un panneau de bois accroché au mur sur lequel on pouvait lire : paroisse de Sauvalito. Père Gregor Matthew.

— Intéressant. Peut-être devrions-nous aller voir ce père Gregor, histoire de constater de quoi il a l'air et s'il est aussi aimable que ses ouailles, dit-il.

— D'accord. Allons-y par le côté… Il semble y avoir une porte.

Les deux passants se dirigèrent vers le côté de la petite église blanche où se trouvait effectivement une modeste entrée. Ming Mei l'ouvrit et un grincement se fit entendre ; cette porte ne devait pas être utilisée souvent. Elle donnait sur un escalier étroit qui descendait au sous-sol. Elle s'y engagea, suivie de Shinsaku. Une odeur de moisissure leur monta au visage lorsqu'ils aboutirent dans un petit local sans fenêtre où se tenait une vieille femme grisonnante, assise derrière un comptoir.

La vieille dame leur lança un regard hostile. Ils s'avancèrent vers elle pour se rendre compte que la dame avait pratiquement les yeux complètement obscurcis. Peut-être le résultat d'une maladie de l'œil, mais elle semblait toutefois les voir parfaitement. Elle leur sourit, mais le résultat ressembla plutôt à une grimace. Plusieurs de ses dents étaient cariées et elle portait un foulard, noir comme le reste de ses vêtements, sur le dessus de la tête. Elle les salua. Ming Mei remarqua une poupée miniature faite de brins de paille suspendue par une ficelle au-dessus du comptoir.

— Bonjour, dit la vieille femme d'une voix rauque.

— Bonjour, madame ! dit Ming Mei. Qu'est-ce qui se passe ici ?

— Oh, je vois… Vous ne savez pas ? demanda-t-elle avec sa tentative ratée de sourire.

— Non, à vrai dire… Nous sommes de Seattle. Nous avons profité de cette journée pour visiter votre charmant village.

— J'espère que vous avez aimé votre séjour. Je m'appelle Varna et je suis responsable du comptoir humanitaire de la paroisse !

— C'est intéressant… Et vous fournissez des ressources à la population, c'est cela ?

— Oui, aux itinérants et aux gens dans le besoin. Dans ce local, nous leur fournissons des vêtements.

— Et ici, vous en avez beaucoup de ces gens ?

— Quelques-uns. Il est vrai que nous ne sommes pas nombreux ici, mais il arrive parfois que nous arrivent des gens provenant de Clifford ou bien des itinérants loin de chez eux. Nous leur offrons le peu que nous pouvons. Nous faisons le maximum à Sauvalito malgré nos moyens limités.

— Oui, je comprends. C'est très noble de votre part, dit Ming Mei en souriant.

— Merci, jeune demoiselle, mais c'est le père Gregor qui est responsable de ce comptoir. C'est lui qui a eu l'idée de ce service et qui tente d'aider les défavorisés le plus possible. C'est un homme dédié.

— Oui, sûrement. Serait-il possible de le voir quelques instants ? Nous aimerions le féliciter et le rencontrer avant de reprendre notre route.

— Je crains que cela soit impossible. Il est hors de la ville pour quelques jours, malheureusement !

— Oh, comme c'est dommage. Nous aurions tant aimé le saluer ! Je suis une fervente croyante, vous savez…

— Ah, oui… vraiment ? rétorqua la vieille dame affichant toujours le même rictus hideux.

— Oui… mais bon. Cela n'est pas grave. Je crois que nous devons reprendre notre route avant la tombée de la nuit. Ce fut un plaisir, Varna !

— Bonne route, jeunes gens… Que le Seigneur vous garde ! lança-t-elle pendant qu'ils montaient l'escalier.

— Vous pareillement ! répondit Shinsaku.

Après être ressortis, ils revinrent dans l'église, mais par les portes principales. L'endroit était bien entretenu et il comportait deux rangées d'une vingtaine de bancs de bois chacune. L'endroit était désert. On pouvait apercevoir plusieurs alignements de lampions de différentes couleurs allumés près de l'autel. Des arrangements floraux complétaient le tout. Une odeur d'encens imprégnait l'édifice. Bref, cette église ressemblait à n'importe quelle autre que Shinsaku et Ming Mei auraient pu visiter. Ils ressortirent après quelques instants pour aller s'asseoir dans le parc en face de l'église.

— Le soleil est sur le point de se coucher, je crois qu'il serait sage de partir. Quel endroit étrange… non ?

— Oui, en effet.

Ming Mei regardait partout autour d'elle, perdue dans ses pensées.

— À quoi penses-tu ? demanda Shinsaku

— As-tu remarqué quelque chose ? Il n'y a aucun enfant dans cette ville. Incroyable, non ?

— À vrai dire, pas vraiment… l'école que nous avons vue était fermée, tu te rappelles ? Peut-être que les habitants n'ont pas assez d'enfants pour entretenir une école et qu'ils les envoient dans l'établissement d'un village voisin.

— Ouais, mais, le soir venu, ils devraient être de retour ! Il fait beau ce soir ! Logiquement, il devrait y avoir des enfants qui jouent à l'extérieur après l'école, mais il n'y en a pas ici. Tous des adultes de race blanche et d'âge moyen pour la plupart. La majorité, des hommes, et presque pas de femmes. Des vieillards aussi, mais très peu. Qu'as-tu remarqué quand nous nous sommes rapprochés de ce ranch ?

— Bien, il y avait curieusement beaucoup de gens qui vaguaient à leurs occupations pas très loin.

— Oui, ils nous surveillaient. Tu sais, plus je regarde cet endroit… Tout est faux ici ! Ce village, ces habitants. Tout est une mise en scène ! Ces villageois ne sont pas réels !

— Tout cela dans quel but ?

— Je ne sais pas encore.

— Il est temps de partir, retournons au véhicule et retrouvons Guerra et Namara ! dit-il en se levant du banc.

— D'accord !

Chapitre 54

Ming Mei entra dans la chambre au petit matin, épuisée de sa nuit de travail au bar. La nuit avait été payante pour elle, et pour Eduardo encore plus.

— Il veut te rencontrer, Danny, dit Ming Mei en poussant un soupir tout en s'étendant sur un lit.

— Ce n'est pas trop tôt! Il t'a dit pourquoi il voulait me voir?

— Pas exactement, mais je suis profitable pour lui de toute évidence. Il sait que je suis avec toi alors il veut voir qui tu es sans doute. Cela fait plusieurs jours que je travaille pour cet enfoiré et je lui fais faire plus d'argent en une soirée que toutes les autres filles dans ce bar. Il le sait et il sait que je le sais, mais il ne veut pas me partager avec toi. Tu es un obstacle pour lui.

— C'est parfait. Exactement ce que nous voulions. Je croyais qu'il ne se déciderait jamais. Je suis certain qu'il existe un lien entre Ed et Sauvalito, mais nous n'en savons pas encore assez. Je crois qu'il est la clef toute cette histoire. Lui seul peut nous permettre de savoir la vérité. As-tu réussi à obtenir des renseignements sur lui au bar?

— Oublie cela! Il ne laisse rien paraître. Il n'y a aucun moyen de fouiller son bureau ou quoi que ce soit d'autre. Il a sa garde rapprochée qui nous guette constamment. Au moins cinq ou six hommes sont constamment sur les lieux. Tout ce que je peux te dire, c'est qu'ils sont tous armés, lourdement armés!

— Tu n'as rien constaté de ses activités jusqu'à maintenant?

— Le concernant, non. Mais cet endroit est littéralement un bordel. Il y a une danseuse au bar qui se prénomme Shanti; c'est une brunette. Elle pourrait correspondre à la photo de la femme mystère remarquée dans les maquiladoras lors des enlèvements. Toutefois, je ne peux pas vraiment confirmer qu'il s'agit bien d'elle.

— Bon, d'accord. Il est temps pour James et moi de jouer maintenant! Il faut absolument réussir ce coup-là, c'est notre seule chance!

— Chance de quoi, lança Guerra.

— Chance de résoudre ces meurtres. Il faut absolument qu'on lui plaise pour qu'il puisse nous faire confiance. Si jamais cela ne fonctionne pas...

— Cela va fonctionner, rétorqua Guerra.

— Oui, il le faut. D'ici là, Ming Mei, continue à travailler !

— J'en ai marre !

— Je sais, mais cet Eduardo est notre seule porte d'entrée !

睚眦

— Alors, c'est toi le petit ami de Léa. J'aime mettre un visage sur un nom, dit Eduardo en scrutant Namara de la tête aux pieds.

— Je ne suis pas son petit ami. Léa est une fille qui travaille pour moi et elle me paie !

— Je vois… C'est une de tes filles.

— La seule pour le moment, car je viens de m'installer depuis peu ici, lança-t-il en fixant Ed sans montrer aucune émotion. Guerra jouait le même rôle en se tenant debout à ses côtés. Deux des hommes de main de Ed se tenaient derrière eux, ce qui rendait la petite pièce plutôt encombrée. Guerra et Namara avaient remarqué au premier coup d'œil que les acolytes d'Ed portaient chacun une arme sous leur veston. Probablement qu'Ed le faisait aussi. Namara et Guerra portaient chacun un pistolet 9 mm à la ceinture, ce qui faisait cinq hommes armés dans cet étroit bureau. L'atmosphère était tendue, la marge de manœuvre de Namara était mince et il le savait.

— Oui, Léa m'a parlé de cela. Rick, c'est cela ?

— Oui, et mon ami, ici, c'est Arthur !

— Moi, c'est Ed !

— Oui, je sais. Léa m'a parlé de toi également !

Ed fit mine de sourire sans dire un mot. Il s'alluma une cigarette et il prit deux bouffées qui laissèrent monter un long filet de fumée dans les airs.

— Vous êtes armés ?

— Oui.

— Alors, j'espère que vous n'y verrez aucun inconvénient à ce que mon ami Bobby à l'arrière vous soulage le temps de votre visite. Nous vous les remettrons à votre sortie. Un des hommes à l'arrière s'avança lentement vers Guerra et ce dernier fit un demi-tour pour le regarder. L'homme sembla figer. Guerra fixa Ed, toujours assis derrière son bureau, et lui dit :

— Nous allons mettre les choses au clair tout de suite. Si jamais ton gars essaie de prendre mon arme, cela sera la dernière chose qu'il fera de sa vie. Personne ne prend mon pistolet, et cela ne se produira pas non plus aujourd'hui ! Nous nous comprenons ?

— Peut-être que cela pourrait également être la dernière chose que tu feras, *hombre*, dit Ed d'un ton grave.

— Peut-être, mais la vie est remplie de surprises quelquefois! rétorqua sèchement Guerra en retournant son regard vers l'homme derrière lui. La tension était palpable et ils étaient à un poil d'une fusillade entre quatre murs.

— Tu nous as fait venir ici moi et Arthur… pourquoi? Qu'est-ce que tu veux? demanda Namara d'un regard courroucé.

Ed se rendit compte que les deux hommes devant lui ne plaisantaient pas et, pour une raison qu'il ne pouvait expliquer, il sentait que ces hommes n'en étaient pas à leur première confrontation. Si jamais, la tension ne baissait pas, il pouvait très bien dans quelques secondes se retrouver lui-même avec une balle dans la tête.

— D'accord, d'accord… Du calme! Bobby, recule! Laisse monsieur Arthur respirer un peu!

L'homme derrière eux recula de quelques pas pour revenir s'adosser contre le mur.

— Nous sommes des hommes d'affaires, Ed, dit Namara.

— Je suis un homme d'affaires aussi, Rick, et le problème, vois-tu… C'est que je suis sur mon territoire ici. Mais pour être plus clair… Je suis roi et maître à San Matanza, nous nous comprenons?

— Oui, bien sûr. Rassure-toi, nous ne sommes pas ici pour te voler quoi que ce soit. Nous sommes seulement ici pour faire de l'argent.

— Mais vois-tu, Rick… Ta Léa travaille dans mon bar, donc elle me rapporte beaucoup d'argent. Toutes les filles qui travaillent pour moi m'appartiennent sans exception. En plus, Léa me rapporte plus que les autres pétasses ici. De ce que je comprends, elle travaille pour toi… C'est là que j'ai un problème!

— Elle a toujours travaillé pour moi. Je crains qu'en effet nous ayons un problème. Nous allons devoir trouver un arrangement.

— Et quel genre d'arrangement aurais-tu à me proposer?

— Nous avons besoin d'alliés dans ce business. J'ai toujours prôné le partenariat.

— Oui, mais je ne travaille qu'avec ceux que je connais… Et je ne te connais pas!

— C'est normal… Je comprends cela. Tu es prudent. Faisons connaissance dans ce cas.

— Et si je te donnais un montant d'argent pour que Léa devienne une de mes filles. Dis-moi ton montant et ensuite disparais.

— Je crains que cela ne soit pas une possibilité.

— Ouais…

Ed se pencha vers l'arrière de sa chaise d'un air pensif. Il prit une autre bouffée de cigarette et il laissa la fumée sortir de ses narines cette fois.

— Donc ?

— Donc… Si tu ne veux pas accepter l'argent, je pourrais te tuer toi et ton ami tout simplement. Qui vous cherchera ici, pas vrai ?

— Oui, c'est une possibilité pour toi. Mais si tu manques ton coup, sois certain que nous ne te manquerons pas. Et en fin de compte, tu auras tout perdu. Ta vie, Léa et un paquet de pognon. Tu veux faire du fric et, nous aussi…

— C'est intéressant comme point de vue. Très bien, discutons ! Bobby, va nous chercher de la tequila !

L'homme sortit du bureau en silence et il ferma la porte derrière lui.

— Parlez-moi de vous ! lança Ed avec un ton plus adouci.

— Pourquoi ? Léa t'a déjà sûrement dit la raison de notre présence. Que veux-tu savoir exactement ?

— Oui, elle m'a raconté des choses. Vous êtes en cavale de Chicago… Vous faites dans quoi ?

— La cocaïne.

Ed devint soudain intéressé. Il avait peut-être des confrères en face à lui et il lui fallait savoir s'il s'agissait de futurs alliés ou bien de la prochaine concurrence. Il tenait à savoir s'il s'agissait d'amateurs ou bien s'il avait affaire à des pros.

— Intéressant. Donc des confrères américains ! dit-il en souriant alors que Bobby revenait avec trois verres et de la tequila. Ed s'en versa un verre qu'il but d'un coup. Il en versa dans les deux autres verres qu'il leur tendit. Namara et Guerra enfilèrent la tequila d'un trait et ils firent un salut à Ed en signe de remerciement.

— Oui, nous sommes dans ce business depuis un bon moment.

— Pour des gros joueurs ?

— La famille Capignolli à Chicago pendant près de dix ans.

— Je vois. La mafia.

— Oui.

— Mais vous n'êtes pas des Italiens ?

— Non.

— Alors vous devez être très bons. Que faisiez-vous exactement ?

— Nous transportions la drogue du Canada aux États-Unis.

— Risqué, non ?

— Oui, en effet. Nous ne nous sommes fait prendre une seule fois en dix ans. Arthur et moi avons fait un peu de prison au Canada.

— Ces connards de flics…

— Ouais.

— Des gros chargements ?

— Environ cinq cents kilos par voyage. D'autres fois, nous transportions l'argent. Trois, parfois quatre millions par voyage !

— Oh, c'est beaucoup de pression, cela ! Et vos profits ?

— Cinquante mille dollars chacun pour chaque voyage effectué.

— Pas mal, pas mal. Votre distributeur, la Colombie ?

— Non, le Venezuela. Les Capignolli avaient un contact là-bas et le kilo non coupé leur revenait à très bas prix.

— Impressionnant, mais pourquoi, si vous étiez si bons dans ce que vous faites, se sont-ils mis à vous pourchasser. Tu sais, Rick… Dans ma tête… Quand un type se sauve de ses anciens employeurs, c'est probablement parce qu'il a essayé de les baiser. Ce n'est pas la vérité ?

— Non.

— Alors, Léa n'a pas dit la vérité sur le fait que vous étiez en cavale ?

— Oui, nous nous sommes enfuis, mais pas en raison des Italiens. J'ai tué un flic !

Un silence se fit. Ed ne dit pas un mot, mais il écarquilla les yeux comme s'il n'était pas certain d'avoir bien entendu.

— Tu plaisantes ?

— Non, une taupe s'est infiltrée dans le réseau et le DEA nous a filés lorsque nous transportions de la cocaïne de Montréal jusqu'à Chicago. Ils ont essayé de nous embusquer à Chicago lorsque nous déchargions la marchandise. Avec ce que nous transportions, nous en avions pour des dizaines d'années en taule et il n'en était pas question. Une fusillade a éclaté, j'ai tiré puis Arthur et moi avons pris la fuite.

Ed resta muet encore quelques secondes, puis son visage devint soudainement moins dur. Il éclata d'un fort rire comme si on venait de lui conter la blague la plus hilarante qu'il lui avait été donné d'entendre.

— Merde ! Tu as descendu un agent du DEA. Et maintenant, tu as tous les fédéraux au cul ?

— Oui, précisément !

Ed se mit à rire de bon cœur et il ne pouvait plus arrêter.

— Bordel, alors tu es vraiment mon idole, Rick ! Il ne se contente pas de tuer un flic, il en descend un du DEA !

— Oui, mais maintenant je ne peux plus retourner au pays, du moins pour le moment.

— Ces saloperies de flics sont de vrais rapaces et particulièrement ceux du DEA. Ils ont essayé de me coincer il y a quelques années à El Paso, mais ils n'avaient rien contre moi. Ils ont dû me relâcher, ces idiots. Eh bien, buvons à ton exploit, Rick ! dit-il en versant trois autres verres de tequila qu'ils enfilèrent cul sec.

— Tu as entendu cela, Bobby ? Ces deux gars sont incroyables quand même, non ?

— Oui, tu parles. Par ici, si c'est connu, vous allez être de foutus héros ! rétorqua-t-il en leur serrant la main. Moi, c'est Bobby en passant ! Désolé pour tout à l'heure, les gars, mais vous savez comment c'est !

— Oui, pas de problème, Bobby ! rétorqua Guerra.

L'autre homme au chapeau de cow-boy, resté silencieux depuis le début, leur sourit pour la première fois et il leur serra la main.

— Tu crois que ces gars-là sont OK, Bobby ? demanda Ed.

— Ouais… Ils ont l'air de deux foutus enfoirés et ils semblent avoir du nerf. Je les aime bien !

— Je suis d'accord avec lui. Je vous aime bien aussi ! Vous semblez connaître le business et vous avez des couilles. J'avais l'intention, au début, de vous tuer, mais j'ai changé d'avis. Je fais une petite fête avec ma bande ce soir, vous en faites partie ?

— Oui, bien sûr, rétorqua Namara avec un sourire.

— Bienvenue à San Matanza dans ce cas !

Eduardo se leva de sa chaise pour serrer la main de Namara. Ce dernier remarqua clairement les tatouages d'Eduardo sur ses bras ; c'était ce qui l'avait trahi et la véritable raison de leur face à face, chose que ce trafiquant ignorait. Eduardo leur donna rendez-vous à son bar à la tombée du jour, d'où ils partiraient tous ensemble.

Danny et James retournèrent dans le bar où une dizaine d'hommes portant des chapeaux de cow-boys les attendaient. Ed les salua dès qu'ils franchirent la porte.

— Bienvenue, mes amis américains ! Je vous présente mes autres amis ! Et voici les deux gringos dont je vous ai parlé… Rick et Arthur !

Le groupe était composé uniquement de Mexicains qui affichaient des visages tous plus sinistres les uns que les autres. Certains portaient plusieurs tatouages et ils semblaient tous avoir un goût particulier pour le style western. Ils saluèrent Namara et Guerra avec leur chapeau. Un homme parmi le groupe lança d'une voix rauque :

— C'est lequel des deux qui a tué un flic ?

— Celui-là ! dit Ed avec un sourire en pointant Namara du doigt.

— Beau travail ! dit l'homme en ricanant.

— Merci !

Ming Mei, qui était déjà dans le bar, traversa la pièce pour aller parler à Namara pendant que les autres regardaient la scène en silence.

— Alors, tu viens ?

— Non, pars sans moi, je vais avec Ed. Je te retrouve plus tard, ne m'attends pas, répondit Namara.

— Quoi ? Comment cela, tu ne viens pas. Tu m'avais promis que tu me sortirais ce soir.

— Oui, je sais, mais Ed fait une petite fête ce soir. Alors nous sortirons une autre fois.

— Non, ce n'est pas juste ! Tu dis cela à chaque fois ! Qu'est-ce qui te fait croire que je veuille y aller un autre jour avec toi ?

— Alors, nous n'irons pas tout simplement. Fais ce que tu veux, dit Namara d'un ton désintéressé.

— Tu ne tiens jamais parole ! Tu te fous de tout ! dit Ming Mei d'un ton furieux.

Brusquement, Namara envoya un coup de poing en plein visage à Ming Mei. Cette dernière fut projetée vers l'arrière et elle atterrit sur une table de bar. Elle termina sa chute en faisant basculer la table dans un fracas. La jeune femme alla s'écrouler au sol dans les débris. Elle ne bougeait plus, assommée par le coup qu'elle venait de recevoir. Namara s'avança de quelques pas dans sa direction.

— Ne me parle plus jamais de cette façon devant d'autres, tu m'entends, espèce de connasse !

Ming Mei restait silencieuse au sol tout en se tenant le nez ensanglanté.

— La prochaine fois que tu oses répliquer de la sorte, tu peux être certaine que je serai moins gentil ! Maintenant, fous le camp ! Hors de ma vue !

Namara avait planifié cette mise en scène avec Ming Mei et cette dernière avait accepté de recevoir le coup. Il voulait qu'Ed assiste à cette scène pour le convaincre qu'il était un homme prêt à tout et sans pitié pour personne. Il voulait dissiper tout doute à leur égard quant à sa capacité de cruauté. Il savait que cette scène pouvait avoir un effet déterminant sur la suite des événements. Il ne lui avait pas fracturé le nez, mais elle semblait saigner beaucoup. De toute évidence, la mise en scène était convaincante, car Guerra lui-même était bouche bée. Ed, quant à lui, s'esclaffa à pleins poumons pendant que Ming Mei disparaissait à l'arrière du bar. Les autres hommes rirent aussi de voir la furie dans le regard de Namara. Ed s'approcha de lui et il lui prit l'épaule en guise de réconfort.

— Tu fais bien de ne pas te laisser diriger par une connasse ! Tu es un sacré dur à cuire, toi, tu ne l'as pas manquée. Elle a eu sa leçon, je crois ! ricana-t-il.

— Sale pute, je ne sais pas ce qui me retient ! grogna Namara.

— Je te comprends, mais oublie-la. Ce soir, nous faisons la fête ! Allez ! Allons-y !

Chapitre 55

Les trois camions n'allaient surtout pas attirer l'attention. Plutôt vieillots et poussiéreux, ils roulaient depuis un bon moment. Ils avaient quitté la ville et s'étaient enfoncés dans le désert depuis plusieurs minutes à vive allure. Ils roulaient un à la file de l'autre en laissant une immense traînée de poussière derrière eux. Namara et Guerra étaient assis dans la benne d'un des camions. Ils se tenaient solidement aux rebords pour ne pas être éjectés. Après plusieurs kilomètres de sentiers cahoteux et poussiéreux, ils quittèrent le chemin pour rouler directement dans le sable du désert. De toute évidence, leurs hôtes se méfiaient tellement de l'espionnage électronique que seul le désert profond leur semblait sécuritaire pour leur petite conférence.

Après un moment, ils ralentirent la cadence et ils se garèrent en un demi-cercle avant de couper les moteurs. Le silence se fit. Ils étaient maintenant au milieu de nulle part dans l'obscurité la plus complète. Peu importe la direction où il regardait, Namara ne voyait rien. Les hommes d'Eduardo laissèrent les phares d'un camion ouverts pour les éclairer pendant qu'ils préparaient un immense feu de bois. Le feu crépita doucement, puis les flammes grossirent pour former un brasier orangé qui montait dans l'obscurité du ciel. Ed ouvrit la radio d'un camion et de la musique western mexicaine se fit entendre. Tous s'exclamèrent, ravis de la musique locale qu'ils semblaient tant apprécier.

— Qu'est-ce que c'est? demanda Guerra.

— De la narcomusique! Des trafiquants comme nous qui font de la musique.

— Je ne savais pas que les trafiquants d'ici étaient des artistes!

— De grands artistes pour certains. Ils sont financés par les cartels. Leurs chansons prônent notre style de vie et c'est aussi une bonne propagande pour recruter. Cette musique est très populaire chez les jeunes de la région.

— Comme on dit, on n'arrête pas le progrès, rétorqua Guerra.

— Oui, comme tu dis!

— La police permet que cette musique soit diffusée?

— Il n'y a pas de police à San Matanza. La police appartient aux cartels. Le seul vrai pouvoir au Mexique est la drogue !

— Dommage que les États-Unis ne pensent pas de cette manière !

— Je sais, le Mexique est une terre promise pour le trafiquant ou tout homme qui désire faire de l'argent. Tout est permis ici pour un homme intelligent ! Il est l'heure de manger. Tenez, goûtez à cela !

Bobby leur amena une assiette fumante composée de riz, de viande rôtie, de fèves noires et accompagnée d'une tortilla. La tequila coulait à flots avec la musique. Tous les hommes assis autour du feu mangeaient. *Ce moment aurait pu être agréable en d'autres circonstances.* Namara attaqua son assiette. Un bruit de sonnette se fit entendre pendant qu'ils mangeaient, ce qui les fit tous arrêter. Bobby sortit une machette et il dit :

— Ne bougez pas, il y a un serpent tout près !

Violemment, l'homme frappa sur le sol à côté de lui avec sa machette pour ramasser ensuite un reptile décapité. Il lança le serpent mort dans le feu et retourna à son assiette.

— Tu sais Rick… Cet endroit est un paradis pour l'homme qui veut s'enrichir. J'ai cru comprendre que tu étais ici pour cette raison, n'est-ce pas ? demanda Ed.

— C'est vrai. Comme tu disais la drogue est le seul pouvoir ici et je suis un trafiquant. Alors ! répondit Namara en s'envoyant une gorgée de tequila.

— Oui, la drogue est le vrai pouvoir. Ici, il se livre une guerre féroce entre les différents cartels pour le contrôle du marché. Depuis quelques années, ce commerce est devenu plus difficile qu'il ne l'était, et surtout plus risqué. J'ai failli me faire tuer à quelques reprises. Les revendeurs et les distributeurs comme nous faisons de moins en moins de profit alors il faut être plus gourmand, ce qui implique plus de risques.

— C'est pourquoi tu as ouvert un bar ? demanda Namara en tentant de démontrer une fausse ignorance.

— Oui, en effet. Comme je te disais, cet endroit regorge de possibilités !

— Tu parles de la prostitution ?

— En quelque sorte. Tu sais, tous les jeunes trafiquants cherchent à conquérir du territoire pour profiter du trafic de la drogue alors qu'ils ont une monnaie d'échange tout aussi payante devant leurs yeux, mais ils ne la voient pas. En plus, le risque est beaucoup moins élevé que la drogue.

— Tu parles des femmes…, rétorqua Namara.

— Exactement ! Les femmes… Il y en a partout ici, et cela représente de l'argent autant que tu en désires.

— Oui, pour un propriétaire de bar comme toi, tu as un grand bassin de filles qui peuvent danser pour toi, je comprends.

Ed fixait le feu de ses yeux noirs et les autres écoutaient d'une oreille la conversation des deux hommes.

— J'ai vu ce dont tu étais capable aujourd'hui avec Léa. Je t'admire pour avoir corrigé cette fille sans hésiter. J'avais quelques doutes quant à ta capacité à faire un certain type de travail que, nous, nous faisons. Tu sais, il faut avoir un état d'esprit particulier pour exploiter notre marché. Nous tous ici avons un point en commun. Peut-être avez-vous les mêmes que nous…

— De quoi est-il question exactement ?

— Que savez-vous sur ce qui se passe à San Matanza et leurs femmes ?

— Rien de particulier. Il est vrai que moi et Arthur ne sommes pas ceux qui lisent le plus les journaux. Que devons-nous savoir ?

— Plusieurs femmes et enfants disparaissent ici depuis des années, et personne n'a jamais trouvé les responsables de cette situation. Certaines ont été retrouvées violées et assassinées racontent les journaux.

— Je n'étais pas au courant. Vous y êtes pour quelque chose ?

Le visage de Ed se figea, regardant le feu. Puis, ses yeux noirs le regardèrent à nouveau.

— Peut-être… Est-ce que cela te pose un problème ?

— Je suis un homme d'affaires, alors non. Est-ce que c'est payant ?

— Bien sûr ! Tu vois, les gens d'ici se méfient depuis que nous avons commencé notre commerce. Il faut faire attention à qui nous parlons et aux gens qui pourraient tenter de nous nuire. Jusqu'à maintenant, nous avons réussi à semer la confusion, car nous avons été prudents depuis le début. Mais vous, vous venez d'ailleurs, vous n'êtes pas d'ici, donc vous n'étiez pas au courant de la situation actuelle, du moins jusqu'à maintenant. Personne ne vous soupçonnerait et, en plus, vous ne risquez jamais de faire partie de la famille d'une de ces filles qui tenterait de nous nuire ou de nous exposer au grand jour. Nous avons besoin d'aide, car nous ne sommes qu'un petit groupe et la demande est de plus en plus grande. Le seul problème est que nous ne pouvons pas faire confiance à n'importe qui. Nous sommes prisonniers de cette situation en quelque sorte. Je continue ?

— Oui, bien sûr ! Nous sommes intéressés ; si cela nous permet de faire de l'argent, nous sommes avec vous, lança Guerra.

— D'accord, mais je ne voudrais pas que votre sensibilité puisse nuire à votre tâche…

— Ce ne sont que des connasses de toute façon, rétorqua Namara.

— Oui, voilà ce que je voulais entendre. Elles ne sont qu'une source de revenus et d'amusement. Seulement, certains ne partagent pas notre façon de voir.

— Je ne suis pas de cet avis.

— Parfait.

— Combien de filles avez-vous tuées et que faites-vous avec elles ?

— Plusieurs centaines, je dirais, mais tu sais… Regarde autour de toi… Il y en a autant que nous en voulons. De plus, comme je le disais, la demande est grandissante.

— Vous n'êtes pas dérangés par la police ?

Ed se mit à rire.

— Nous savons à qui nous adresser pour que la police ferme les yeux, tu sais. L'argent est un bon moyen de persuasion. Tout est dans la façon de voir les choses. Nous avons des contacts à plusieurs endroits et des yeux partout.

— C'est intéressant, mais comment cela fonctionne ?

— Pourquoi ? Vous voulez vous joindre à nous ?

— Pourquoi ? C'est une proposition ?

— Peut-être ! dit Ed en souriant.

— Alors si c'est une offre, il est possible que nous disions oui !

Ed regarda les hommes autour de lui, puis il regarda le sol en guise de réflexion.

— Très bien. Voilà comment nous fonctionnons. Nous procédons toujours à trois. Nous nous promenons en automobile. Il y a le chauffeur, le passager qui fait le guet et le troisième est en appui lorsque nous kidnappons une fille. Ce sont toutes de pauvres filles qui n'ont aucune ressource. Personne ne fera rien pour les retrouver et leurs familles n'ont pas les moyens pour pousser davantage les recherches ou faire des enquêtes.

Le désert est l'endroit idéal pour nous cacher et les filles qui circulent à pied pour retourner chez elles sont omniprésentes. Voilà, chaque fille nous rapporte environ cinq à dix mille dollars. Elle se doit d'être jeune et belle. Plus elle est jeune et plus elle est transportable, car elle se laisse dominer rapidement. Pour les enfants, nous obtenons vingt mille dollars pour chacun d'eux. Et nous ne nous oublions pas également. Nous profitons de notre commerce à nos fins personnelles. Il arrive que nous réservions certaines d'entre elles pour notre propre amusement. Nous serions fous de ne pas en profiter si tu vois ce que je veux dire ! dit-il avec un rictus diabolique.

— Oui, bien sûr ! dit Namara, qui tenta de sourire comme son interlocuteur.

— Nous sommes un groupe uni qui a ses règles, ses croyances! Nous sommes l'œuvre du diable lui-même. Nous propageons son pouvoir tout en nous enrichissant. Nous régnons sur San Matanza depuis une dizaine d'années et les gens nous craignent! Nous représentons la pire de leur peur et, pendant qu'ils tremblent, nous avons la voie libre pour réaliser toutes nos fantaisies!

— Donc, vous êtes des satanistes?

— Les meilleurs qui soient!

— Quand vous dites que la demande est grandissante, que veux-tu dire?

— Ce commerce va très loin, Rick. Le réseau s'étend à plusieurs niveaux et nous avons des clients de toutes parts! Nous sommes les dieux, car nous leur amenons la marchandise, mais cela va beaucoup plus haut que nous, tu sais!

— Comment fonctionne le réseau?

— Pour nous, c'est assez simple. Les filles que nous kidnappons sont gardées bien à l'abri dans un endroit que nous avons aménagé spécialement pour cela. La majorité de nos filles sont transportées de l'autre côté de la frontière du côté américain et prises en charge par le père Gregor. Il nous paie le montant qu'il nous doit et, lui, de son côté, il les revend à de riches Américains qui veulent assouvir leurs pulsions les plus sadiques, j'imagine. Les enfants sont envoyés à quelques heures au sud de San Matanza. Pour nous, notre travail s'arrête là!

— Où gardez-vous les filles?

Ed sourit en faisant un clin d'œil à Namara.

— Dans un endroit secret. Je dois quand même me garder certains secrets, par sécurité, tu comprends? En temps et lieu...

— Je comprends. Quand commençons-nous?

— Quand les temps seront favorables. En tant que satanistes, nous tenons compte de certains éléments avant de chasser notre proie. Peut-être trouves-tu cela idiot, mais nous avons nos croyances et c'est très important pour nous!

— Je n'y vois aucun problème tant que l'argent y est!

— Ne t'inquiète pas pour l'argent, mon frère! Tu en auras autant que tu le désires!

— Alors nous sommes avec vous! lança Guerra d'un ton motivé.

— Très bien. Buvons à votre entrée dans le groupe! dit Ed.

— Voici la tequila! dit Guerra avec la bouteille à la main.

— Non, pas de tequila pour cette fois-ci! rétorqua Ed.

Ed sortit une bouteille. Il emplit deux verres d'un liquide alcoolisé turquoise. Il tendit un verre à chacun d'eux.

— C'est joli ! dit Guerra en regardant le verre.

— Oui. La couleur turquoise symbolise la création de Dieu. Ce verre rempli d'alcool représente l'univers, notre terre.

— Charmant ! dit Namara, qui s'apprêtait à boire le verre.

— Non, attendez ! Il manque un petit détail !

Ed sortit une dague et il fit signe aux deux de tendre leur main. D'un geste précis, il leur fit une légère coupure sur le doigt pour provoquer un saignement. Ensuite, il fit couler quelques gouttes de leur sang dans le verre. Le turquoise se changea en violet.

— Voilà qui est mieux. Violet est notre couleur. De par votre contribution, c'est-à-dire votre sang, vous collaborez désormais à changer le monde comme nous le connaissons et à propager les forces des ténèbres ! Maintenant, buvez !

Guerra et Namara vidèrent d'un coup le petit verre en se regardant d'un air étrange.

— Bienvenue au sein des Démons du désert, mes frères ! dit Ed, satisfait. Les autres hommes sifflèrent et applaudirent la venue des nouveaux membres.

Chapitre 56

South Beach, Miami, États-Unis.

— Cet endroit est tout simplement incroyable, Kamilia! dit Ming Mei après avoir fait le tour de leur club qui devait ouvrir ses portes le soir même.

— Je te remercie. Je suis en effet très fière du résultat. Dès ce soir, l'endroit sera bondé et l'ambiance, totalement différente. Votre vol s'est bien passé?

— Oui, sans aucun problème. Il fait bon de revenir au pays. Je n'en peux plus de ce sable mexicain! grogna Guerra en arrivant de sa course à pied en bordure de la plage. Ses shorts et son chandail lui donnaient un air totalement différent qu'à l'habitude.

— Cette soirée va nous faire du bien et nous changer les idées, dit Namara, revenu du Mexique depuis quelques heures à peine, et qui était assis à une table du rez-de-chaussée, tout près de l'immense piste de danse où des centaines de personnes se trémousseraient dans quelques heures.

— J'adore l'idée des arbres miniatures le long des murs et des draperies blanches, dit Shinsaku en montrant les petits arbustes que Kamilia avait pris soin de disposer à différents endroits. D'immenses draperies blanches, hautes de plusieurs mètres, partaient du toit pour descendre et faire de légères vagues selon les courants d'air, ce qui rendait l'endroit surréel.

— Je suis content que tu aimes cela, Shinsaku. Les portes en forme arrondie avec les draperies et les arbres vont donner une ambiance zen à l'endroit, mais tu verras davantage le résultat ce soir avec l'éclairage! répondit-elle d'un ton satisfait.

— Qu'est-ce qui se trouve derrière les vitres teintées qui surplombent la piste de danse? demanda Namara en pointant les fenêtres surélevées.

— Ah. J'ai oublié de vous le faire visiter! C'est un bureau qui nous permet d'observer — et d'entendre — le bar en toute discrétion. La perspective est incroyable! dit-elle.

— Il y aura beaucoup de monde ce soir? demanda Guerra.

— Plusieurs centaines de personnes ! Les médias, des personnalités, des gens influents de Miami des bonzes politiques seront présents ! L'ouverture est attendue avec impatience depuis un bon moment ; alors ce soir, tenez-vous prêts ! Vous êtes les nouvelles vedettes de Miami ! Guerra se dirigea vers le bar où il saisit les deux kalis de Kamilia, qu'elle avait déposé sur le comptoir.

— Qu'est-ce que cela fait ici ?

— Je me suis entraîné un peu dans le bar quand j'avais quelques instants à moi !

— Je vois.

En riant, il commença à faire tournoyer les deux bâtons de façon maladroite, frappant dans le vide dans toutes les directions. Son manège exaspéra Kamilia, qui roula les yeux et lui cria :

— Veux-tu remettre mes kalis où ils étaient !

La réaction de Kamilia à sa performance lui donna la motivation supplémentaire pour continuer. Il accéléra son tempo, traçant des demi-cercles avec ses kalis tout en reculant.

— Je m'appelle Kamilia ! N'approchez pas, car je vais vous abattre ! dit-il en prenant une voix aiguë et féminine pour se moquer de Kamilia de plus en plus irritée par ses pitreries.

Il se repliait rapidement en continuant ses bouffonneries sans se rendre compte qu'il s'approchait du mur. Avant de s'en rendre compte, il avait accroché avec un bâton un des arbres miniatures qui longeaient le mur. Des centaines de feuilles vertes levèrent dans les airs. Le coup de James avait effeuillé le petit arbre en un instant. Ses yeux s'écarquillèrent et il s'immobilisa, paralysé à la vue des feuilles qui retombaient sur le sol une à une.

— Espèce d'imbécile ! Mon arbre ! cria Kamilia.

— Oups ! Je ne l'avais pas vu, répondit-il, visiblement mal à l'aise.

— Espèce de con ! Je viens de l'acheter et l'ouverture est ce soir ! Remets mes kalis sur le comptoir et ne touche plus à rien ou décampe !

Namara s'esclaffait sur sa chaise à voir Guerra se faire engueuler par Kamilia comme un enfant qui aurait fait un mauvais coup.

— Bravo, James, tu t'es surpassé encore une fois ! Visiblement, la grâce et le raffinement ne font pas partie de ton code génétique, hurla Ming Mei hors d'elle.

— Je te demande pardon, Ming Mei, mais tu te trompes ! Je ne suis que grâce et raffinement, rétorqua James en allant ouvrir la radio derrière le comptoir. Tu vas voir !

Une chanson populaire résonna dans le bar et James monta sur une table en baissant ses shorts pour laisser apparaître une paire de fesses blanches. Il se mit à danser langoureusement en tournant sur lui-même, alors que Shinsaku sifflait et que Namara était paralysé de rire.

— Tu vas ravaler ces paroles, Ming Mei ! Si je me lance dans la danse érotique, tu feras faillite ! entonna James qui continua son manège avec l'aisance d'un robot.

— Cache tes fesses poilues, c'est dégoûtant ! lança Ming Mei en levant les yeux au ciel.

— J'ai besoin d'air ! rétorqua Kamilia le visage rouge de frustration. Les deux femmes se dirigèrent vers l'extérieur. Shinsaku, pour en ajouter, sortit un billet de dix dollars pour le tendre à James.

— Arrête, sinon je vais mourir ! dit péniblement Namara, complètement essoufflé.

Guerra descendit de la table les fesses encore à l'air, puis il alla éteindre la radio.

Chapitre 57

Dans un éclair de néon, l'immense dragon doré s'illumina pour la première fois sur la façade de l'établissement donnant sur Ocean Drive. Les lettres géantes LIBERATION, brillantes comme des étoiles, s'affichaient à la verticale à côté du dragon géant. Une longue file de clients s'était formée à l'entrée du bar. Limousines déchargeant ses passagers, paparazzi à la recherche des meilleurs clichés, badauds à la recherche de vedette, la cohue régnait devant le nouveau club. Dans le portail de l'entrée se trouvait un autre immense dragon de plusieurs mètres de haut, sculpté en glace, ce qui ne manquait pas d'impressionner par sa prestance. Des centaines de personnes se trouvaient déjà à l'intérieur et l'ambiance était fébrile.

Un esprit de fête et de glamour régnait en cette nuit d'ouverture où des dizaines de serveuses déambulaient pour servir les nombreux clients. Des cracheurs de feu costumés portant des masques tengu étaient postés autour de la piste de danse sur des plates-formes surélevées. De façon intermittente, ces derniers crachaient de hauts jets de flamme au rythme de la musique. Déjà, la piste de danse était bondée.

Namara, qui portait un sobre complet gris, ne comptait plus les poignées de main qu'il avait données depuis le début de la soirée. Il jouait habilement le nouveau rôle d'homme d'affaires qu'on lui avait attribué. Kamilia, vêtue d'une longue robe de soirée rouge faisait de même à différents endroits du bar. Shinsaku avait opté pour un smoking noir et il avait échangé avec de nombreux invités qui semblaient intéressés à la carrière qu'il s'était créée de toutes pièces. Ming Mei portait une longue robe blanche et jouait le rôle de la conjointe de Shinsaku. Les deux semblaient avoir une facilité déconcertante à échanger avec des inconnus. Quant à James, vêtu d'un complet blanc, il passait d'un bar à l'autre pour faire la cour aux plus splendides spécimens féminins qu'il rencontrait.

Namara se dirigea vers le bar où Guerra s'était arrêté. Au passage, il croisa deux jolies femmes en tenue de soirée qui lui sourirent, l'une lui décochant même un clin d'œil. Il leur répondit par un sourire amical et il s'arrêta aux côtés de Guerra, qui avait observé la scène au loin.

— Tu sais, Namara, tu ne cesseras jamais de m'étonner !

— Qu'est-ce que tu veux dire ?

— Toutes les femmes te courent après et tu ne les vois pas, espèce d'imbécile !

— Je ne te suis pas…

— Les deux superbes créatures que tu viens de croiser. Tu as vu la façon intime dont elle te regardait ? Et toi, tu continues ton chemin comme si de rien n'était. Ce n'est pas croyable !

— Ce n'était que des sourires sans signification, James. Je crois que tu t'imagines un peu trop de choses…

— Foutaise. Ces filles ne demandaient qu'à ce que tu les invites, et probablement les deux à la fois !

— Écoute, tu devrais plutôt te concentrer sur ce que nous devons accomplir ici plutôt que de te concentrer sur les filles que tu croises ! dit Namara en souriant.

— J'abandonne, tu es une cause perdue, rétorqua-t-il en se trempant les lèvres dans son verre de scotch, secouant la tête pour manifester sa consternation.

— Probablement !

— Bon, très bien… Comme tu ne comptes pas tenter ta chance avec ces demoiselles, alors c'est moi qui vais tenter le coup ! dit-il en ajustant son veston et en se précipitant vers ses proies.

Namara se commanda un verre, en prit une gorgée qui l'inonda d'une chaleur bienfaisante et le remit sur le comptoir. Puis, il se dirigea vers le fond du bar.

睚眦

Kamilia faisait le tour des bars pour trouver Namara, mais sans succès. Elle se dirigea vers l'ascenseur qu'elle actionna en approchant son visage du mécanisme de reconnaissance optique. Après que l'appareil lui ait signifié son autorisation, elle pressa un bouton pour accéder à l'étage supérieur, là où se trouvait le fameux poste d'observation. Lorsque les portes s'ouvrirent, elle l'aperçut debout face aux imposantes vitrines en train de regarder ce qui se passait sur l'étage inférieur.

— Je me doutais que tu serais ici ! dit-elle en s'avançant doucement vers lui.

— Oui, je suis venu relaxer ici quelques instants. C'est toi qui as eu l'idée des cracheurs de feu ?

— Oui, tu aimes cela ?

— Oui, beaucoup. Très original ! dit-il en détournant son regard de la vitrine pour lui sourire. Tu as vraiment fait un travail remarquable, tu sais !

— Merci, tu es gentil. Et, toi, comment vas-tu ? Tu sembles songeur…

— Je pense à cette histoire… Et comment nous allons devoir procéder ?

— Tu as une idée ?

— Oui.

Kamilia se rapprocha de lui pour être à sa hauteur. Elle fixait le spectacle comme lui sans dire un mot.

— Tu m'as manqué, tu sais…

— Tu m'as manqué aussi, dit-il en l'embrassant doucement avant de retourner au spectacle qui se déroulait sous ses pieds. La sonnerie du cellulaire de Namara se fit entendre.

— Oui, j'écoute.

— Salut, Danny, c'est Andy.

— Salut, Andy. Allez, surprends-moi !

— Tu seras servi. J'ai fait mon enquête sur Sauvalito comme tu me l'as demandé. C'est fou comme nous pouvons trouver des choses surprenantes lorsque nous commençons à fouiller.

— Raconte…

— Le petit restaurant dans lequel Ming Mei et Shinsaku ont mangé est la propriété d'une certaine Deborah K. Rowl. Jusque-là, rien d'anormal. Cette femme n'est pas fichée, aucun dossier judiciaire. Par contre, si nous continuons à chercher, nous trouvons que cette chère dame est en fait l'épouse de Brian Firth, membre éminent de la milice néonazie qui a vu le jour en Oklahoma en 1991.

— Donc, si je comprends bien, tu penses que Sauvalito appartiendrait à un groupe néonazi ?

— Doucement, ce n'est pas parce qu'une femme a fréquenté un individu prônant la suprématie blanche que cela implique qu'elle y soit encore mêlée ou bien que sa présence implique nécessairement celle de la milice dans ce hameau. Est-elle toujours mariée avec lui ? A-t-elle tout simplement décidé de changer de vie ? J'ai donc continué mes recherches. La station-service du village appartient à Austin Jay, citoyen exemplaire et natif du Texas. Quand nous creusons un peu plus, il s'avère que ce cher monsieur est marié à Nathaly Edwards, qui a un frère nommé Benjamin Edwards, membre fiché de la milice ! ricana Andy au téléphone.

— Je vois. Il me semble que la situation est claire.

— Oui, les terrains et les commerces ont été achetés graduellement au fil des ans par des gens sans casier judiciaire, histoire de brouiller les pistes, mais en fin de compte… Tout le village appartient à la milice néonazie.

— D'accord ; cela explique la présence d'individus de seule race blanche, majoritairement des hommes.

— Oui, absolument.

— Parle-moi de ce groupe. À quoi doit-on s'attendre ?

— Le FBI les a malmenés dans les années 90 à la suite de plusieurs enquêtes. Depuis ce temps, ils se sont faits plus discrets, mais selon le FBI, ils sont toujours actifs. Nous en avons la preuve aujourd'hui. Ils prônent la supériorité de la race aryenne et l'élimination de toutes les autres races. Ils se financent évidemment par le trafic de drogue, les délits mineurs comme les vols d'autos et se livrent probablement à des crimes haineux et violents, comme tous les groupes idéologiques. Le crime est une façon pour eux d'obtenir de l'argent pour continuer à soutenir leur cause.

— Le trafic de femme pourrait donc être une façon pour eux de faire de l'argent ?

— Oui, encore plus si les femmes ne sont pas caucasiennes. Ils feraient alors de l'argent tout en appliquant leurs théories de l'anéantissement des races inférieures.

— Ils sont bien organisés ?

— Oui. Certains sont d'anciens militaires, donc une bonne connaissance des armes. Lors de perquisitions passées du FBI, ils ont trouvé plusieurs armes d'assaut et toutes sortes d'explosifs dans leurs repaires. Donc, ils sont bien équipés et bien structurés. Vous allez devoir être très prudents.

— Oui, de toute évidence. Il va nous falloir du renfort.

— Tu penses à quoi ?

— À contacter de vieux copains…

— Rappelle-toi que tout cela doit rester dans l'ombre. Plus tu ajoutes des gens, plus tu risques que notre couverture soit mise à jour.

— Ne t'inquiète pas, Andy. Et pour le bon père Gregor Matthew ?

— Il est fiché au clergé. Il est bel et bien un prêtre. Je n'ai rien trouvé sur lui. Aucun démêlé avec la justice, aucun casier judiciaire. Nous n'avons rien sur lui. Un citoyen exemplaire et un homme de Dieu !

— Tu m'en diras tant ! Quelle est ton opinion sur cet endroit ?

— Et bien, une chose est claire dans mon esprit. Ils ont créé ce village lentement, bâtiment par bâtiment, et il sert maintenant de porte invisible donnant accès au Mexique et vice versa. Ce hameau n'est pas secret, il existe au grand jour. Néanmoins, personne n'y prête attention, car il est au milieu de nulle part… Donc parfait pour le commerce illicite. Cela serait comparable à un corridor secret pour accéder aux États-Unis… Ingénieux. Autre chose ?

— Non, merci. On se recontacte.

— Bonne chance.

Namara remit le cellulaire à sa ceinture. Tout en bas, une marée humaine bougeait de part et d'autre, animée par les jeux de lumière, les cracheurs de feu et la musique.

Chapitre 58

— J'ai oublié de te montrer quelque chose, dit Kamilia en ouvrant la porte du garage souterrain. Plusieurs automobiles, entre autres, une Porsche blanche décapotable, ne manquèrent pas de retenir l'attention de Namara.

— Merde… Elle est géniale ! C'est toi qui l'as achetée ?

— Oui, bien sûr ! Qui d'autre ? demanda-t-elle avec un sourire.

— Tu crois sincèrement que nous aurons besoin d'un tel véhicule ? ricana-t-il.

— Je ne sais, mais je n'ai pas pu y résister ! Tu me pardonnes ?

— Moi, oui, mais Andy va faire une crise cardiaque s'il la voit ! s'esclaffa-t-il.

Elle lui lança les clefs qu'il attrapa au vol.

— Tu m'amènes me balader ?

— Quoi, maintenant ? Et tes invités ?

— Ils se débrouilleront un moment sans nous ! Allez !

— Très bien !

Namara s'assit au volant et Kamilia prit place à ses côtés. Un grondement aussi puissant que sourd se fit entendre quand il démarra le moteur, ce qui fit sourire les deux amis en même temps. D'un coup, il enclencha la première vitesse et démarra. Les pneus crissèrent quand il sortit du garage pour s'engager dans les rues. Ils sentirent le vent chaud et parfumé les frapper gentiment à mesure qu'il faisait ronronner le moteur en accélérant dans la nuit. Il s'engagea dans une voie de desserte et il prit l'autoroute pour vérifier la puissance du véhicule.

— Alors, elle te plaît ?

— C'est une merveille ! Tu veux la conduire ?

— Non, merci. Je préfère profiter de la balade ! dit-elle en souriant.

Namara la vit tout sourire dans sa robe rouge avec ses longs cheveux qui ondulaient au gré du vent. Il crut quasiment quelques instants qu'il était la proie d'un mirage tellement elle était belle.

— Alors, j'ai entendu dire que toi et James aviez réussi à joindre les Démons du désert ?

— Oui, c'est exact!

— Quelle est ton opinion?

— C'est très dérangeant. Nous avons rencontré des gens qui ont perdu des proches. C'est triste, il y a tellement de victimes. Il est difficile de croire qu'un si petit nombre de crapules ait pu faire autant de dommage depuis tout ce temps! Et il faut que je fasse semblant d'être un des leurs maintenant! Cela me rend malade à vrai dire!

— Je comprends. Tu parlais d'un Gregor avec Andy…

— Ouais… Le père Gregor Matthew est le prêtre de Sauvalito. Ed l'a nommé lors d'une discussion avec moi. Il est probablement celui qui fournit les femmes aux acheteurs américains.

— Un prêtre qui vend des femmes pour qu'elles soient torturées et tuées, tu es sérieux?

— Oui, absolument!

— C'est insensé!

— Eh oui, mais c'est bien la réalité. Il est probable qu'il soit un adepte de la suprématie blanche, car le village au complet appartient à la milice néonazie. Il va falloir nous rapprocher de ce curé pour en savoir davantage! Le problème c'est que nous sommes tous impliqués déjà avec ces salauds et il est probable que si un de nous tente de l'approcher sous une autre identité, il saura que nous sommes des imposteurs. Je ne sais pas ce qu'Eduardo a pu leur dire sur nous. Nous sommes trop engagés maintenant pour pouvoir jouer sur différents angles.

— Donc il ne reste que moi. Ils ne me connaissent pas!

— Non, oublie cela! Tu n'iras pas là seule. Ce village fourmille de trafiqueurs de femmes, et si tu t'aventures là-bas, tu seras seule. Il n'en est pas question!

— Ils ne trafiquent que des Mexicaines, non?

— Tu es une jolie femme alors même si tu n'es pas Mexicaine, tu disparaîtras sans aucun doute, car ils savent qu'ils trouveront un acheteur intéressé! Leur but est de faire de l'argent et les femmes doivent être belles, alors tu oublies l'idée!

— Écoute, je fais partie de l'équipe aussi, tu l'oublies? De toute manière, tu n'as pas d'autres choix, pas vrai?

— C'est trop dangereux, Kamilia! Tu seras toute seule là-bas!

— Je sais, mais nous n'avons pas d'autres choix. Si jamais il y en a un qui fait l'idiot, je lui tranche la gorge et je fous le camp!

Namara poussa un soupir en secouant la tête.

— Tu ne sais pas de quoi ces types-là sont capables…

— Oui, je le sais! Eh oui, la situation est dangereuse, mais c'est notre boulot! C'est gentil de t'inquiéter pour moi, mais je vais m'en tirer ! Il faut seulement trouver une bonne couverture pour approcher ce bon père !

— C'est simple ! rétorqua-t-il en poussant plus à fond la voiture sur l'autoroute tout en regardant du coin de l'œil les immeubles de la ville qui défilaient maintenant à vitesse folle.

— Explique.

— Son église a un comptoir qui fournit des vêtements aux itinérants. Il semble qu'ils en reçoivent à l'occasion qui ne sont que de passage. Que cela soit vrai ou faux, c'est probablement la meilleure façon de s'infiltrer.

— Quoi ? Tu veux dire que je devienne une itinérante ?

— Oui, exact. Tu vas devoir faire des efforts pour être moins jolie, dit-il en souriant.

Le téléphone satellite de Namara sonna. Ce dernier répondit :

— Oui ?

— Rick, c'est Ed. Ça va, mec ?

— Oui très bien. Et toi ?

— Oui. Écoute, nous allons avoir besoin de toi et d'Arthur, car nous passons à l'action dans quelques heures !

— Écoute, cela ne sera pas possible, car j'ai eu un petit empêchement, moi et Arthur. Nous avons dû passer la frontière pour régler un petit problème, mais nous serons de retour d'ici un jour ou deux !

— Tu es retourné aux États-Unis malgré le fait que vous êtes recherchés ? Vous êtes débiles ou quoi ? Vous voulez absolument vous faire prendre ?

— Du calme, mon frère. Cela ne nous plaît guère, rassure-toi, mais nous n'avions pas le choix, un léger contretemps. Ne t'inquiète pas, nous serons de retour ! Je t'appelle dès que nous sommes à San Matanza !

— Ouais, d'accord, mais faites gaffe ! J'attends ton appel, mon frère !

— Oui, à bientôt ! termina-t-il en raccrochant. Quelle merde ! Ils vont en enlever une autre dans peu de temps et nous ne sommes pas là ! Il va falloir que nous y retournions dès demain !

— D'accord, mais pour cette nuit, qu'il aille se faire foutre ! Pour cette nuit, tu m'appartiens ! dit-elle d'un air coquin en ouvrant la chaîne stéréo de l'auto. Alors, qu'est-ce que tu attends ? Tu voulais voir ce que cette Porsche avait dans le ventre, non ? dit-elle en se sortant le bras droit pour sentir le vent glisser entre ses doigts.

— Tu l'auras voulu ! rétorqua-t-il en accélérant à fond, zigzaguant d'une voie à l'autre et dépassant tout ce qui bougeait. Heureusement qu'aucun patrouilleur ne se trouvait sur la voie rapide. Ils traversèrent la ville à tombeau ouvert sans penser à rien, seulement à profiter du moment, de l'ivresse de la vitesse et de la chaleur tropicale comme s'il ne devait pas avoir de lendemain.

Chapitre 59

San Matanza, Mexique.

Le groupe était revenu au Mexique depuis quelques jours accompagné, cette fois-ci, de Kamilia. Ils avaient préparé cette dernière pour la mission qui l'attendait. Namara les avait prévenus qu'ils auraient besoin de « main-d'œuvre » supplémentaire compte tenu des renseignements qu'Andy lui avait refilés. Sans en préciser la raison, il leur avait tous dit qu'il fallait se rendre à un rendez-vous bien précis. Tous s'étaient regardés, mais aucun n'avait osé poser plus de questions. Ils avaient suivi Namara qui les avait amenés tout près de la frontière, loin des regards curieux. Ils attendaient depuis tout près de deux heures, et Guerra finit par perdre patience :

— Bon, cela suffit ! J'en ai marre de tes petits jeux, Namara. Nous sommes censés être au courant de tout et voilà que tu nous fais poireauter ici pendant deux heures sans qu'on ne sache même pas pourquoi !

— Sois patient, James, tu ne le regretteras pas, dit-il d'un ton amusé.

James se mit à faire les cent pas tout en marmonnant, visiblement très contrarié par la situation. Puis un camion noir VUS arriva au loin pour se rapprocher à grande vitesse. James regarda Danny et fronça les sourcils en voyant la camionnette se diriger vers eux :

— C'est normal, ça ?

— Oui, rétorqua Namara en souriant.

Le camion s'arrêta à quelques mètres d'eux, puis quatre hommes en sortirent au pas de course. Guerra écarquilla les yeux comme s'il avait vu des revenants.

— Je rêve ou ce que je vois est réel ?

— Tu ne rêves pas, rigola Namara.

Ils virent Taz, Twinkie, Gonzo et Mike s'avancer vers eux. Les quatre avaient légèrement vieilli, sans plus.

— Il paraît que vous avez besoin de renfort, les gars ? demanda Taz en souriant.

— Pas croyable ! Vous êtes vraiment ici pour nous aider ? demanda Guerra aussi ravi qu'incrédule.

— Et comment ! rétorqua Mike.

— Namara nous a prévenus du problème et nous n'aurions pas manqué cela pour tout l'argent au monde ! dit Gonzo.

— Nous avons lu entre les lignes. Namara nous a demandé notre aide, mais nous savons tous que c'est encore Guerra qui s'est foutu dans la merde et que nous allons encore devoir le sortir du pétrin comme d'habitude, ironisa Twinkie.

— N'importe quoi ! s'esclaffa Guerra.

Tous se firent des accolades de retrouvailles. Ils étaient à nouveau réunis après tant années. Tous se regardaient et ils ne pouvaient faire autrement que de se rappeler le temps passé. Ils avaient rêvé de ce jour où ils se retrouveraient sans trop y croire, mais ce moment était maintenant arrivé. Ming Mei, Shinsaku et Kamilia s'approchèrent pour se présenter tout comme les autres. Guerra et Namara se reculèrent pour leur laisser le temps de faire connaissance.

睚眦

Kamilia avait vu la Mercedes noire se garer à côté de l'église où elle habitait depuis quelques jours gratuitement en échange de travaux ménagers dans la chapelle. Kamilia était arrivée à Sauvalito mal vêtue et sale et elle s'était rendue auprès du père Gregor en lui demandant la charité. Elle disait venir de Dallas et qu'elle n'avait aucun endroit où loger. Au premier abord, le pasteur lui avait dit de se rendre à la ville voisine, car il n'avait pas ce qu'il fallait pour accueillir des sans-abri dans son église. Puis il l'avait longuement regardée et pour finalement changer d'idée. Kamilia avait été surprise de son apparence : un homme de petite charpente, chauve, d'une cinquantaine d'années. Il avait les yeux cernés, la voix, douce, et toujours poli. Elle avait sa petite idée sur ce qui aurait pu lui faire changer d'avis.

Il lui avait trouvé un endroit où dormir dans la sacristie derrière l'autel. De cette salle partaient deux couloirs, l'un vers le presbytère où logeait le prêtre et l'autre vers l'escalier du sous-sol où Varna accueillait ses clients. Kamilia faisait le ménage sans trop poser de questions. Elle simulait des spasmes et des tics occasionnels pour faire croire au père Gregor qu'elle consommait, sans doute une pauvre prostituée enfuie de sa ville natale et dont personne ne se souciait.

Elle s'était donné beaucoup de mal pour se donner un air négligé et pitoyable.

En quelques jours, elle avait constaté la présence irrégulière de nombreux véhicules luxueux qui s'arrêtaient à côté de l'église, prétendument pour visiter le comptoir humanitaire. Des hommes bien vêtus sortaient de ces véhicules, entraient pendant quelques minutes, puis repartaient comme ils étaient venus. Elle n'avait pas encore osé s'approcher pour découvrir la nature de ces visites, mais cette fois, elle tenta le coup. Elle prit le petit couloir qui menait à l'arrière du comptoir où la vieille dame passait ses journées. Sa démarche de félin à la recherche d'une proie tranchait sur son apparence de clocharde. Rendue derrière la porte du local où Varna était assise, Kamilia retint son souffle pour mieux entendre la conversation entre la vieille femme et un homme d'affaires.

— Bonjour, monsieur Edmond. Cela faisait un petit moment que nous n'avions plus eu de vos nouvelles. Comment allez-vous ?

— Très bien, je vous remercie. Mon patron vous fait ses salutations également !

— C'est très gentil de sa part. Était-il satisfait de la dernière marchandise ?

— Oui, parfaitement. Il aimerait commander la même chose cette fois-ci encore !

— Je crois que cela peut se faire. Nous avons d'ailleurs quelque chose de semblable en réserve.

— Excellent. Alors je vous passe ma commande dès maintenant !

— Quelle quantité désirez-vous ?

— Je crois que nous irons comme la dernière fois… Un seul paquet.

— Aucun problème. Et comment désirez-vous vos chandails ? Nous en avons d'âges différents, tous de fabrication mexicaine. Certains sont plus récents que d'autres.

— Je crois que nous prendrons ce que vous avez de mieux !

— Je vous comprends. Alors cela sera le même prix que la dernière fois !

Kamilia entendit un bruit d'ouverture de sac. Un silence se fit sans que la jeune femme ne puisse deviner ce qui se passait. Elle se demanda pendant quelques instants s'ils ne l'avaient pas repérée, mais Varna brisa le silence :

— Je crois que tout est en ordre, monsieur Edmond. Prenez cette enveloppe, l'heure et l'endroit pour prendre possession de votre paquet y sont indiqués !

— Je vous remercie. À très bientôt !

— C'est toujours un plaisir de faire affaire avec vous !

Kamilia remonta vers le couloir pour retourner au réfectoire où elle reprit son balai. Elle avait maintenant la confirmation que cette vieille femme s'occupait d'un commerce quelconque pour le compte du père Gregor. L'église était en fait un endroit pour passer des commandes de « chandails ». Toutefois, elle se doutait bien que les chandails en question étaient en fait de toute autre nature.

Chapitre 60

Le père Gregor observait attentivement Kamilia en train de terminer le repas qu'il lui avait offert de partager en sa compagnie dans ses appartements. En raison de son comportement, il avait conclu qu'elle était bel et bien une toxicomane. Il l'avait trouvée mal en point, mais elle était ou avait été une très belle femme de toute évidence. Sa beauté, malgré sa déchéance, l'avait amené à conclure qu'il pourrait obtenir un bon montant pour elle. *Elle n'était pas une Mexicaine, mais c'était encore mieux.* La seule chose qui le turlupinait, c'était que cette femme était une Américaine, sur le territoire américain. Si jamais on se mettait à rechercher cette femme, la situation pourrait rapidement dégénérer et ils seraient tous compromis. Il devait être vigilant et prudent.

— Comment trouves-tu le repas, Kim? demanda-t-il dans le reflet des bougies qu'il avait posées sur la table coupant l'obscurité de la pièce.

— Très bon, mon père. Je vous remercie!

— Tu es la bienvenue, mon enfant. Vous n'avez aucune famille à Dallas?

Kamilia savait que ces questions n'étaient pas dénuées d'importance. Il voulait savoir ce qu'il pouvait faire d'elle.

— Non, je n'ai personne. Mes parents sont décédés depuis plusieurs années. J'avais un frère, mais il est mort d'une surdose il y a trois ans.

— Comme c'est triste, je suis désolé.

— Merci, mais ce n'est pas grave. Cela fait déjà plusieurs années.

— Que faisais-tu à Dallas?

— Oh, vous savez… Ce qu'une fille doit faire pour survivre. Je ne suis pas un ange, vous savez. Prostitution… mais… je… j'ai décidé de changer de vie. Je tente de ne plus consommer également.

— Tu n'as aucun ami qui va te chercher ou s'inquiéter de toi?

— Non, je n'ai personne. J'ai décidé de venir dans le sud, car ici personne ne me cherchera, et je pourrai recommencer une nouvelle vie, dit-elle avec hésitation.

— Que comptes-tu faire?

— Je… je ne sais pas pour le moment. Je n'ai pas d'argent ni de travail.

— Tu peux rester ici aussi longtemps que tu le souhaites, mon enfant. Si tu le veux, nous regarderons ensemble pour t'aider à te trouver un travail.

— Vous seriez très aimable !

— Ce n'est rien, Kim, dit-il en souriant tout en buvant une gorgée de vin rouge.

— Seriez-vous contrarié si je vous quittais pour aller me coucher. J'ai vraiment sommeil.

— Bien sûr que non, bonne nuit.

— Merci, dit-elle en se retirant de la pièce pour regagner sa chambre.

Cette nuit-là, Kamilia se coucha, mais elle ne put fermer l'œil de la nuit. Elle garda son couteau à portée de main tout en pensant au regard et aux questions que le père Gregor lui avait posées dans la demi-obscurité.

睚眦

Quand Eduardo ouvrit le coffre arrière de son véhicule en plein désert, Namara et Guerra y virent une jeune fille qui devait être dans le début de la vingtaine, pieds et points attachés. On lui avait mis un bâillon autour de la bouche pour éviter qu'elle ne crie. Ils ne savaient pas depuis combien de temps elle était enfermée dans ce véhicule. Elle restait immobile, fixant ses agresseurs de ses yeux exorbités.

— Belle prise, n'est-ce pas ? demanda Ed fièrement.

— Oui, en effet. Beau travail, répondit Guerra.

— Merci. Vous allez m'aider à la transporter pour passer la frontière. Gregor va en prendre possession.

— Comment vas-tu faire pour ne pas te faire prendre ? Si tu passes aux douanes, nous risquons d'être fouillés et ils trouveront la fille, dit Namara.

— Aucun problème, ne t'inquiète pas ! Allez, montez. Laissez votre véhicule ici ! Tiens, prend le fusil, moi je prends le volant, dit Ed en lançant un fusil de chasse dans les airs en direction de Namara.

Namara jeta un coup d'œil à la crosse du fusil ; elle affichait des traces de peinture verte. Ses battements de cœur s'accélérèrent. *C'est le même putain de vert que dans mes visions… vert lime.*

— Qu'est-ce que c'est que cela ? demanda Namara en indiquant les traînées de peinture.

— Quoi… Le vert ? C'est la couleur d'un de mes cabanons… J'ai parfois de la difficulté avec la putain de porte, alors j'ai dû la frapper avec la crosse pour l'ouvrir… Qu'est-ce que j'en sais… Je ne m'en rappelle plus… Pourquoi? rétorqua Ed pendant qu'il ouvrait la porte de son véhicule pour y prendre place.

— Rien! Je déteste cette couleur, voilà tout! dit Namara en ouvrant la porte côté passager.

Ed sourit en regardant Namara à la suite de son commentaire.

— Très bien, mon frère… Tu n'aimes pas le vert, c'est noté! Tu as raison, c'est laid! Mais pour l'instant, nous avons des choses plus importantes à gérer. Ils nous attendent!

— Allons-y! rétorqua Namara

Ed prit le volant en direction de la frontière américaine dans l'obscurité totale.

睚眦

Ed s'approcha d'un hangar en bois situé au milieu de nulle part. Il en débarra la porte et l'ouvrit avant de reprendre le volant du véhicule pour le garer à l'intérieur. Il alluma une lumière qui éclaira le bâtiment. Il était vide. Le plancher était de béton. Namara et Guerra sortirent la fille qui se débattait du coffre arrière. Ed souleva une trappe fixée dans le plancher. Elle s'ouvrit sur un espace sombre faiblement éclairé.

— C'est bien ce que je crois? demanda Guerra.

— Oui. Un tunnel qui passe sous la frontière. Il a été construit par le cartel. Nous l'utilisons pour faire nos échanges. C'est une petite merveille. Cinq kilomètres construits en béton armé, climatisation et éclairage intégré. Voyez par vous-même, amigo!

Ed descendit dans le trou noir pour disparaître. Puis un bruit de génératrice se fit entendre et une plus forte lumière illumina le fond du tunnel.

— Faites descendre la fille!

— D'accord! rétorqua Namara, qui descendit dans le trou en premier. Guerra prit la fille par les épaules et il la glissa dans l'ouverture vers Namara. Les deux hommes aperçurent un corridor bétonné, haut de deux mètres avec des lampadaires au plafond. Le couloir s'étirait à perte de vue.

La jeune fille continuait de se débattre. On l'entendait sangloter malgré son bâillon. Lorsque Namara lui enleva ses attaches aux pieds pour qu'elle puisse marcher le trajet, elle se laissa tomber au sol.

— Tu vas te relever, sinon je te tue sur-le-champ! dit Ed en la tirant violemment pour la remettre sur ses pieds. En route!

Namara et Guerra se regardèrent, mais ils ne dirent rien. Ils commencèrent leur marche souterraine de quelques kilomètres. Au bout du tunnel, ils arrivèrent dans un autre bâtiment aménagé de la même façon où deux blancs les attendaient. Ils remontèrent avec la fille pour la déposer dans le coffre d'un véhicule qui se trouvait dans le garage. Un des deux hommes lança un sac à Ed. Ce dernier ouvrit le sac de nylon qui contenait des liasses de billets de cent dollars.

— Tout est là ! dit un des hommes qui ouvrit la porte du garage pour sortir le véhicule.

— Merveilleux, rétorqua Ed, toujours sur ses gardes.

Namara en profita pour regarder à l'extérieur afin de tenter de voir où ils étaient.

— Où sommes-nous ? demanda-t-il à Ed qui refermait le sac rapidement, prêt à quitter.

— Un petit endroit minable au Texas… Sauvalito. Allez, fichons le camp. Retournons dans le tunnel !

Ils firent le trajet de retour en silence. Namara savait qu'à ce point, ils en savaient suffisamment. Ils devaient agir dans les prochaines heures pour mettre un terme à tout cela.

Chapitre 61

Namara sirotait son café à une table d'une petite terrasse. Bien à l'abri du soleil brûlant, il regardait les passants déambuler calmement dans la rue. Il ne pensait à rien en particulier. Un bruit de cliquetis se fit entendre au loin. Graduellement, le son se fit plus fort et Namara réalisa que ce bruit bizarre provenait en fait de la bicyclette d'un enfant. Un carton rigide avait été fixé à une roue de la bicyclette, frappant rapidement chacun des rayons de la roue arrière. Un petit panier en osier était attaché au guidon. L'enfant devait être âgé d'environ six ans et il était accompagné de son père qui marchait à ses côtés sur le trottoir. Les deux finirent par passer devant Namara, qui remarqua un autocollant sur le panier du petit garçon. Il s'agissait d'une libellule géante.

Quelques instants après qu'ils eurent quitté son champ de vision, il se mit à repenser à la vision étrange qu'il avait eue, aux battements d'ailes, aux bruits d'un gigantesque insecte volant. Le cliquetis de la bicyclette et l'autocollant provoquèrent un flash dans l'esprit de Namara. Il se rendit subitement compte que le bruit qu'il avait alors entendu était bel et bien celui d'une libellule. Les battements et le son ne pouvaient être autre chose que le fait de cet insecte. Il en était certain. Il se leva pour se précipiter à la course vers le père et le fils. Il les repéra à quelques mètres plus loin et il courut pour les dépasser et se placer devant eux. Le sourire aux lèvres, il leur indiqua de s'arrêter. Les deux figèrent. Namara s'accroupit pour parler au petit garçon en espagnol :

— Je suis désolé de vous déranger, toi et ton père, mais j'ai vu que tu as une très belle libellule sur ta bicyclette. J'aime beaucoup cet insecte et j'aimerais bien savoir où je pourrais m'en procurer un semblable, dit Namara en espagnol.

L'enfant, visiblement gêné, ne lui répondit pas. Il leva les épaules au ciel pour dire qu'il ne savait pas.

— C'est moi qui lui ai acheté, monsieur, dit le père.

— J'aimerais bien m'en acheter un pareil pour mon neveu.

— C'est l'emblème d'un garage sur l'avenue Escondido. Ils vendent aussi des autocollants là-bas.

— Très intéressant. Quel genre de garage ?

— Oh, et bien… Ils réparent des automobiles. Ils tiennent une immense cour à ferraille aussi. Ils acceptent les vieux véhicules pour en récupérer les pièces qu'on nous vend à faible prix. J'y vais souvent, c'est un bon endroit !

— Je ne suis pas de la région. Auriez-vous l'adresse exacte de ce garage ?

— C'est à quelques rues d'ici. Continuez sur ce boulevard et tournez à la quatrième rue, à gauche. Vous suivez cette dernière jusqu'au bout. C'est un gros établissement, vous ne pourrez pas le manquer.

— Peut-on avoir accès à la cour arrière ?

— Vous voulez dire… la cour à ferraille ?

— Oui.

— Non. La cour est barrée et clôturée. Seulement les mécaniciens peuvent y accéder, le public, non. Quand vous désirez une pièce en particulier, ce sont eux qui vous diront s'ils l'ont en stock ou pas !

— Merci beaucoup du renseignement !

— De rien.

Namara repéra l'endroit rapidement qui se trouvait finalement à la frontière de la ville. Comme lui avait indiqué l'homme, une immense cour arrière complétait l'installation. Elle était clôturée de hautes cloisons de métal qui empêchaient d'en voir le contenu. De l'extérieur, il ne pouvait voir que la partie des empilades d'automobiles qui dépassaient la hauteur de cette bizarre clôture. Il remonta dans son auto et s'éloigna de l'endroit tout en signalant sur son téléphone cellulaire. Une voix se fit entendre à l'autre bout du fil.

— Andy, c'est Danny. J'ai besoin que tu me trouves les meilleures photos satellites d'un endroit que je viens de repérer.

— D'accord. Et tu recherches quoi exactement ?

— Je n'en suis pas certain… Il s'agit d'une cour arrière de garage. Elle est complètement barricadée et nous ne pouvons rien voir de ce qui se trouve à l'intérieur. Tu peux me sortir des gros plans ?

— Oui. Je vais voir ce que je peux faire. Tu as l'adresse ?

— 278, avenue Escondido. En passant, nous allons bouger très bientôt… Tiens-toi prêt !

— D'accord, je t'envoie mes trouvailles sur ton courriel.

Chapitre 62

Ed sortait d'une épicerie de quartier, une bouteille de scotch à la main. Il marchait d'un pas régulier sur l'asphalte brûlant d'une petite rue tranquille. Quelques passants déambulaient pendant qu'une vieille dame se berçait sur un balcon au deuxième étage et donnant sur la rue. Il revenait vers son véhicule garé un coin de rue plus loin, quand une minifourgonnette arriva rapidement derrière lui. Sans que le véhicule arrête, sa portière coulissante s'ouvrit brusquement à la hauteur d'Ed et un fort bruit de freinage se fit entendre. Taz se trouvait dans le véhicule ; derrière lui, Twinkie, qui avait pris soin d'enlever toutes les banquettes arrière du véhicule de location. Il était accroupi et armé d'un fusil Arwen qui comportait des projectiles plastiques neutralisants, donc pas susceptibles de causer la mort.

Dès qu'il entendit le bruit du freinage, Ed se retourna machinalement pour voir ce qui se passait. En une fraction de seconde, il vit un homme cagoulé dans l'ouverture latérale de la camionnette, tout de noir vêtu, un fusil de fort calibre dans les mains. Il n'eut pas le temps de comprendre ce qui se passait et prendre le pistolet qu'il avait à la ceinture avant que Twinkie ne l'ait atteint d'une cartouche en plein dans le plexus solaire. Un bruit sourd se fit entendre lorsque la grosse douille du projectile fut éjectée de la culasse de l'arme de Twinkie. La douleur anéantit Ed, qui tenta néanmoins de s'enfuir. Il n'eut pas le temps de faire deux pas que Twinkie lui avait tiré un second projectile qui l'atteignit directement sur le menton, l'assommant raide. Ed s'effondra sur le trottoir bruyamment, complètement inerte.

Au même instant, une autre camionnette émergea d'entre deux bâtiments pour freiner brusquement près du corps inanimé d'Ed. Les quelques passants témoins de la scène virent plusieurs hommes cagoulés et vêtus de noir en sortir à toute vitesse pour ramasser l'homme étendu sur le trottoir. En un tour de main, Gonzo, Mike et Guerra avaient porté Ed à l'intérieur de la camionnette pendant que Namara, au volant, surveillait les environs pour repérer tout ennemi potentiel. Les portes des camionnettes se fermèrent d'un bruit sec et les deux véhicules accélérèrent dans un crissement de pneus pour disparaître dans les rues de San Matanza. L'intervention avait duré moins d'une minute et les badauds se regardaient en se demandant ce qui avait bien pu se passer. Le silence revint dans la petite rue et la vieille dame continua de se bercer devant deux grosses douilles de plastique et les éclats de verre d'une bouteille de scotch fracassée dans la rue, seuls vestiges d'un enlèvement violent.

睚眦

Lorsque Eduardo reprit connaissance, il était ficelé solidement à une chaise en bois. Sa mâchoire le faisait souffrir, mais il se rendit compte qu'elle n'était probablement pas fracturée. Les images de ce qui lui était arrivé se mirent à défiler dans son esprit : la camionnette, l'homme cagoulé, le choc de projectiles, et sa perte de conscience. Il regarda autour de lui : dans ce qui lui sembla un entrepôt vide, il vit huit individus cagoulés qui le fixaient sans dire un mot. Il n'y avait aucune fenêtre pour lui permettre de conclure où il pouvait être ou bien quel était le moment de la journée. Combien de temps était-il resté inconscient ? Quelques heures ou bien quelques jours ? Il tenta de forcer ses liens, mais il ne pouvait bouger. Il était pris au piège.

— Où suis-je ? Qu'est-ce qui se passe ? Laissez-moi partir, vous ne savez pas à qui vous avez affaire ! hurla Ed.

— Je crois que nous le savons, au contraire ! dit une voix qui à sa stupéfaction lui sembla familière.

Trois des individus enlevèrent leurs cagoules et, effaré, il reconnut leurs visages.

— Rick ? Arthur ? Mais qu'est-ce que… Léa ?

— Bonjour, Ed, dit Namara. J'espère que mon ami ne t'a pas trop fait mal, mais nous ne voulions pas courir de risques, tu comprends ? Si jamais tu avais décidé de prendre ton arme, nous aurions été obligés de te tuer et il fallait t'avoir vivant.

— Rick… Merde… Tu vas me dire ce qui se passe !

— Il n'y a pas de Rick, il n'y en a jamais eu.

— Toi, espèce de merde ! Vous m'avez trompé ?

— Oui, tout à fait. J'ai même été surpris de voir comment cela a pu être facile.

— Qu'est-ce que vous voulez ? De l'argent ? Vous n'aurez rien ! Vous êtes tous morts, j'y veillerai !

— Je crois que tu ne comprends pas, mon petit Ed. Ton argent ne nous intéresse pas. Ne t'en fais pas… Tu mérites des explications, alors nous allons te les fournir. Nous, nous ne sommes pas des barbares, dit-il avec un sourire.

— Qui êtes-vous?

— Nous n'avons pas de nom, tu sais. De toute façon, ça n'aurait aucune importance pour toi. Ce qu'il faut par contre qu'on te dise, c'est ce que nous faisons comme travail.

— Très bien, et que faites-vous comme sale boulot, rétorqua Ed en crachant un jet de salive qui alla atterrir sur le sol crasseux de l'entrepôt.

— Nous avons comme travail de traquer des crapules dans ton genre, mon ami!

— Voyez donc… Et quel genre je suis? ricana Ed.

— Le genre qui a tué des centaines de personnes depuis toutes ces années et qui s'en est toujours tiré avec impunité.

— Tu veux dire que tu as fait tout cela en raison des filles, vous vous occupez de ces putes?

— Oui, nous avons été engagés pour te trouver, Ed, et nous l'avons fait.

— Tu es quoi… Un flic?

Namara se mit à rire en le fixant.

— Je crains de te décevoir. Non, je ne suis pas de la police. Si c'était le cas, mon travail serait de t'arrêter. Comment t'expliquer… Nous pourrions nous définir comme des nettoyeurs. Nous rectifions le tir. Un peu à la façon des samouraïs des temps passés, nous sommes ceux qui neutralisent les ordures de ton calibre qui se croient au-dessus de tout. Nous éliminons les erreurs génétiques comme toi. Voilà, c'est notre job, te mettre définitivement des bâtons dans les roues. Et quand je dis définitivement, je veux dire définitivement. Tu ne croyais tout de même pas t'en tirer avec tous ces meurtres aussi facilement, non?

— Va chier! Tu ne sais pas dans quoi tu t'es mis les pieds. Vous allez tous crever, croyez-moi!

— Très bien. En attendant ta vengeance, je vais te poser des questions et, toi, tu vas me répondre. Tu me mens ou tu ne me réponds pas, je te fais mal. Nous nous comprenons? demanda Namara calmement avec une sérénité dans la voix.

— Va chier!

— Comme tu veux, James, un échantillon, s'il te plaît.

Guerra sortit une dague; il se rendit derrière Ed et lui fit une profonde entaille sur l'avant-bras, du coude au poignet. Le prisonnier hurla de douleur. Guerra revint devant le prisonnier, tira vers lui un sac de sel, en prit une poignée de sel et retourna derrière le prisonnier qui criait toujours.

— Maintenant, on va désinfecter la plaie, souffla-t-il au prisonnier. En prononçant ces paroles, il appliqua le sel sur la plaie, frottant ensuite le tout pour que la substance remplisse bien la blessure.

Le hurlement de douleur du captif aurait pu être entendu à plusieurs centaines de mètres tellement il fut intense.

— Voilà ce qui arrive quand tu ne collabores pas, dit Namara.

— Tu es mort, sale con! parvint à articuler le détenu.

— Je vois… James, dit calmement Namara, faut que tu améliores ta méthode.

Guerra recommença la même technique sur l'autre bras. Ed hurla encore. Son visage était maintenant tordu de douleur et il suait abondamment. Sa tête s'abaissa sur la poitrine. Il haleta :

— Ça va… Ça va… Qu'est-ce que tu veux savoir, enfoiré? dit Ed parvint-il à articuler.

— Ah! Voilà qui est mieux. Les filles que tu envoies au père Gregor par le tunnel, je veux savoir comment fonctionne le système!

— Gregor est celui qui gère la business pour nous aux États-Unis. Il fournit des filles à des hommes riches là-bas. Il les garde à Sauvalito. Quand il a une commande de client, il m'envoie un message par courriel. Nous trouvons la fille qu'il désire et nous lui amenons via le tunnel. Il nous paie entre cinq et dix mille dollars selon l'âge de la fille et sa beauté. Gregor fait partie d'un groupe néonazi… Tout ce foutu village appartient à ce groupe. Il nous sert à cacher les filles et cela facilite la livraison de la marchandise aux E.-U. C'est tout ce que je sais!

— Très bien. Cela correspond avec ce que nous savions déjà. Et maintenant, les enfants?

— Va te faire foutre!

— James, rétorqua sèchement Namara.

Guerra lui fit une autre entaille, suivie du désinfectant habituel qui fit s'égosiller Ed.

— Brakan! hurla Ed.

— Comment? demanda Namara.

— Nous envoyons les enfants à un type qui se nomme Brakan!

— Où?

— Il est à Guardjana. C'est près de l'océan Pacifique.

— Dis-m'en plus… Comment ça fonctionne!

— Quand nous avons un enfant, nous le contactons. Il nous donne un rendez-vous dans un endroit différent à chaque fois pour l'échange. Nous ne savons pas de quoi il a l'air. Il envoie ses hommes pour prendre possession de l'enfant. Nous ne savons pas plus où il les garde. Il nous paie vingt mille dollars par enfant.

— Qu'est-ce qu'il fait avec les enfants?

— Je ne sais pas vraiment. Il y a des rumeurs qui disent qu'il les utiliserait pour un réseau de pédophiles. D'autres rumeurs disent qu'il vénère aussi le diable et que les enfants seraient utilisés pour des sacrifices. Qu'est-ce que j'en sais, moi… Tout ce que je sais, c'est qu'il paie bien!

— Comment fait-on pour le contacter?

— Je ne sais pas! C'est lui qui me contacte.

Namara regarda Guerra qui lui fit signe de la tête. Ce dernier lui entailla la cuisse, et profondément. Le choc fut tel que le prisonnier perdit connaissance pendant quelques instants.

— Je le contacte par cellulaire!

— Explique.

— Je lui envoie un message sur un téléavertisseur. Quelques secondes plus tard, un de ses hommes me rappelle. Ils me demandent un mot de passe. Et ensuite… je lui dis que j'ai un colis pour lui. Ils fixent un rendez-vous et nous lui amenons l'enfant. En échange, ils nous donnent l'argent!

— Et c'est tout?

— Oui, c'est tout!

— Quel est le mot de passe?

— 664 097.

— Tu le contactes avec ce cellulaire? demanda Namara en pointant le téléphone qu'Ed avait à la taille.

— Oui.

— Alors, tu vas l'appeler et lui dire que tu as un enfant pour lui. Comment le contactons-nous sur ton téléphone? demanda Namara en ouvrant le téléphone pour composer.

— Tu cherches B. et tu composes le numéro. Il va rappeler.

Namara composa le numéro de téléavertisseur. Il composa le numéro de téléphone d'Eduardo, puis il raccrocha. Quelques secondes plus tard, la sonnerie du cellulaire se fit entendre.

— Ce sont eux, dit Ed.

— Réponds et fixe un rendez-vous… Rappelle-toi: tu mens, je te fais mal… Compris?

— Ouais…

Namara décrocha et il posa le combiné à l'oreille d'Ed.

— Hé, c'est Ed! Oui… 664 097… J'ai un paquet pour toi, intéressé? Oui. Dans deux jours, deux heures du matin… À l'intersection des routes Diaz et 22… C'est noté!

L'individu mystère raccrocha le combiné. Namara reprit le téléphone. Ed se mit à rire fortement comme s'il était possédé.

— Je peux savoir ce qui te fait rire comme cela ? demanda Namara.

— C'est toi, espèce d'imbécile ! Tu ne sais vraiment pas dans quoi tu t'es mis les pieds. Brakan, c'est le diable lui-même ! Tu crois pouvoir l'anéantir aussi facilement, mais c'est lui qui se chargera de toi ! J'espère qu'il te fera souffrir pire que l'enfer ! lança Ed, qui continua de rire de façon hystérique.

— C'est ce que nous verrons, rétorqua Namara. Et maintenant, toi ! Où gardes-tu les filles que tu enlèves ?

— Tu ne sauras rien. Je n'en ai rien à foutre des autres, mais tu ne sauras rien sur mon groupe ! Tu vas devoir me tuer !

James lui fit plusieurs entailles qui se suivirent par plusieurs hurlements d'Ed. Après un moment, ils surent qu'il ne dirait rien de plus et ils abandonnèrent cette technique. Ils savaient qu'ils avaient tiré tout ce qu'ils pouvaient de lui et qu'il ne vendrait pas son groupe quoiqu'il advienne.

— Très bien, Ed. Dans ce cas, nous en avons pratiquement terminé, je crois, dit Namara.

Ed se mit à rire fortement. Il fixait Namara de ses yeux noirs avec un regard fou. De l'écume s'écoulait de sa bouche. Son ricanement devenait de plus en plus hystérique.

— Tu te crois fort, mais tu n'es rien contre nous. Bélial nous protège ! Tu peux anéantir ses serviteurs, mais tu ne pourras pas anéantir son œuvre ! dit-il en hurlant. Regarde tout ce que nous avons accompli déjà. Nous avons gagné ! Tu ne peux rien contre nous ! Connard, vas-y, détache-moi quelques secondes et tu verras qui est le plus fort. Je suis attaché sur cette chaise ! Vas-y… Détache-moi, dit-il d'une voix douce avec un petit sourire. Son regard fou n'avait plus rien d'humain.

— Jamais je ne tuerais un homme attaché. Nous ne sommes pas comme toi. Cela ferait de nous des lâches. Très bien, je vais te détacher et te donner une chance de sortir d'ici vivant. Si tu me bats, alors je te jure que je te laisse partir. Tout le monde est témoin, tu es un homme libre si tu réussis à me vaincre.

— Vas-y, détache-moi, enfoiré, l'ancien soldat Bezbet que je suis va t'écraser comme une fourmi !

— Pas de problème. Comme tu es protégé par le diable, tu devrais me tuer facilement.

James coupa les liens qui attachaient Ed à la chaise. Malgré ses blessures, ce dernier se leva, se préparant à l'attaquer.

— Allez, Ed ! Montre-moi que tu es un homme ! Viens par ici, dit Namara en souriant.

— Attends, Namara, laisse-le-moi s'il te plaît, dit Guerra.

— Très bien, James… Si tel est ton désir.

Namara se recula pour laisser la place à Guerra qui se plaça face à Ed.

— Encore mieux ! Voyons voir ce que tu sais faire sans ton couteau, ricana Ed.

— Allez, approche ! lança Guerra.

Ed se lança en direction de Guerra à la course pour lui asséner un coup de poing. Guerra le bloqua rapidement pour lui passer son bras autour du cou, tel un serpent s'enroulant autour d'une branche d'arbre. Il serra son cou et, violemment, il le lui brisa. Un bruit écœurant de fracture se fit entendre et les yeux d'Ed tournèrent au blanc. Guerra lâcha sa prise et laissa tomber le corps d'Ed. C'était fini pour lui.

— Tu diras bonjour à Bélial de ma part, ajouta Guerra en regardant le cadavre qui gisait au sol.

Chapitre 63

Ming Mei et Shinsaku se faufilaient dans l'obscurité des rues de Sauvalito, comme des fantômes invisibles aux vivants. Habillés tout de noir et cagoulés, ils plaçaient des charges explosives à chaque maison et à chaque bâtiment du village. Chaque charge était munie d'un détonateur qui actionnerait une mise à feu à distance le temps venu. Méthodiquement, ils jouaient avec les ombres pour ne pas se faire repérer. Après que les dispositifs eurent été installés correctement, ils envoyèrent un signal pour la suite des événements.

睚眦

Kamilia, vêtue d'une longue robe rouge en coton, entra par les portes principales de l'église. Habillée et arrangée comme une femme qui irait dans une soirée mondaine, elle se glissa doucement dans le temple. Elle avait changé complètement son apparence. Ses longs cheveux foncés étaient attachés vers l'arrière et ses bras tatoués faisaient un contraste avec sa robe gitane. Elle avait pris soin de mettre du rouge à lèvres de la même couleur que sa robe compte tenu de l'occasion. À l'intérieur, elle vit que le père Gregor se tenait près de l'autel en train d'allumer des bougies. Il ne l'avait pas entendu entrer et il lui faisait dos. L'église était vide, constata Kamilia, ce qui était parfait. Elle resta devant les portes à l'observer sans dire un mot. Sentant probablement une présence, il finit par se retourner et il la vit, tout habillée de rouge.

— Bonsoir, je ne vous avais pas entendu entrer. Malheureusement, l'église est fermée.

Kamilia garda le silence tout en continuant à le fixer.

— Qui êtes-vous ? demanda-t-il d'un ton inquiet.

— C'est moi, père Gregor, dit-elle en s'avançant dans sa direction.

Lorsqu'elle fut à mi-chemin de lui, il réalisa de qui il s'agissait.

— Kim, c'est toi ?

Kamilia lui sourit tout en continuant d'avancer de sa démarche gracieuse.

— Si on veut.

— Tu as changé !

— Je vous ai menti, mon père. Mon nom n'est pas Kim. Je m'appelle Kamilia.

— Je ne comprends pas…

— En toute honnêteté, mon père, je m'intéresse particulièrement à votre petit commerce.

— Je crains de ne pas savoir de quoi il s'agit. Je vais te demander de quitter ce temple.

Kamilia sourit à nouveau en ignorant les remarques du père Gregor qui devenait de plus en plus nerveux.

— D'accord, terminés les mensonges, mon père. J'ai été envoyée ici pour voir comment vous procédez avec les filles. Je crains que votre règne ne soit terminé, mon père.

Gregor, se doutant bien que la femme était au courant du réseau, changea d'attitude. Sachant qu'il ne se débarrasserait pas d'elle rapidement, tout risquait d'être compromis.

— Je vois, dit-il en ricanant. Et que comptes-tu faire ? Te rends-tu compte que tu es chez moi, ici ? Cela peut être dangereux pour une jolie femme comme toi de venir me menacer ainsi…

— Mon père, je vais vous poser quelques questions. Mais si jamais vous ne me répondez pas, je devrai agir en conséquence.

Gregor se mit à rire artificiellement en s'avançant tranquillement vers elle. Il prit le crucifix qu'il avait à la taille. Il tira brusquement son extrémité qui céda pour laisser apparaître une lame qui était dissimulée dans l'objet de culte. Il continua d'avancer vers elle. La lueur des bougies faisait refléter l'arme de Gregor. Kamilia releva sa robe sur le côté pour sortir son couteau qui était attaché à sa jarretelle noire. Elle le saisit avec sa main en avançant également vers lui.

— Très bien, mon père… comme vous voudrez !

Gregor tenta de la piquer au ventre, mais la femme tourna sur elle-même en l'esquivant. Ce faisant, elle saisit le bras armé de Gregor. De son autre main, elle lui piqua son couteau dans la jambe pour le ressortir et lui trancher ensuite les nerfs de l'avant-bras avec le sien. Le supposé prêtre hurla de douleur en échappant son couteau au sol. Un jet de sang éclaboussa le sol au même moment où elle lui entailla le front légèrement en haut des sourcils, d'un bord à l'autre. En quelques instants, Gregor fut aveuglé par son propre sang. Il tomba à genou, foudroyé de douleur.

— Pitié ! Je vous dirai tout, se lamenta-t-il.

Kamilia, restée de glace, le contrôlait toujours avec une clef de bras.

— Nous savons que tu fais partie d'un groupe de suprémacistes et que vous vendez les femmes. Ce que je veux savoir, c'est à qui vous les vendez et qui se trouve derrière tout cela.

— Je… Les noms sont dans mon carnet.

— Où se trouve-t-il?

Gregor se mit à rire avec arrogance, le visage maculé de son propre sang. Kamilia lui saisit la main et elle la brisa d'un mouvement sec, ce qui le fit s'égosiller de douleur.

— Arggg! Dans le tiroir de mon bureau! C'est un cartable noir. Tout y est!

— Qui est derrière tout cela?

— Je ne peux pas le dire! Ils vont me tuer si je parle!

Kamilia lui saisit l'autre main en le fixant du regard, prête à lui briser.

— D'accord! Le sénateur Brian Murdoch! C'est à lui que la plupart des filles sont envoyées! Tu sais maintenant, alors laisse-moi partir. Par pitié!

Kamilia leva les yeux au ciel pour regarder l'immense crucifix qui était suspendu en face d'elle sur l'autel.

— Puisse Dieu avoir pitié de toi, car moi je ne le peux pas!

Kamilia lui trancha la gorge d'un puissant coup. Un jet de sang éclaboussa les lampions allumés, en éteignant quelques-uns. Elle poussa un soupir en regardant la masse ensanglantée échouée sur le sol. Elle monta les marches de l'autel avec sa robe rouge pour accéder au presbytère. Elle allait maintenant s'occuper de Varna, récupérer le carnet en question et donner le signal aux autres qu'ils pouvaient continuer la mission.

Chapitre 64

Ming Mei reçut le message de Kamilia par radio. Avec sa télécommande, Ming Mei pressa le bouton qui déclencha toutes les explosions. L'un à la suite de l'autre, chaque bâtiment explosa. Dans un horrible fracas, des morceaux de charpente montaient de toutes parts vers le ciel. S'ajoutaient de fortes détonations, tels des coups de tonnerre, faisant vibrer le sol : de toute évidence, certains bâtiments abritaient des explosifs. Les flammes commencèrent à consumer les restants de bâtiments qui n'avaient pas été pulvérisés. Les résidents, qui réussissaient à sortir dans la rue pour défendre leur clan ou bien pour fuir, finissaient sous les tirs de Guerra qui avait mis son groupe à l'œuvre. Les claquements secs des armes automatiques munies de silencieux retentissaient de façon régulière, tels des châtiments diaboliques que Guerra aurait ordonnés. Ce dernier protégeait son groupe qui était au centre de ce chaos de feu, d'explosifs et de débris. Il repérait et neutralisait tout ennemi qui semblait vouloir menacer les membres du groupe. Ses interventions étaient précises, tel un chirurgien à l'œuvre. Rien ne lui échappait. Les explosions constituaient le signal pour foncer en direction du ranch. Namara, Taz, Twinkie, Mike et Gonzo sortirent de leur cachette pour le prendre d'assaut. À la file, ils coururent à pleine vitesse en direction de la grange. Gonzo, qui donnait le pas aux autres, se rapprocha de plus en plus du ranch, se faufilant à travers le brasier et les explosions. Le groupe, qui était totalement à découvert, bougeait rapidement avec la coordination d'un seul homme. Gonzo aperçut deux hommes armés de fusils de chasse à quelques centaines de mètres d'eux. Ces derniers les avaient vus avancer dans leur direction. Gonzo les vit tenter de se dissimuler derrière un muret. La réaction de Gonzo fut immédiate :

— Arme !!! cria-t-il aux autres derrière lui pour les aviser de la résistance.

Gonzo tira à quatre reprises avec son M16 sans ralentir sa cadence de course. Les quatre projectiles atteignirent leurs cibles, tuant les deux adversaires sur-le-champ. Après avoir dégagé le passage, Gonzo entendit une rafale de tir provenant d'une mitraillette MP5 derrière lui. Namara venait de trouer le corps d'un autre homme armé qui s'était approché d'eux par le flan pour les abattre. L'agresseur était mort avant même d'avoir eu le temps de tirer un seul coup de feu. Tous escaladèrent la barrière qui entourait le ranch. Le dernier à escalader fut Twinkie qui entendit une rafale de M16 provenant de Mike. Ce dernier venait d'abattre un autre malfrat à moins de vingt mètres d'eux. Quand ils furent certains d'avoir le chemin libre, ils s'engagèrent en direction de la grosse grange juste devant eux. Derrière, le village continuait de brûler et d'exploser. Près de la grange, ils se rendirent compte que les deux portes de bois étaient barricadées d'une grosse chaîne et d'un cadenas.

— Gonzo, Twinkie! Prenez l'arrière et couvrez-nous! hurla Taz.

Les deux se reculèrent pour protéger le reste du groupe qui s'attaquait à la porte et pour pointer leurs armes en direction d'une menace potentielle qui tenterait de foncer vers eux. Mike sortit un fusil tronçonné de calibre .12 armé de cartouches de cuivre. Il mit le canon de son fusil sur le cadenas, puis il pressa la détente. Le cadenas se pulvérisa sous l'impact de la balle. Il ne resta à Taz qu'à tirer sur la chaîne qui céda.

Ils virent six cellules formées de barreaux d'acier dans lesquelles quinze jeunes femmes mexicaines les regardaient, terrorisées. Certaines étaient mal en point, mais la plupart semblaient en santé.

— Allez! Allez! cria Taz.

Namara franchit les portes le premier, suivi de Mike et de Taz.

— Merde, elles sont bien là! s'exclama Mike.

— Oui. Il faut les faire sortir au plus vite, dit Namara.

— Oui, sortons-les et foutons le camp au plus vite! s'écria Taz.

— Ça vient! rétorqua Namara. Nous allons vous sortir d'ici, ne craignez rien! Éloignez-vous des portes, nous allons faire sauter les serrures! lança Namara en espagnol aux jeunes filles emprisonnées. Elles se reculèrent craintivement au fond des cellules pendant que Mike approchait avec son fusil à balles de cuivre. Il en mit le canon sur la première serrure. Un fort bruit assourdissant retentit et la serrure explosa. La porte s'ouvrit d'un coup et quelques timides sourires apparurent sur le visage des jeunes filles.

— Allez, sortez! Ne perdez pas de temps! dit Mike en faisant déjà sauter la serrure de la cellule voisine.

En à peine deux minutes, elles étaient toutes libérées et regroupées, prêtes à partir. On pouvait lire dans leur visage de la peur, mais aussi du soulagement. Visiblement dépassées par ce chaos et ces hommes armés qui avaient investi l'endroit, elles savaient néanmoins qu'ils représentaient leur salut, peu importe qui ils pouvaient être.

— Le colis est prêt à partir! hurla Taz de l'intérieur de la grange pour aviser Twinkie et Gonzo de leur intention de sortir.

— Dégagé! hurla Twinkie.

— Allez! Allez! lança Namara aux filles pour leur indiquer qu'il était le moment où jamais pour fuir.

Elles sortirent en courant de la grange en groupe. À l'extérieur, elles se placèrent derrière Gonzo et Twinkie, qui commencèrent à courir vers leur point d'extraction où trois camionnettes dissimulées les attendaient. Namara, Mike et Taz sortirent en même temps que le groupe pour se placer de part et d'autre afin de couvrir le cortège. Namara, qui était situé à la gauche, tira une rafale de mitraillette, abattant un homme armé d'un pistolet dissimulé derrière un bosquet. Une autre puissante détonation retentit: c'était Guerra qui venait d'en abattre un autre qui tentait de leur échapper. Les autres membres du groupe n'avaient même pas eu le temps de voir cette menace, mais ce qui était important, c'est que James, lui, l'avait repérée. Les prisonnières, pieds nus dans le sable, et les membres du groupe sortirent du village pour s'engouffrer dans l'obscurité du désert. Rendus aux camionnettes, ils quittèrent les lieux à toute allure, laissant derrière eux ce qui avait été Sauvalito quelques minutes auparavant. Il ne restait que des amas de décombres et des cadavres dans un immense brasier à ciel ouvert.

Chapitre 65

Guardjana, Mexique.

Ils roulaient depuis quelques heures dans l'obscurité lorsqu'ils aperçurent à l'horizon les premiers reflets de l'océan Pacifique. La végétation et le paysage avaient décidément changé. Les vastes espaces sablonneux de San Matanza s'étaient mués en reliefs rocheux parsemés d'immenses cactus. L'aridité du paysage rendait l'atmosphère quasi irréelle pour Namara et son groupe. Ils trouvèrent le point de rendez-vous que leur avait indiqué leur mystérieux interlocuteur où ils garèrent leur fourgonnette sans fenêtre. Ming Mei et Kamilia se cachèrent à l'intérieur du véhicule, près de la porte arrière, pendant que Namara et Guerra attendaient leurs invités patiemment, adossés sur le devant de la camionnette. Shinsaku, Taz et les autres s'étaient dissimulés pour observer la scène, mais de plus loin. À l'heure indiquée, une automobile arriva. Deux Mexicains chauves et vêtus de noir en sortirent. Namara remarqua les tatouages qu'ils avaient au cou sans en distinguer tout à fait les motifs en raison de la faible lumière des feux de leurs véhicules. Les deux Mexicains s'approchèrent d'eux tout en restant sur leurs gardes. Namara les salua d'un bref geste de la tête. Un des hommes brisa le silence lorsqu'il fut à proximité du véhicule :

— Nous ne vous avons jamais vus auparavant…

— Ed nous a recrutés dernièrement. Il nous a chargés du voyage pour vous amener l'enfant, dit Namara en espagnol.

Les hommes froncèrent les sourcils, examinant les deux nouveaux.

— Où est l'enfant ?

— À l'arrière de la camionnette. Vous pourrez en prendre possession quand nous aurons l'argent.

— Oui, naturellement. Nous pouvons jeter un coup d'œil ?

— Bien sûr, dit Namara en leur faisant signe d'ouvrir les portes arrière du véhicule.

Un des hommes saisit lentement la poignée, pressa le bouton d'ouverture, puis ouvrit brusquement la porte. Ming Mei et Kamilia se propulsèrent à l'extérieur en leur envoyant chacun un coup de genou en plein visage, ce qui les projeta au sol. Namara et Guerra dégainèrent leur pistolet et ils les pointèrent sur la tête des deux hommes au sol. Ming Mei et Kamilia fouillèrent rapidement les deux Mexicains prenant les pistolets qu'ils dissimulaient sous leur veste.

— Surprise, messieurs ! dit Guerra.

— Que voulez-vous ? demanda un des hommes qui reprenait ses esprits et qui tentait de se remettre debout.

— Non, je te le déconseille, dit Guerra en continuant de pointer son arme sur son interlocuteur. Le Mexicain se ravisa et resta au sol. Nous voulons savoir où se trouve ton patron !

— Hors de question, tu vas devoir me tuer !

— Si tu insistes !

Guerra lui tira une balle en pleine tête. Sa cervelle éclaboussa l'autre Mexicain toujours étendu au sol.

— Et, toi… penses-tu la même chose que ton ami ?

— Je… je vais vous y conduire, balbutia-t-il, le visage éclaboussé du sang et de la matière grise de son ami.

睡眦

— Nous y sommes. Vous descendez le chemin. Sa maison s'y trouve, dit le Mexicain sans grande émotion, le visage toujours souillé.

— Combien y a-t-il d'hommes à cet endroit ? demanda Guerra.

— Vous vouliez que je vous dise où il se trouvait, vous le savez. Si vous voulez en savoir plus, allez voir !

— Tu es en train de me dire que tu n'es plus d'aucune utilité pour nous, c'est bien cela ?

Le Mexicain resta muet à fixer Guerra. Avant qu'il n'ait pu s'en rendre compte, Kamilia, qui était debout derrière, lui saisit le cou et elle le brisa. Le corps du Mexicain frappa sourdement le sol rouge.

— Qu'est-ce que nous attendons ? demanda Kamilia.

— En route ! dit Namara.

La route rocailleuse descendait vers une sorte de petite vallée creusée dans les collines. La vallée, en forme d'entonnoir, était fournie d'une végétation dense et le groupe en profita pour arrêter près d'un espace humide afin de se camoufler le visage et les mains. Une fois étendue sur leur peau, la boue leur enlevait toute apparence humaine. Au fond de cette vallée se trouvait un véritable manoir, d'architecture aussi moderne qu'excentrique. L'édifice rectangulaire de deux étages était bâti à même une paroi rocheuse rougeâtre, un peu comme s'il faisait partie de la falaise. Les nombreuses fenêtres semblaient recouvertes de rideaux opaques, car aucune lumière ne filtrait à l'extérieur. Ils attendirent en silence dans l'obscurité.

睡眦

La première lueur de l'aurore à l'horizon fut le signal de prendre la maison d'assaut.

— Quel est le plan? demanda Shinsaku qui attachait solidement son katana sur lui.

— Nous entrons par les portes de la façade principale. Nous nettoyons le premier étage et ensuite nous ferons le deuxième étage, dit Namara en installant un silencieux à sa mitraillette MP5, un geste imité par les autres.

— Laisse-nous le deuxième étage, Kamilia, Ming Mei et moi. Nous allons entrer par la porte coulissante qui, tu vois, est à demi ouverte au deuxième. Nous nettoyons cet étage et nous nous rejoignons à mi-chemin. Nous attaquerons donc avant vous. Donne-nous cinq minutes d'avance, ensuite vous foncez, d'accord?

— Très bien, d'accord. Mais en silence le plus possible, compris? Plus tard ils vont découvrir notre présence, plus nous avons des chances de prendre contrôle rapidement du domaine! S'il y a quoi que ce soit, communication par radio, dit Namara en pointant du doigt l'émetteur radio qui entourait son cou, appuyé sur ses cordes vocales.

— D'accord, allons-y! dit Shinsaku en commençant sa descente vers la maison, suivi de Kamilia et de Ming Mei. Le reste du groupe resta camouflé dans la végétation les regardant s'approcher de la maison rapidement. Toujours aucune trace d'activité ennemie en vue. Shinsaku se rendit près du mur du manoir et commença à grimper, insérant ses doigts dans les moindres fissures des murs de pierre. Il montait avec une légèreté surprenante comme si la gravité n'avait aucun effet sur lui. Kamilia et Ming Mei suivirent avec la même aisance pour atteindre le balcon quelques secondes plus tard.

— Je n'ai jamais vu quelqu'un escalader de la sorte! murmura Taz. Ils vont entrer là-dedans sans arme à feu. Ils sont cinglés ou quoi?

— Ne t'en fais pas, ils vont s'en tirer, ne sois pas inquiet! rétorqua Guerra.

Ils virent Shinsaku, Kamilia et Ming Mei entrer par la porte coulissante du deuxième étage et disparaître à l'intérieur.

— Cinq minutes. Le compte à rebours est commencé! dit Namara en regardant sa montre.

Chapitre 66

Jamais les trois attaquants n'avaient vu une telle construction de leur vie. La porte donnait sur un immense couloir en tuiles grisâtres, à peine éclairé et vide. Comme seul habillage, d'immenses rideaux blancs qui drapaient les vitres et qui flottaient selon les courants d'air circulant dans la maison. Ming Mei prit les devants. Elle n'aimait pas l'ambiance de ce lieu. Elle y sentait quelque chose de maléfique. Elle longea le mur jusqu'au bout où débutait, sur sa gauche, un autre corridor. Une première porte était à demi ouverte.

Elle vit, lui tournant le dos, trois hommes au crâne rasé qui regardaient la télévision dans une pièce complètement nue, mis à part un sofa et un téléviseur. Avec une vitesse inouïe, suivie de Kamilia, Ming Mei s'approcha d'eux sans aucun bruit. D'un coup, elle brisa la nuque du premier et dans le même élan frappa le deuxième qui s'effondra. Avant qu'il n'ait pu se relever, il était mort. Le troisième homme se leva en panique, mais Kamilia avait déjà bondi pour lui enfoncer son épaule en plein plexus solaire. Se relevant le corps, elle projeta son épaule sous le menton de sa victime qui fut projetée en arrière vers Ming Mei, qui réussit à le retenir, lui saisir la nuque et l'achever. Les deux femmes sortirent de la pièce vers le corridor où Shinsaku les attendait au cas où des intrus se seraient montrés.

Kamilia prit les devants cette fois et elle s'élança jusqu'à la prochaine pièce. Elle y entra sans bruit et elle aperçut un homme debout, lui tournant le dos, face à un pupitre en train de lire un document. Au fond, elle distingua une immense porte en acier donnant probablement sur une chambre forte. D'un mouvement rapide, elle lui planta son couteau dans le bas du dos. Le choc fut tel que la victime ne put pousser le moindre cri. Elle ressortit sa lame pour lui trancher la gorge en prenant soin de retenir le corps alors qu'il tombait au sol. Les trois combattants continuèrent leur fouille de l'étage, éliminant deux autres résidents à l'arme blanche. Aucun des autres habitants de la maison ne semblait s'être rendu compte de l'attaque dont ils faisaient l'objet.

Shinsaku termina le travail à l'étage. Il vit un Mexicain se diriger vers l'ouverture de l'escalier donnant accès au rez-de-chaussée. D'un pas silencieux et régulier, il s'approcha de l'homme et d'un coup de katana d'une violence inouïe du bas vers le haut, il le décapita. La tête vola pour aller percuter un mur et rebondir en roulant dans l'escalier comme une boule de billard.

睡眦

À la seconde près, alors que son chronomètre atteignait le chiffre cinq, Gonzo se dirigea vers l'entrée principale du domaine, alors que les autres se glissaient de chaque côté de la porte. En moins d'une minute, il avait réussi à forcer la serrure et ouvrir silencieusement la porte. Taz et ses hommes entrèrent en pointant leur mitraillette à la recherche de cibles potentielles. Ils pénétrèrent dans ce qui semblait être un immense salon moderne. La décoration était de type mexicain et plusieurs chandeliers fournissaient un éclairage tamisé. Le haut plafond accommodait des palmiers nains et des vases anciens à hauteur d'homme. Des tapisseries de style sud-américain agrémentaient les murs. Le groupe traversa la pièce à la file pour aboutir dans un couloir. Deux hommes armés s'y trouvaient, arme automatique à la main, mais apparemment en train de se parler, tournant le dos aux envahisseurs. Taz tira deux projectiles qui les atteignirent chacun à la tête, les tuant instantanément. Au même instant, un bruit de chasse d'eau se fit entendre derrière eux. Un Mexicain sortit nonchalamment du cabinet. Gonzo fit un demi-tour et, à l'instant où le Mexicain franchissait la porte, il lui appuya le canon de son silencieux contre le sternum. Il tira deux fois, deux claquements étouffés et secs. Avec deux balles au cœur, l'homme culbuta sur le plancher de la salle de bain. Les envahisseurs continuèrent vers un embranchement, un couloir en pente, fort étrangement.

— Il y a des couloirs partout ici. Où mène celui-là, bordel? murmura Twinkie.

— Sous terre, de toute évidence, dit Guerra en regardant le couloir.

— Nous devons nous séparer pour gagner du temps. James et moi allons descendre ce couloir et, vous, vous restez pour continuer à nettoyer l'étage, dit Namara.

— D'accord, mais soyez prudents! rétorqua Taz.

Namara et Guerra s'engouffrèrent dans le corridor et disparurent. Ceux qui étaient restés au rez-de-chaussée arrivèrent à l'entrée d'une salle qui devait être un lieu de rassemblement et de loisirs. Il s'y trouvait un immense bar, bien éclairé, qui accaparait un mur complet de la pièce.

Deux tables de billard lui faisaient face. Des écrans géants étaient fixés aux murs de la pièce et des divans et fauteuils confortables complétaient l'ameublement. On pouvait même apercevoir une mini-allée de bowling. Voilà où se trouvaient la plupart des malfaiteurs! Les attaquants purent compter dix cibles potentielles, toutes le crâne rasé et le visage tatoué. La plupart des Mexicains étaient éveillés, regardant la télé, mais d'autres dormaient étendus sur les divans.

Taz et ses hommes bondirent dans la pièce et d'instinct se placèrent en ligne pour éviter les tirs croisés et pour délimiter leur espace de tir. Leurs mitraillettes étaient déjà en mode de tir automatique. Un signe de Taz déchaîna un véritable barrage de balles. Les attaquants avançaient rapidement dans la pièce, l'arrosant littéralement des rafales de leurs armes, atteignant mortellement toutes leurs cibles en quelques secondes. Aucun des Mexicains n'avait eu le temps de tirer un seul coup de feu et le chaos fit place au silence. Tous les corps étaient littéralement déchiquetés par les balles. Aucun adversaire n'avait survécu. Les coups de grâce ne seraient pas nécessaires.

— Dégagé! murmura Twinkie sur radio.

— Finissons l'étage, dit Mike, qui prit les devants. Le groupe retourna sur ses pas, s'assurant que chaque pièce était libre ou que son ou ses occupants étaient bien morts. À deux reprises, un claquement sec se fit entendre. Plus de survivants à l'étage.

— Allons au deuxième étage pour voir s'ils n'ont pas besoin d'aide! dit Taz.

Le groupe s'engagea dans le grand escalier qui montait au deuxième étage.

Chapitre 67

Mike, le premier à monter le grand escalier, aperçu avec horreur une tête ensanglantée qui semblait le fixer sur une des marches, dans une flaque de sang, comme si quelqu'un l'y avait exposée pour susciter la terreur.

— Saloperie ! Mais qu'est-ce que… dit Mike. En levant la tête, il aperçut Shinsaku, tout sourire, au sommet de l'escalier, katana ensanglanté à la main.

— Nous venions voir si vous n'aviez pas besoin d'un coup de main là-haut, mais il semble que vous ayez le contrôle, à ce que nous voyons, dit Taz.

— Le deuxième étage est nettoyé ! dit Kamilia.

— Même chose de notre côté ! dit Taz. Namara et Guerra ont pris une autre direction. Il y a une portion souterraine à cette maison !

— Nous avons trouvé un coffre-fort là-haut et des ordinateurs, dit Ming Mei.

— Pour le coffre-fort, nous avons ce qu'il faut pour l'ouvrir !

— D'accord, moi, je vais tenter de recueillir les renseignements que je peux trouver sur les ordinateurs et dans les pièces !

— Mike, Gonzo ! Allez rejoindre Namara et Guerra ! Moi et Twinkie allons nous occuper du coffre-fort !

Mike contourna prudemment la tête du décapité en redescendant l'escalier tout en remplaçant le chargeur de sa mitraillette.

— Bien fait pour ta gueule, marmonna-t-il en direction de la tête tout en se dirigeant vers le corridor souterrain, Gonzo à ses trousses.

睚眦

Bizarrement, le plafond du couloir était en forme de demi-cercle. Des chandeliers fixés aux murs projetaient une faible lumière rougeâtre. Plus le tunnel descendait sous terre, plus l'air devenait pur comme si un système de purification la poussait dans le souterrain. Guerra suivait Namara de près, en silence. Le degré de descente était constant et

Namara estimait qu'ils se trouvaient déjà à des mètres de la surface. À la fin, ils débouchèrent sur ce qui semblait être une sorte de caverne où tout le design reposait sur la forme arrondie, à commencer par les ouvertures de porte. Un immense pentagramme était dessiné sur le parquet, ce qui confirmait qu'il s'agissait bel et bien de satanisme. Namara s'arrêta pour examiner cette crypte : il s'agissait d'une sorte de théâtre face à une estrade surélevée au fond de la pièce. Des bancs en pierre parsemaient la salle. Namara ne prit pas le temps d'imaginer ce qui pouvait se passer en ces lieux, mais il se douta que des scènes horribles avaient dû s'y dérouler. L'estrade était fermée par des rideaux rouge foncé qui attirèrent l'attention de Namara.

— Va voir derrière les rideaux, je continue dans le couloir, chuchota Namara.

Guerra traversa le théâtre en longeant le mur en direction de l'estrade pendant que Namara se dirigeait vers une porte qui donnait sur le corridor. Il saisit la poignée et il ouvrit tout doucement. Une scène d'horreur s'offrit à lui. Un matelas se trouvait au sol et plusieurs caméras sur trépied encombraient la pièce. Un homme nu était en train d'agresser sexuellement un enfant. L'homme sentit la présence de Namara et il tourna la tête vers la porte. Avant d'avoir eu le temps de compléter son geste, il reçut une balle au cœur, et presque simultanément, une autre à la tête. La violence du choc le projeta vers le mur et du sang éclaboussa le mur. Le cadavre s'écrasa lourdement dans un coin de la pièce faisant tomber avec fracas deux des caméras sur trépied.

Namara réalisa au même instant qu'un autre homme se trouvait dans la pièce, à sa gauche. Comme l'éclair, il dirigea son arme vers cette nouvelle cible, mais l'autre homme avait été plus rapide que lui. Il avait saisi la fillette et lui avait posé un couteau sur la gorge. Il comptait évidemment se servit d'elle comme bouclier afin d'éviter les tirs de Namara.

Horrifié, Namara reconnut l'homme de ses visions. Il faisait face à celui qui lui était apparu au plus profond de sa méditation. Comme dans cette apparition, Brakan avait le visage complètement tatoué ainsi qu'une grande partie du corps. Les orbites tatouées de ses yeux lui donnaient une apparence diabolique, inhumaine.

— Laisse-moi sortir sinon je la tue! cria-t-il en s'abritant le plus possible derrière la fillette d'une dizaine d'années en pleurs. Namara recula pour laisser sortir Brakan. Dans le couloir, il dévisagea Namara, qui avait lui aussi une allure diabolique avec toute la boue qui lui recouvrait le visage, ne laissant paraître que le blanc de ses yeux.

— Mais qui es-tu? dit sèchement Brakan, maniant toujours la fillette éplorée comme un bouclier.

— Je suis celui qui vient te chercher ! rétorqua Namara.

— Lâche ton arme ! Sinon, j'égorge la petite !

Voyant la scène, Guerra resta en retrait. Namara laissa tomber au sol son chargeur et il éjecta la balle qui était dans le canon de sa mitraillette. Il laissa tomber son arme au sol en continuant de fixer le diable.

— Laisse là partir, c'est entre toi et moi maintenant !

Brakan repoussa la fillette d'un geste brusque et elle alla s'écrouler quelques mètres plus loin.

— Tu es venu pour me chercher ? Je suis ici ! Amène-toi ! dit-il d'un air menaçant en levant son couteau, prêt à l'attaquer.

Brakan se mit à sourire en baissant sa position et en bougeant constamment autour de lui.

— *Sel xeuf ed refne'l et tnorelûrb tnaviv !!!* hurla Brakan.

— Non, *les feux de l'enfer ne me brûleront pas vivant*, et Satan ne fera rien pour toi ! Amène-toi, il t'attend ! Le diable a hâte de t'accueillir ! dit Namara en continuant de le fixer froidement.

— Les feux de l'enfer te brûleront vivant !!! hurla le diable à forme humaine.

Brakan décocha un coup de couteau latéral pour atteindre la gorge de son adversaire, un coup que Namara esquiva de justesse en reculant. Les deux tournaient maintenant en cercle, face à face. Ils se dévisageaient comme deux bêtes sauvages. Brakan fonça à nouveau sur Namara pour le poignarder au ventre. Namara recula encore une fois pour éviter l'attaque aussi puissante que rapide. Au troisième coup tenté par Brakan, Namara lui frappa le dessus du poing qui tenait le couteau, lui brisant du coup tous les os de la main. Brakan hurla de douleur en lâchant sa lame. Simultanément, Namara lui asséna un puissant coup de pied au bas de la jambe, lui fracturant le tibia. Non seulement la jambe était-elle brisée, mais l'os brisé perforait la peau de quelques centimètres. Seule la peau retenait la jambe du pied. Brakan rugissait de douleur. Au même moment, Namara bondit sur lui comme un fauve, lui saisissant la gorge tout en le poussant vers l'arrière. Le corps de Brakan était cambré, sur le point de tomber au sol si Namara ne l'avait pas retenu. Il regarda le suppôt de Satan dans les yeux, le saisit par les épaules et le rabattit au sol dans un geste d'une force inouïe. Le corps de Brakan plia en angle inverse à ce qu'avait prévu la nature. Un craquement sinistre se fit entendre comme s'il la colonne du diable humain s'était cassée en deux, et le tibia fracturé perfora le dos de Brakan pour aboutir directement dans son cœur. Le disciple de Satan émit quelques balbutiements d'agonie, un jet de sang s'écoula de sa bouche et il mourut embroché sur son propre tibia. La fillette, horrifiée, resta debout, immobile, en fixant Namara. Toujours nue et en pleurs, elle était visiblement sous le choc, incapable de bouger ni de parler.

— Ne t'en fais pas. C'est terminé, petite, je suis ici pour te sortir de là! Nous allons quitter cet endroit ensemble, d'accord? lui dit Namara en espagnol.

La fillette fit un signe de la tête dans l'affirmative en essuyant ses larmes.

— Quel est ton nom?

— Jovanna, répondit-elle d'une faible voix.

Au même moment, Guerra s'était avancé vers le corps désarticulé de Brakan pour s'assurer de son décès.

— Bordel… Namara! déclara Guerra avec une grimace d'horreur en voyant le corps brisé et transpercé de Brakan.

— Il y en a d'autres comme toi qui sont ici Jovanna?

Elle lui pointa le fond du corridor avec le doigt.

— D'accord! James, trouve-lui une couverture!

— Ça vient! dit-il en coupant un morceau de rideau pour la couvrir.

Namara se dirigea au fond du corridor. Il y trouva de minuscules cellules, de véritables cages, qui avaient été aménagées par Brakan. Elles emprisonnaient des enfants de tous âges, certains qui n'étaient que des bambins.

— Merde… Comment allons-nous faire pour tous les sortir d'ici, se demanda-t-il pendant que plusieurs petits yeux le fixaient en silence.

— Éloigne-toi, Namara, je vais faire exploser les serrures! dit Mike qui arrivait avec Gonzo.

— Merde… C'est pas vrai, dit Gonzo en regardant tous les enfants derrière les barreaux de fer.

睢眦

Twinkie transporta le dernier sac de liasses d'argent américain.

— Voilà, nous avons tout vidé! dit Taz en sortant de la chambre forte.

— Je reviens! dit Twinkie en mettant le gros sac sur son dos pour sortir.

— Combien y avait-il dans cette chambre forte, selon toi? demanda Kamilia, qui revenait après avoir transporté un sac jusqu'aux véhicules.

— Beaucoup… C'est tout ce que je sais! répondit Taz.

Ming Mei vint à leur rencontre, un sac à dos rempli de documents à l'épaule.

— C'est bon pour moi. J'ai pris tout ce qui pouvait être pertinent ! dit-elle.

— Ils viennent d'escorter les enfants jusqu'aux véhicules. Gonzo et Mike sont restés avec eux. Namara et Guerra attendent notre signal pour tout faire flamber ! dit Taz, qui écoutait attentivement les ondes radio.

— Allons-y, sortons d'ici, dit Kamilia.

— Namara, tu peux y aller ! dit Taz sur les ondes en sortant de la résidence avec les autres.

— Compris ! Vous avez aspergé tous les étages d'essence, l'édifice au complet ?

— Affirmatif, Danny, tu peux tout faire brûler !

Namara avait réservé un traitement spécial au corps de Brakan ; il l'avait traîné au centre du pentagramme et copieusement aspergé d'essence. Namara restait maintenant immobile à regarder Brakan se consumer dans les flammes, histoire probablement de s'assurer que le disciple de Satan était bel et bien anéanti.

— Allez, Namara, il ne reviendra pas, il est déjà en enfer ! Il faut foutre le camp, tout brûle ! lança Guerra.

Les deux remontèrent en courant vers la sortie.

睚眦

En quelques secondes, le feu se propagea aux rideaux puis remonta le corridor le long de la traînée d'essence que les attaquants avaient laissée pour que l'incendie atteigne les étages supérieurs de la résidence.

Le feu parcourut le corridor en quelques minutes à peine pour se transformer un brasier de plus en plus puissant. Les attaquants sortirent par la porte centrale et ils s'éloignèrent le plus possible de la maison. Namara, entouré des autres membres du groupe, se retourna pour regarder la maison qui flambait au complet comme une torche gigantesque. Les flammes montaient vers le ciel, hautes de dizaines de mètres. Ils restèrent plusieurs minutes en silence pour admirer le résultat. Puis, ils reprirent le chemin d'où ils étaient venus.

Chapitre 68

San Matanza, Mexique.

— Oui, allô ?

— Armando ? demanda Namara à l'autre bout du fil.

— Oui. Qui est à l'appareil ?

— Rick Vandal. Vous vous souvenez de moi ?

— Rick ! Mais oui, bien sûr ! Avez-vous trouvé de nouveaux renseignements suite à ce que je vous ai dit ?

Un long silence se fit sur la ligne.

— Vous m'aviez dit que vous vouliez le savoir si jamais je trouvais la vérité, n'est-ce pas ?

— Oui, bien sûr ! Vous avez trouvé les coupables ?

— Oui.

— Qui sont-ils ? Dites-moi…

— Avant, vous devez me promettre quelque chose…

— Je vous écoute.

— Peu importe ce que vous verrez, vous n'interviendrez pas. Vous restez à l'écart, compris ?

— Oui, c'est entendu. Mais comment avez-vous fait pour savoir ?

— C'est une longue histoire. Je n'ai jamais été journaliste, Armando, vous devez le savoir. Qui je suis n'a pas vraiment d'importance. Ce qui est important, ce sont les réponses. N'est-ce pas ?

— Oui… Oui, bien sûr. Que dois-je faire ?

— Demain soir, 18 h au 278 de l'avenue Escondido. Restez à l'écart et attendez. Ne venez pas seul, mais que ce soit des gens de confiance. Venez avec une camionnette. Si les choses tournent mal, vous foutez le camp. Compris ?

— Oui, mais… Que dois-je faire exactement ?

— Rien. Vous ne faites qu'observer. Vous aurez finalement les réponses que vous cherchiez demain. Votre théorie était bonne. Il s'agissait bel et bien de satanistes qui fonctionnaient en réseau bien organisé. Nous en avons éliminé plusieurs, mais demain tout sera terminé.

— Mais qui êtes-vous ?

— Soyez là demain, Armando.

Namara raccrocha le combiné en continuant de regarder les photos satellites qu'Andy lui avait envoyées par courriel. Il vit clairement un cabanon vert lime dans la cour arrière du garage de l'avenue Escondido. Le même vert lime qu'il avait vu dans ses visions, le même vert lime retrouvé sur le manche du fusil d'Eduardo. Dans ses visions, il avait vu un objet rouge qui tournait et il vit clairement sur les photos un genre de moulin à vent rouge à une extrémité de la cour arrière. Cette vieille hélice surélevée indiquait la vitesse et la direction du vent. Tout coïncidait avec ses visions. Il avait discuté avec Jovanna lors du retour et il lui avait demandé ce dont elle se souvenait lorsqu'elle s'était fait enlever. Elle se rappela avoir été enfermée sous terre et qu'au travers de son bandeau, au moment où ils l'avaient sortie du coffre, elle avait vu du vert. Un vert clair. Le même vert en fait que Namara voyait maintenant sur la photo. Il était certain maintenant où se trouvait la cache des Démons du désert. Il ferma l'écran de son ordinateur en prenant une gorgée de café.

睡眦

Armando attendait patiemment au volant de son véhicule. Les trois femmes et l'homme qui l'accompagnaient étaient tous des gens qui avaient perdu un membre de leur famille dans cette histoire. Rick lui avait dit d'amener uniquement des gens de confiance. Cela avait été la raison de son choix. Il regarda sa montre. Il était maintenant 18 h. Toujours rien en vue. Il observait le garage qui correspondait à l'adresse donnée. Le garage venait de fermer ses portes et il n'y avait aucune activité dans les parages.

Il vit arriver trois camions noirs VUS qui se suivaient l'un à la suite de l'autre à toute vitesse. Le premier véhicule freina subitement face aux portes cadenassées de la cour arrière du garage. Des hommes en noirs, armés et cagoulés sortirent des trois véhicules. Un des hommes, qui tenait une masse, frappa le cadenas d'un puissant coup. La fermeture céda et les portes métalliques s'ouvrirent, laissant apparaître une immense cour à ferraille. Les hommes armés s'engouffrèrent dans la cour en courant.

— Mais qu'est-ce que c'est que tout cela ? demanda une femme à l'arrière du véhicule d'Armando.

— Je n'en sais rien. Nous devons attendre, répondit Armando.

Chapitre 69

Quand Namara ouvrit les portes du hangar vert, il trouva exactement ce qu'il cherchait. Un escalier d'une quinzaine de marches creusée dans le sol. En bas, une porte en acier, de toute évidence verrouillée.

— Mike ! dit Namara en lui faisant signe de s'avancer.

Mike descendit les marches et il sortit une bande explosive en plastique qu'il colla sur la porte du haut vers le bas. Il remonta les marches en faisant signe aux autres de s'éloigner le plus possible. Mike activa le détonateur et il se fit une puissante déflagration. Un morceau de porte fut expulsé du trou et finit son trajet quelques mètres plus loin de l'endroit où le groupe se trouvait. Taz profita de l'occasion pour lancer une grenade aveuglante dans l'ouverture de la porte encore remplie de fumée en raison de l'explosion.

Le bruit retentissant de l'explosion de la grenade était le signal d'attaque pour le groupe. Twinkie fut le premier à se précipiter dans l'escalier, suivi de Gonzo. Derrière les débris de porte se trouvait un petit bunker souterrain construit en béton. À moins d'un mètre de la porte se trouvaient une table en bois et des chaises. Quatre hommes s'y trouvaient en train de manger. Aveuglés par le flash de la grenade, ils tentaient de repérer leur ennemi avec leurs mitraillettes. Gonzo et Twinkie s'efforcèrent de tirer avec précision, pour éviter les ricochets pendant que Namara, Guerra et Mike foncèrent dans le corridor qui contenait trois cellules. Les quatre hommes furent abattus avant même d'avoir pu décocher une seule salve de leurs mitraillettes.

Namara s'engouffra dans la première cellule non verrouillée, un local en béton sans fenêtre et une porte pleine en acier. Il aperçut un homme qui le pointait d'un pistolet. Le réflexe de Namara fut plus rapide que la capacité de décision de l'autre. Ce dernier n'eut jamais le temps de presser la gâchette : une balle l'atteignit en plein cœur. Mais Namara n'avait toutefois pas remarqué la présence d'un autre homme embusqué derrière la porte. L'homme déchargea son arme à bout portant vers la poitrine de Namara, qui tituba sous l'impact des projectiles, échappant son arme. Heureusement que Namara avait pris le soin d'endosser une veste avec plaque de céramique. Malgré les puissants impacts de balles, il eut le réflexe de saisir la main qui tenait son pistolet. De son autre main, Namara le frappa au cou du tranchant de la main. Il répéta son coup à plusieurs reprises, au même endroit, jusqu'à ce que les yeux de son agresseur tournent. À la douleur que Namara ressentait en pleine poitrine, il réalisa que son gilet pare-balles avait dû encaisser la plupart des projectiles tirés à son attention. Trois jeunes femmes étaient accroupies dans un coin de la pièce.

— Dégagé! cria Namara en faisant signe aux femmes de se lever.

Pendant que Namara reprenait son souffle, il reconnut les visages des deux hommes qu'il venait de tuer. Ils faisaient bel et bien partie du groupe d'Eduardo. Des bruits d'explosions, des lueurs de grenades aveuglantes et des coups de feu se produisaient un peu partout dans le petit bunker.

— Dégagé! cria finalement Guerra au loin, en revenant, suivi de Mike.

Namara fit sortir les trois femmes rapidement de la pièce pour constater que Guerra et Mike en avaient avec eux deux autres. Une dizaine de femmes en tout montaient les marches étroites vers la sortie avec le groupe.

— Il y avait le cadavre d'une femme dans une cellule. C'était trop tard pour elle, dit Guerra en jetant un coup d'œil à Namara qui sortait du bunker. Tous coururent hors de la cour en direction des véhicules où Shinsaku, Ming Mei et Kamilia les attendaient au volant. Quand il vit le groupe de jeunes femmes sortir de la cour arrière, Armando murmura :

— Mon Dieu…

Il avança avec sa camionnette et Guerra le reconnut. Il lui fit signe avec la main de s'approcher davantage.

— Vous pouvez les prendre avec vous? demanda-t-il à Armando d'un ton pressé en faisant allusion aux femmes.

— Bien sûr! dit-il en sortant du véhicule pour en ouvrir les portes arrière. Il les fit embarquer une à une dans la camionnette.

— Twinkie, fais brûler tout ce qui reste! cria Taz.

— Compris! rétorqua-t-il en prenant son fusil Arwen. Il inséra des cartouches incendiaires dans le chargeur, puis il visa la façade du garage. Les cartouches firent voler les vitrines en éclat. En quelques secondes, des flammes commencèrent à sortir des fenêtres. Namara, qui avait enlevé sa cagoule, marchait autour des véhicules pour reprendre ses sens. Il ne se sentait pas vraiment bien. Il lui sembla que quelque chose n'allait pas. Il se passa la main sur le ventre. Avec stupéfaction, il se rendit compte qu'elle était couverte de sang. Un projectile avait dû l'atteindre! L'adrénaline aidant, il ne s'en était pas rendu compte. Il sentit le sol tourner sous ses pieds et tenta de contrôler sa respiration. Mais, pour une fois, rien ne fonctionna. Il sentit quelque chose lui couler sur le menton : c'était du sang !

— Hé, Namara, mais qu'est-ce que tu fais ? Ce n'est pas le temps de faire du tourisme ! cria Guerra. Il faut foutre le camp d'ici !

Au même instant, Namara s'effondra au sol face contre terre. Il resta immobile dans cette position sur le sol sablonneux. Tous figèrent en voyant ce qui lui arrivait.

— Oh, merde ! Il est touché ! hurla Guerra en se précipitant vers son ami.

— Mais qu'est-ce qui se passe ? lança Kamilia, qui se sortit la tête du véhicule en voyant les autres passer à la course. Elle n'avait pas vu ce qui s'était déroulé juste derrière elle.

— Namara a été touché ! dit Gonzo en passant à toute vitesse près d'elle.

— Saloperie ! dit-elle en donnant un coup sur le volant.

Guerra et Gonzo retournèrent Namara sur le dos. Beaucoup de sang s'écoulait de sa blessure, mais il demeurait à demi conscient.

— Connard… Tu ne vas pas nous faire le coup de crever ici. Tiens bon ! lança Guerra en passant le bras de Namara sur ses épaules pour le soulever en même temps que Gonzo.

— Ça semble vraiment sérieux ! dit Gonzo.

— Oui, il faut foutre le camp d'ici au plus vite et trouver un hôpital sinon il va crever au rythme où l'hémorragie se produit, rétorqua Shinsaku.

Shinsaku lui appliqua une compresse sur la plaie et lui fit un tourniquet de fortune à l'aide d'une banderole.

— Embarquez-le ici, vite ! dit Kamilia à la vue de Namara littéralement traîné par Guerra et Gonzo. Il était toujours conscient, mais on aurait dit que son regard s'atténuait, comme s'il était en train de partir. Armando s'était approché et il reconnut l'homme qu'il avait rencontré un certain soir. Il reconnut également l'autre homme qui le traînait vers le véhicule. Un sentiment de tristesse l'envahit en regardant Namara visiblement en train de mourir.

— Armando, vous devez foutre le camp d'ici ! Allez-vous-en avec elles ! cria Guerra en passant en face de lui.

Armando restait figé à regarder Namara. Une femme, qui était aux côtés d'Armando, regarda Namara. Leurs regards se croisèrent lorsqu'ils passèrent.

— Personne n'oubliera ce que vous avez fait, monsieur ! Dieu non plus ne vous oubliera pas ! dit-elle.

Namara, qui était à peine conscient et qui s'accrochait à la vie, se rappela comme dans un rêve Chao Heng et ses propos sur certains maîtres de méditation qui avaient réussi à baisser leur rythme cardiaque à un tel point qu'ils avaient été jugés cliniquement morts. Namara bloqua tous ses sens et se mit à se concentrer uniquement sur sa respiration et la nécessité de rester éveillé.

— Reste avec nous, bordel! dit Gonzo en voyant le sang imbiber rapidement la moquette du véhicule.

Namara sentit vaguement qu'on le déplaçait. Il se concentra davantage. Lentement, son rythme cardiaque baissa, jusqu'à devenir pratiquement imperceptible. Moins le cœur battait, moins le sang circulait dans l'organisme. Alors que Namara se concentrait toujours sur sa respiration, l'hémorragie cessa.

Chapitre 70

Quand il reprit connaissance, Danny était dans un lit d'hôpital. Il ignorait depuis combien de temps il était resté inconscient, ou bien mort, peut-être. Il fixa le plafond quelques instants et tout lui revint en mémoire. Il baissa les yeux pour apercevoir toute son équipe qui était à son chevet. Il croisa le regard de Kamilia qui fut la première à s'apercevoir qu'il avait repris connaissance.

— Il est réveillé ! dit-elle en souriant.

Tous se retournèrent vivement.

— Comment vas-tu ? lui murmura-t-elle en s'appuyant sur le rebord du lit.

Elle lui donna un baiser sans parler davantage. Namara lui sourit.

— Bien… enfin, je crois…

— Tu nous as fait vraiment peur, foutu imbécile, dit Guerra en souriant. Il lui serra la main en s'approchant du lit.

— Depuis combien de temps suis-je inconscient ?

— Un petit moment. Les médecins t'ont donné des médicaments pour que tu dormes. Quand tu es arrivé à l'hôpital, tu avais presque perdu tout ton sang. La balle a touché une artère, mais aucun organe n'a été atteint. Par contre…

— Quoi, par contre ! dit-il en fixant Guerra.

— Eh bien… J'ai tout fait pour lui faire changer d'avis, mais le médecin n'a pu faire autrement. Le projectile s'était logé à un bien mauvais endroit, tu vois, alors ils n'ont pas eu le choix… que de couper…, dit-il d'un air solennel en baissant les yeux.

— Couper quoi ?

— Ce n'est pas facile pour moi de t'annoncer une telle nouvelle, tu sais. Ils ont dû t'amputer de… l'attirail au complet ! dit-il en indiquant son entrejambe et imitant le geste d'amputation.

Les yeux de Namara s'écarquillèrent et il leva brusquement le drap qui le couvrait pour vérifier s'il lui restait quelque chose. Après quelques tâtonnements, il réalisa le mensonge de Guerra, mais il ne put faire autrement que de pousser un soupir de soulagement. Son cœur battait rapidement. L'air solennel de Guerra se transforma en fou rire.

— Toi, espèce de sale idiot!!! dit-il en lui tirant un bol de Jello qu'une infirmière avait dû déposer à son chevet auparavant. Tous se mirent à rigoler en cœur après que Guerra eut évité de justesse l'obus gélatineux qui alla percuter le mur.

— Hé, silence! Écoutez, on parle de nous à la télévision! dit Ming Mei qui monta le volume pendant que tous se la fermaient.

À la télévision, ils virent un porte-parole du FBI qui tenait un point de presse devant plusieurs journalistes. L'agent spécial Pat McGrady, qui était responsable du dossier, était posté devant la horde de journalistes avec son habit et sa coupe de cheveux de comptable. Il tint son discours d'un ton régulier et sans grande émotion en posant fièrement devant les flashs d'appareils photo.

— Le Bureau vient de mettre à jour un réseau de trafiquants de femmes qui sévissait au Texas, mais également au Mexique, plus précisément à San Matanza. Le réseau, qui était en fait composé d'extrémistes néonazis, avait élu domicile dans un petit village tout près de la frontière mexicaine pour transiger avec un autre groupe de criminels de San Matanza. Ces derniers sont les responsables de l'enlèvement de centaines de femmes. Le groupe de Mexicains pour sa part serait responsable d'environ quatre cents enlèvements et meurtres de femmes plus ou moins confirmés sur le territoire mexicain depuis une dizaine d'années.

Pour une raison que nous ignorons, les membres du réseau ont décidé de s'entretuer, probablement à l'occasion d'une purge interne. Lors de cette tuerie, certaines des prisonnières ont réussi à s'enfuir pour tout révéler aux autorités par la suite. Grâce au travail acharné de nos enquêteurs, ces révélations nous ont permis de trouver les pistes et de remonter tout le réseau. Grâce au professionnalisme du Bureau et de la collaboration des autorités mexicaines, cette longue enquête met fin à une série de meurtres sordides jusqu'à maintenant inexpliqués. Tous les membres de ce réseau ont été retrouvés sans vie et...

La présentation continua pendant plusieurs minutes. Pat McGrady savait bien que l'histoire fournie aux journalistes et à la population n'était qu'un tissu de mensonges. La vérité était toute autre. Tous les indices retrouvés sur la scène du crime indiquaient qu'il ne s'agissait aucunement d'un règlement de compte, mais bien d'assassinats exécutés par des professionnels. Les enquêteurs avaient trouvé de nombreux projectiles d'origine militaire sur le site de Sauvalito. De nombreuses traces d'explosifs avaient été également recueillies, des explosifs réservés aux forces spéciales. En fait, l'endroit avait été véritablement transformé en une zone de guerre : seuls des professionnels et parmi les meilleurs avaient pu semer semblable carnage et s'en tirer. Une job de professionnels. Tous en étaient venus à cette conclusion.

En réalité, le Bureau n'avait eu aucune collaboration avec la police de San Matanza. Cette dernière, aux prises avec le scandale de ces meurtres, avait vite fermé le dossier en concluant à la purge interne et prenant bien sur le crédit pour la résolution des meurtres. Elle désigna Eduardo et son groupe comme les coupables. Selon la version de la police mexicaine, le bar d'Eduardo et le garage où ils gardaient les femmes avaient été incendiés et les bandits s'étaient par la suite tous éliminés entre eux à la suite d'une discorde. Les femmes retrouvées vivantes étaient de retour dans leur famille. Tout le monde était satisfait, la population était soulagée et les médias avaient leur histoire. Pour le FBI toutefois, l'enquête était très complexe. Comment expliquer qu'un groupe néonazi connu du FBI ait opéré pendant dix ans sur le territoire américain en toute impunité sans éveiller aucun soupçon des autorités ?

En réalité, le FBI avait foiré sur toute la ligne, même l'identité des auteurs de ce carnage restait un mystère. L'évidence de la présence et de l'ampleur de ce réseau les avait frappés en voyant tous ces morts, mais il était trop tard. Le Bureau avait failli. En dix ans, ils n'avaient rien vu et les États-Unis étaient maintenant partie prenante dans une série de meurtres parmi les plus horribles qui ne soient jamais arrivés. Quelqu'un devrait porter le chapeau pour ce laxisme sans parler du sentiment d'insécurité de la population qui se trouverait grandement ébranlée par leur incompétence.

Le débat interne se régla lorsqu'un certain Oscar Schwartz se présenta à Pat McGrady en qualité de représentant du secrétaire à la défense américaine. Il lui expliqua que ce dossier devait être fermé dans l'intérêt de la sécurité nationale des États-Unis et que tout se trouvait sous contrôle. Il n'y avait aucune raison pour que le FBI enquête davantage, ni ne cherche quelque responsable que ce soit, ou quoi que ce soit. Bien que Pat McGrady fût d'abord fort contrarié par les propos de Schwartz, il en vint rapidement à conclure que c'était la bonne façon de procéder. Personne ne porterait le blâme et, bien qu'on puisse démontrer que le FBI n'était aucunement au courant des activités qui se déroulaient à Sauvalito, ils avaient immédiatement rectifié le tir en perçant le mystère de tous ces meurtres horribles survenus depuis toutes ces années.

Tout le monde était satisfait, le dossier était clos et les mystérieux agents de ce nettoyage les avaient débarrassés de plusieurs criminels de manière définitive. Avec les instructions officielles d'Oscar Schwartz consignées sur papier, ils s'occupèrent de nettoyer le site et de se débarrasser des preuves recueillies. Pat McGrady savait qu'il avait pris la bonne décision et la seule possible. Il était maintenant devant les projecteurs avec son plus beau costume à prendre le mérite pour avoir mis à jour un important réseau de criminels. Quand les flashs recommencèrent, il se tourna de biais pour montrer son plus beau profil.

睚眦

On frappa à la porte quelques coups. Armando, qui était assis au salon avec les siens à regarder la télévision, se leva tranquillement en direction de la porte. Il regarda par la fenêtre en jetant un coup d'œil rapide, mais il ne vit personne. Curieux, il ouvrit la porte rapidement. Il trouva un petit sac en toile bleu sur le pas de la porte. Il tourna la tête à gauche puis à droite, mais ne put apercevoir personne. Il se pencha pour ouvrir le sac, décidé à satisfaire sa curiosité. Il descendit la fermeture éclair qui se trouvait sur un des côtés du contenant.

Ses yeux s'écarquillèrent quand il réalisa qu'il était rempli de liasses de billets américains. Armando prit une liasse dans ses mains tremblantes pour se rendre compte qu'il s'agissait de billets de cent dollars. Ses yeux s'emplirent de larmes en regardant tout cet argent à ses pieds. Il courut vers la rue à la recherche du mystérieux livreur. Au loin, il vit une silhouette ; quelqu'un semblait l'observer. Il reconnut ce quelqu'un, et très bien. Armando essuya une larme avec le rebord de sa chemise, leva la main pour le saluer. Namara lui retourna son salut et continua son chemin.

Chapitre 71

Le Quartier chinois, New York, États-Unis.

Andy marchait dans une petite ruelle, seul. Le soleil venait tout juste de se coucher et il se dirigeait à un rendez-vous.

— Bonsoir, Andy, entendit-il d'un coin sombre entre deux bâtiments. Andy sursauta et s'immobilisa. Il vit Namara sortir de l'obscurité, un cigarillo à la bouche.

— Tu as failli me faire mourir… Nom de Dieu!

— Désolé, dit-il avec un petit sourire.

— Comment vas-tu?

— Bien, merci.

— Et le ventre?

— Tout va bien.

— Tant mieux…

— Merci pour le coup de main, en passant. Tu nous as été d'une grande assistance.

— C'est moi qui dois te dire merci. Toi et ton équipe avez fait un travail remarquable… Vraiment, dit-il en lui serrant la main.

— Peut-être, mais je n'en suis pas si certain…

— Que veux-tu dire…

— En réalité, nous avons échoué, Andy. Tous ces assassinats avant qu'on intervienne. C'est triste…

— Je comprends. Mais tu dois aussi te dire combien de vies ont été sauvées par les opérations que vous avez menées? Il est vrai qu'il y a eu beaucoup trop de morts avant que quelque chose ne soit fait, mais je suis persuadé qu'il y en a encore plus qui ont été sauvées par ce que vous avez fait! Mais ça, on ne le saura jamais.

— Sans doute…

— En passant, j'ai poussé plus à fond mon enquête sur les renseignements que Ming Mei m'a transmis. C'est encore nébuleux, mais il semble que Brakan venait d'une famille riche de Mexico. Il était impliqué dans le trafic de drogue, mais toujours de façon indirecte. Il était plus préoccupé par sa dévotion envers Satan qu'envers toute autre chose. Foncièrement, il semble que l'argent n'ait jamais été un problème pour lui. Il avait des liens étroits avec la classe des affaires de Mexico. Les membres de son groupe de satanistes devaient être des gens assez influents. Ces gens haut placés un peu partout dans le pays lui ont permis de trouver facilement des clients riches pour son réseau pédophile. J'ai beaucoup de noms qui semblent être ceux de clients ou d'adeptes de Brakan. De toute évidence, ils courent toujours. Je vais continuer mes recherches pour en trouver davantage.

— Et pour le sénateur Murdoch?

— Je dois encore y réfléchir. Pour l'instant, nous attendons.

— D'accord.

— Tu sais, ce réseau avait pris des proportions insoupçonnables. Nous parlons d'un sénateur américain. Si nous décidons de partir après lui, il faut s'attendre à ce que nous attirions l'attention sur nous. Si tu ne désires pas aller aussi loin, je comprendrais, tu sais…

— Nous avons une entente.

— Très bien. Que vas-tu faire maintenant?

— Je crois que je vais prendre un petit moment de vacances.

— Bonne idée. Toutefois, ne pars pas trop loin, il se pourrait que j'aie besoin de toi assez rapidement pour monsieur le sénateur!

— C'est entendu. Un sénateur… Ce n'est pas croyable! dit-il en tirant une bouffée de cigare.

— Je sais… Mais tu sais, Namara, il n'y a pas que du mauvais dans ce monde…

— C'est possible. En tout cas, je tenterai de repenser à tes paroles quand j'aurai des doutes, rétorqua-t-il avec un sourire.

— D'accord… Prends soin de toi, Danny!

— Toi pareillement.

Les deux se serrèrent la main quelques instants en souriant, puis Namara tourna les talons alors qu'Andy restait sur place. À quelques mètres d'Andy, Namara remarqua une petite fille devant la façade d'un petit restaurant. Le reflet des néons donnait un teint bleuté à la fillette. Elle remarqua Namara de l'autre côté de la rue, puis elle lui sourit. Il lui sourit en retour et il continua son chemin. Rendu au bout de la ruelle, Namara disparut. Au moment de partir dans la direction opposée, Andy se dit avec un grand sourire qu'il avait fait un bon, voire un excellent choix: Namara était devenu un vrai samouraï yazi.

> Pour triompher, le Mal n'a besoin que de l'inaction des hommes de bien.
>
> EDMUND BURKE

Remerciements

À mon ami de longue date, Marc-Antoine, qui m'a aidé constamment durant la création de ce livre par ses précieux conseils, son expertise, ses révisions et sa franchise. Ce livre ne serait pas ce qu'il est aujourd'hui sans ton aide ; merci à toi.

À sifu Denis Shink : merci pour votre patience et votre confiance à mon égard, votre humilité, vos valeurs et vos enseignements au cours des années et pour m'avoir appris à regarder au-delà des apparences, pour votre aide à me faire comprendre les forces externes qui nous entourent, à prendre conscience des forces intérieures qui nous habitent et m'avoir éveillé aux forces invisibles qui nous dirigent. Tout cela m'a permis de devenir un meilleur artiste martial, mais aussi une meilleure personne.

Achevé d'imprimer en mai deux mille quinze
sur les presses de l'imprimerie Gauvin,
Gatineau (Québec), Canada.